WUNDERSMITH

The Calling
of
Morrigan Crow

WUNDERSMITH
ネバームーア2
The Calling
of
Morrigan Crow

魔法学園の危機

ジェシカ・タウンゼント
田辺千幸 訳

早川書房

WUNDERSMITH
The Calling of Morrigan Crow
by
Jessica Townsend

Translated by
Chiyuki Tanabe
First published 2020 in Japan by
Hayakawa Publishing, Inc.
This book is published in Japan by
arrangement with
The Bent Agency
through Japan Uni Agency, Inc., Tokyo.

イラスト／まめふく

本書を、愛と感謝を込めて、
わたしを向こう側に連れていってくれた女性たちに捧げます。

とりわけ、ジェマとヘレン、
そして、滝野文恵さん率いる日本のチアリーディングチームのおばさまたちに。

WUNDERSMITH
もくじ

WUNDERSMITH
登場人物紹介

ジュピター・ノース
モリガンの後援者。〈輝かしき結社〉のメンバー。ホテルデュカリオンのオーナー

ジャック
ジュピターの甥。寄宿学校〈聡明な若者のためのグレイスマーク・スクール〉の生徒

モリガン・クロウ
12歳になった少女。〈輝かしき結社〉の入会審査に合格し、ユニット919のメンバーとなる。自らが〈ワンダー細工師〉であるという運命を背負う

ホーソーン・スウィフト
〈輝かしき結社〉ユニット919のメンバー。天賦の才:ドラゴン乗り

カデンス・ブラックバーン
〈輝かしき結社〉のユニット919のメンバー。天賦の才:催眠術師

エンジェル・イスラフェル　天空の生き物。ネバームーアで活躍する歌手

カシエル　イスラフェルの同胞

パキシマス・ラック　有名な奇術師でストリート・アーティスト

マニフィカブ	ドクター・ブランブルの飼うマニフィキャットの子ども
アーチャン・テイト	〈輝かしき結社〉のユニット919のメンバー。 天賦の才:掏《す》り
アナ・カーロ	同。天賦の才:治療師
フランシス・フィッツウィリアム	同。天賦の才:料理家
ランベス・アマラ	同。天賦の才:短期の予言者
マヒア・イブラヒム	同。天賦の才:語学に堪能
サディア・マクリード	同。天賦の才:戦士
マリーナ・チェリー	〈輝かしき結社〉の案内人
ミズ・ディアボーン	〈俗世の技能の学校〉のスカラー・ミストレス
ミセス・マーガトロイド	〈不可解な技能の学校〉のスカラー・ミストレス
ヘミングウェイ・Q・オンストールド	〈輝かしき結社〉の教授
ヘンリー・ミルドメイ	〈輝かしき結社〉の先生
ヘロイーズ・レッドチャーチ	〈輝かしき結社〉の生徒
アルフィー・スワン	〈輝かしき結社〉の生徒
バズ・チャールトン	ヘロイーズ、アルフィー、カデンスらの後援者
エズラ・スコール	この世に存在するもっとも邪悪な〈ワンダー細工師〉
〈骨《ほね》男《おとこ》〉	子供をさらっていくブギーマン。〈骸骨《がいこつ》軍団〉

第一章

エンジェル・イスラフェル　一の冬　春の前日

モリガン・クロウは歯をかたかた鳴らしながら〈ブロリー・レール〉から飛びおりた。オイルスキンの傘《かさ》の柄《え》を握《にぎ》りしめていた手は寒さにかじかんでいる。風になぶられた髪《かみ》はぼさぼさで、モリガンはできるかぎりきれいに撫《な》でつけながら、ボヘミア地区のにぎやかな大通りをすたすたと進んでいく後援者《こうえんしゃ》のあとを急いで追った。彼《かれ》はすでに何メートルも前を歩いている。

「待って！」サテンのドレスや豪華《ごうか》なベルベットのマントを身に着けた女性たちのあいだをすり抜《ぬ》けながら、モリガンは呼《よ》びかけた。「ジュピター、もっとゆっくり歩いて」

ジュピター・ノースは振《ふ》り返ったものの、足を止めることはなかった。「ゆっくり歩くのは無理だよ、モグ。ぼくにはその才能がないんだ。追いついておいで」

ジュピターはそう言うと、再び歩行者や人力車や馬車やモーターのついた乗り物のあいだを足早に進んでいった。

足を速めてそのあとを追いかけようとしたモリガンは、青く染《そ》まった指の先に金色の細い葉《シガリ》巻《ロ》をはさんだ女性に、甘《あま》ったるいにおいのするサファイアブルーの煙《けむり》を吹《ふ》きかけられた。

「おえっ。くさい」モリガンは咳《せ》きこみ、手を振《ふ》って煙《けむり》を追い払《はら》った。一瞬《いっしゅん》、ジュピターの姿《すがた》を見失ったが、真っ赤な髪《かみ》が人込《ご》みのなかでひょこひょこと上下に動いているのをすぐに見つけて、あわててそのあとを追った。

「子供《こども》よ！」青い指の女性がうしろで叫《さけ》んでいるのが聞こえた。「あなた、見て——ボヘミアに子供《こども》がいるわ。なんて恐《おそ》ろしい！」

「パフォーマンスの一部だよ、ダーリン」

「まあ、そうだったのね。奇抜《きばつ》だこと！」

あたりをじっくり見る時間があればよかったのにとモリガンは思った。ネバームーアのこのあたりに来たのは初めてだ。この人込《ご》みのなかでジュピターを見失う恐《おそ》れさえなかったら、劇《げき》場《じょう》や芝居《しばい》小屋や音楽堂が建ち並《なら》び、色鮮《あざ》やかなネオンやライトであふれる広々とした通りを見て、さぞわくわくしただろうに。思いっきりおめかしをした人たちがあちらこちらの角で乗り物から降《お》り、立派《りっぱ》な劇場《げきじょう》の扉《とびら》へと吸《す》いこまれていく。客引きが声を張りあげたり、歌ったりしながら騒々《そうぞう》しいパブへと客を呼《よ》びこんでいる。レストランはどこも満員で、歩道にまでテーブルが並《なら》んでいた。今日は〈春の前日〉で、凍《い》てつくような冬の最後の日だというのに、どのテーブルも埋《う》まっていた。

モリガンは、通りで一番混んでいて、一番美しい建物の外に立っているジュピターにようやく追いついた。白い大理石と金でできたキラキラ光るその建物は、大聖堂《だいせいどう》とウェディングケーキに少しずつ似ているとモリガンは思った。

ニュー・デルフィアン音楽堂

本日の出演者

ジジ・グランド　と　ガタボーン・ファイブ

「ここに……入るの？」モリガンは息を切らしながら訊《き》いた。あばらのあたりがちくりと痛《いた》んだ。

「え？　ここに？」ジュピターはさげすむようなまなざしをニュー・デルフィアンに向けた。「とんでもない。死んでもごめんだ」

人目を気にするようにちらりとうしろを振《ふ》り返ってから、ジュピターは人込《ご》みを離《はな》れ、モリガンを建物の裏手《うらて》の路地へと連れていった。そこは並《なら》んで歩けないくらい狭《せま》い路地で、ふたりはなんだかわからないゴミや壁《かべ》から崩《くず》れて落ちたレンガをまたいで進んだ。明かりはない。鼻をつくひどいにおいがして、進むにつれてますますひどくなった。腐《くさ》った卵《たまご》か死んだ動物みたいなにおいだ。それともその両方かもしれない。

モリガンは手で口と鼻を押《お》さえた。あまりの悪臭《あくしゅう》に吐《は》き気をこらえなくてはならなかった。いますぐきびすを返して戻《もど》りたかったけれど、ジュピターがうしろからついてくるので進むほかはなかった。

「止まって」路地の突《つ》き当り近くまで来たところで、ジュピターが言った。「ここが……？いや、違《ちが》う。ちょっと待てよ……」

振《ふ》り返るとジュピターは、ほかの箇所《かしょ》とまったく同じに見える壁《かべ》の一部をしげしげと眺《なが》めていた。レンガのあいだのモルタルを指先でそっと押《お》し、鼻を近づけてにおいを嗅《か》ぎ、それからおそるおそる壁《かべ》をなめた。

モリガンはぞっとして彼《かれ》を見つめた。「おえっ。やめて。いったいなにをしているの？」

ジュピターはなにも答えなかった。しばらく壁《かべ》を見つめていたが、やがて眉間《みけん》にしわを寄せて、建物と建物のあいだに少しだけのぞいている星空を見あげた。「ふむ。そうだと思った。感じるかい？」

「なにを？」

ジュピターはモリガンの手を取ると、壁《かべ》に押《お》し当てた。「目をつぶって」

モリガンはばかみたいと思いながら、言われたとおりにした。ジュピターが真面目なのかふざけているのか、わからないことがしばしばあったし、今回に限って言えば、きっとばかみたいな悪ふざけをしているのだろうと考えた。だって今日はモリガンの誕生日《たんじょうび》だったから。驚《おどろ》かせるようなことはしないとジュピターは言っていたものの、実は手のこんだばかげた策略《さくりゃく》を巡《めぐ》らせていて、最後に行き着いた部屋で〝ハッピー・バースデー〟の大合唱に迎《むか》えられるというのは、おおいに考えられることだ。はっきり訊《き》いてみようかと考えたとき――

「あ！」指先にごくわずかなうずきを感じた気がした。耳の奥《おく》でかすかなハミングが聞こえる。

ジュピターはモリガンの手首をつかむと、壁《かべ》から少しだけ引き離《はな》した。まるでレンガが磁石《じしゃく》になったみたいに、引っ張られる感じがした。壁《かべ》がモリガンの手を離《はな》すまいとしているみたいだ。

「これってなに？」モリガンは訊《き》いた。

「ちょっとしたいたずらさ」ジュピターが答えた。「ついておいで」ジュピターはうしろにのけぞると、レンガの壁《かべ》に片足《かたあし》を当て、さらにもう一方の足も壁《かべ》に載《の》せた。そしてごく当たり前のように重力に逆らいながら、路地の反対側の壁《かべ》に頭をぶつけないように背中《せなか》を丸めて壁《かべ》をのぼっていった。

モリガンは黙《だま》ってそれを眺《なが》めていたが、やがて小さく首を振《ふ》った。あたしはもうネバームーアの人間なんだから。ホテル・デュカリオンの住人で、〈輝かしき結社《ワンダラス・ソサエティ》〉のメンバーでもある。少しばかりおかしなことが起きるたびに、こんなに驚《おどろ》くのはやめなきゃいけない。

モリガンは大きく息を吸《す》うと（ひどいにおいに、またえづきそうになった）、ジュピターのしたとおりのことをした。両足を壁《かべ》に載《の》せると、世界はぐらりと揺《ゆ》れたけれどすぐに元通りになったのでほっとした。ひどいにおいはあっと言う間に消えて、澄《す》んだ夜の空気に変わった。目の前に広がる夜空に向かって路地の壁《かべ》をのぼっていくのは、いたって当たり前のことのように思えてきて、モリガンは声をあげて笑った。

路地の壁《かべ》をのぼりきると、世界の上と下はまた上と下になった。

そこは――モリガンが想像していたように――屋根の上ではなく、また路地になっていた。

騒《さわ》がしくて、人が大勢いて、弱々しい緑色の光に照らされている。モリガンとジュピターは、興奮《こうふん》した面持ちの人たちが並《なら》ぶ長い列のうしろについた。興奮《こうふん》は伝染《でんせん》する。モリガンは期待に胸《むね》が高鳴るのを覚えながら、いったいなにに並《なら》んでいるのかを確かめようとして背伸《せの》びをした。列の先頭にすり切れた水色のドアがあって、乱暴《らんぼう》な手書きの文字が記されたポスターが貼《は》ってあるのが見えた。

オールド・デルフィアン音楽堂

楽屋口

今夜の出演：エンジェル・イスラフェル

「エンジェル・イスラフェルってだれ？」モリガンは尋《たず》ねた。

ジュピターは答えなかった。ついておいでというように頭を振《ふ》ると、列の先頭へと歩いていく。そこでは、退屈《たいくつ》そうな顔をした女性が名前とリストを照合していた。頑丈《がんじょう》そうなブーツから首にぶらさげたウールの耳当てまで、全身黒づくめだ（モリガンは気に入った）。「うしろに並《なら》んで」彼女《かのじょ》は顔もあげずに言った。「写真はだめ。あと、ショーが終わるまでは歌わないから」

「悪いが、それまで待っていられないんだ」ジュピターが言った。「いま入らせてもらえないか？」

女性はため息をつくと、口を開けたままガムを噛《か》みながら、投げやりな視線《しせん》をジュピターに向けた。「名前は？」

「ジュピター・ノース」

「リストには載《の》ってないけど」

「そうだ。わかっている。でも、きみがそれをなんとかしてくれるとありがたいんだが」赤褐《せきかっ》色《しょく》のひげのなかで彼《かれ》は微笑《ほほえ》み、ラペルにつけた小さな金色のWのピンをさりげなく叩《たた》いた。

モリガンは縮《ちぢ》みあがった。〈輝かしき結社《ワンダラス・ソサエティ》〉のメンバーがネバームーアでは尊敬《そんけい》される存在《そんざい》で、普通《ふつう》の人たちには想像するほかないような特別待遇《たいぐう》を受けることがしばしばあるのは知っていたけれど、ジュピターが自分の〝ピンの特権《とっけん》〟をこれほどあからさまに利用しようとするのを見たのは初めてだった。ジュピターはしょっちゅうこんなことをしているの？

その女性は——当然だとモリガンは思った——なんとも思わなかったようだ。苦々しい顔で金色のWのピンを眺《なが》めてから、きらきらするアイラインでくっきりと縁取《ふちど》った目をジュピターの期待に満ちた顔に向けた。「でも、あんたはリストに載《の》ってないけど」

「彼《かれ》はぼくに会いたがるはずだ」ジュピターが応じた。

彼女《かのじょ》の上唇《うわくちびる》がまくれあがって、どの歯にもダイヤモンドが散りばめられているのが見えた。

「証明して」

ジュピターが小首をかしげて片方《かたほう》の眉《まゆ》を吊《つ》りあげると、女性はいらだったようにその仕草を真似た。やがてジュピターはため息をつくと、コートの内ポケットに手を入れ、点々と金色が散った一本の黒い羽根を取り出し、指のあいだで一、二度まわして見せた。

女性の目がわずかに大きくなった。あんぐりと口が開いて、鮮《あざ》やかな青色の風船ガムが歯と歯のあいだに押《お》しこまれているのが見えた。彼女《かのじょ》はジュピターのうしろでどんどん長くなっている列を心配そうにちらりと眺《なが》めてから、色褪《いろあ》せた水色のドアを押《お》し開け、入れというように頭を動かした。「それなら急いで。五分ではじまるから」


オールド・デルフィアンの舞台裏《ぶたいうら》は暗かった。期待に満ちた空気が漂《ただよ》っていて、黒い服に身を包んだ舞台係《ぶたいがかり》たちが無駄《むだ》のない動きで音もなく移動している。

「あの羽根はなんだったの？」モリガンが小声で尋《たず》ねた。

「ピンよりは説得力があったね」ジュピターは少し腹《はら》を立てているようだ。〝関係者〟と書かれた箱からこっそり持ってきたふたつの耳当てのうちのひとつを、モリガンに手渡《てわた》した。「ほら、これをつけて。もうすぐ彼《かれ》が歌う」

「彼《かれ》って、エンジェルなんとかって……そういうことなの？」

「イスラフェルだ。そうだ」ジュピターは赤褐色《せきかっしょく》の髪《かみ》をかきあげた。不安なときの彼《かれ》の癖《くせ》だということをモリガンは知っていた。

「でも、あたしは聴《き》いてみたい」

「いや、だめだ。ぼくの言うことをよく聞いて」ジュピターが向こう側にいる観客たちをカーテンの合間から眺《なが》めたので、モリガンもちらりとそちらに目を向けた。「彼《かれ》や彼《かれ》の同胞《どうほう》の歌は決して聴《き》いてはいけないよ、モグ」

「どうして？」

「聴《き》いたこともないくらい、甘《あま》い音だからだ。その声はきみの頭のなかのなにかを刺激《しげき》して、完璧《かんぺき》で完全な平穏《へいおん》をもたらしてくれる。想像したこともないくらいの、最高の平穏《へいおん》だ。自分が傷《きず》ひとつない、完璧《かんぺき》な人間だと感じさせてくれて、欲《ほ》しかったものや必要だったものはすべて持っていると思わせてくれる。孤独《こどく》や悲しみは遠い記憶《きおく》で、心は満たされていて、世界に二度と失望することはないという気になるんだ」

「ぞっとする」モリガンは感情のこもらない声で言った。

「そうだ、ぞっとする」ジュピターは顔を曇《くも》らせた。「一時的なものにすぎないからね。イスラフェルが永遠に歌い続けていることはできない。彼《かれ》が歌うのをやめると、完璧《かんぺき》な幸福感は消えてしまう。辛《つら》いことや不完全さや汚《けが》らわしいものでいっぱいの現実の世界に引き戻《もど》されるんだ。それは耐《た》えがたいことで、自分が空っぽになったように感じられて、人生が終わったような気になる。まるで自分だけが泡《あわ》のなかに囚《とら》われていて、不完全な世界がその外で続いているみたいに。あそこにいる人たちの顔を見たかい？」ジュピターは少しだけカーテンを開け、ふたりは改めて観客の顔を見た。

　がらんとしたオーケストラピットの明かりに照らされたおびただしい数の顔は、どれも同じ表情を浮《う》かべていた――熱狂的《ねっきょうてき》だけれど、どこか空虚《くうきょ》だ。なにかが欠けている。なにかが足りない。「彼《かれ》らは芸術の後援者《こうえんしゃ》じゃない」ジュピターが言葉を継《つ》いだ。「優《すぐ》れた演奏《えんそう》を楽しむために来ているわけじゃないんだ」ジュピターはモリガンを見おろし、小さな声で言った。「麻《ま》薬《やく》のようなものだよ、モグ。全員がそうだ。また麻《ま》薬《やく》を打つためにやってきているんだ」

モリガンは観客たちの渇望《かつぼう》の表情を眺《なが》め、冷たいものが背筋《せすじ》を駆《か》けあがるのを感じた。

女性の声が場内に響《ひび》いた。観客たちが静まりかえった。

「ご来場の皆《みな》さま。今夜はここオールド・デルフで、彼《かれ》の一〇〇回めの素晴らしいパフォーマンスをご堪能《たんのう》ください……世界で唯一《ゆいいつ》の、天上のものにも思える、神から授かった……」増幅《ぞうふく》された声が、芝居《しばい》がかったささやき声に変わった。「エンジェル・イスラフェルを温かくお迎《むか》えください」

とたんに静けさは破れ、場内は観客の拍手《はくしゅ》や歓声《かんせい》や口笛でいっぱいになった。ジュピターに脇腹《わきばら》を強く肘《ひじ》でつかれて、モリガンは急いで耳当てをつけた。一切の音が消えて、耳の奥《おく》を血が流れる音だけが聞こえる。ショーを見るためにここに来たわけではないことはわかっていた。もっと大事なことがある。それでも……少しいらいらした。

暗かった場内が金色の光に満たされた。モリガンはまぶしさをこらえるようにまばたきをした。観客たちのずっと上の天井に近いところ、広々とした空間の中央で、スポットライトがひとりの男性を照らしていた。この世のものとは思えない一風変わった彼《かれ》の美しさに、モリガンは思わず息を呑《の》んでいた。

エンジェル・イスラフェルは宙《ちゅう》に浮《う》いていた。肩甲骨《けんこうこつ》のあいだから生えている力強い翼《つばさ》を、ゆっくりとリズミカルにはばたかせている。その羽根は夜のように黒く、きらめく金色の筋《すじ》が入っていた。翼《つばさ》の端《はし》から端《はし》まで少なくとも三メートルはあるだろう。体も筋肉質《きんにくしつ》で、たくましいけれどしなやかだった。漆黒《しっこく》の肌《はだ》には細い川のように金の筋《すじ》が入っていた。まるで割《わ》れた花《か》瓶《びん》を金で継《つ》いだみたいに。

彼《かれ》は観客を見おろした。その視《し》線《せん》はすぐに優《やさ》しげで、好奇《こうき》心《しん》をたたえたものになった。観客たちはイスラフェルを見あげながら、すすり泣き、体を震《ふる》わせ、自分を抱《だ》きしめている。なかには気を失って劇場《げきじょう》の床《ゆか》に倒《たお》れている者もいた。ちょっと大げさじゃないかとモリガンは考えずにはいられなかった。まだ彼《かれ》は声すら出していないのに。

そして彼《かれ》が歌い始めた。

観客たちは動きを止めた。

二度と動くことがないように見えた。

変わることのない静かな平穏《へいおん》が雪のように降《ふ》り注いだ。

モリガンはひと晩《ばん》じゅうでもここにいて、舞台袖《ぶたいそで》からこの奇妙《きみょう》な無言のショーを見ていたかった……けれど数分もたつとジュピターが飽《あ》きてしまった（ジュピターらしいとモリガンは思った）。

煙《けむ》ったような薄暗《うすぐら》い舞台裏《ぶたいうら》の奥《おく》にイスラフェルの控室《ひかえしつ》があったので、ジュピターとモリガンは勝手にそこに入って彼《かれ》を待つことにした。重たい鋼鉄《こうてつ》のドアをしっかりと閉《し》めたところで、耳当てをはずしても大丈夫《だいじょうぶ》だとジュピターが身振《みぶ》りで示した。

モリガンは控室《ひかえしつ》を見まわし、鼻にしわを寄せた。ごみであふれている。空き缶《かん》や空のボトル、食べかけのチョコレートの箱、枯《か》れかけていたり、すっかり枯《か》れていたりする花の入った何十もの花瓶《かびん》がいたるところに散乱《さんらん》していた。床《ゆか》、ソファ、化粧台《けしょうだい》、椅子《いす》には服がうず高く積まれ、洗《あら》っていない生地のかび臭《くさ》いにおいが充満《じゅうまん》していた。エンジェル・イスラフェルは無精者《ぶしょうもの》らしい。

モリガンは戸惑《とまど》ったように笑った。「この部屋で間違《まちが》いない？」

「ふむ。残念ながらね」

ジュピターはモリガンが座《すわ》れるようにソファの上にスペースを作った。ゴミを慎重《しんちょう》に集め、ゴミ箱に入れていく……するとスイッチが入ったらしく、それから四〇分間、あちらこちらを拭《ふ》いたり、片付《かたづ》けたりして、せっせと部屋の掃除《そうじ》にいそしんだ。モリガンに手伝ってくれとは言わなかったし、モリガンも手伝うとは言わなかった。たとえ三メートルの長さの棒《ぼう》があっても、こんな健康にも安全上にも問題があるような部屋を触《さわ》りたくはない。

「モグ」ジュピターは手を動かしながら言った。「気分はどうだい？　大丈夫《だいじょうぶ》？　機嫌《きげん》はいい？　落ち着いている？」

モリガンは顔をしかめた。落ち着いているかと聞かれるまでは、問題なく落ち着いていた。落ち着いていないと考える理由がないかぎり、落ち着いているかとは尋《たず》ねないものだ。「どうして？」モリガンは目を細くした。「なにか問題でもあるの？」

「なにもないさ！」ジュピターは答えたが、その声はいくらかきしんでいたし、どこか身構《みがま》えているようだった。「まったく問題ない。ただ……イスラフェルのような人間に会うときは、機嫌《きげん》よくしていることが重要なんだ」

「どうして？」

「イスラフェルのような人間は……人の感情を取りこむ。だから、その、ひどく悲しかったり怒《おこ》ったりしているときに、彼《かれ》らと会うのはとても失礼なことなんだよ。彼《かれ》らをひどい気分にさせて、一日を台無しにしてしまうからね。それにはっきり言って、イスラフェルの気分を悪くさせるわけにはいかない。これはとても大事なことだから。そういうわけで……気分はどうだい？」

モリガンはありったけの笑顔を作り、両手の親指を立てて見せた。

「よろしい」ジュピターはゆっくりした口調で言ったが、少し落ち着きがないように見えた。

「いいだろう。なにもないよりはましだ」

舞台裏《ぶたいうら》の拡声装置《かくせいそうち》から休憩《きゅうけい》時間は二〇分ですという声がして、しばらくすると控室《ひかえしつ》のドアが勢いよく開いた。

つかつかと入ってきたのは、汗《あせ》まみれになったショーの主役で、翼《つばさ》は背中《せなか》で畳《たた》まれていた。彼《かれ》はアルコールのボトルがずらりと並《なら》ぶカートにまっすぐに歩み寄った。濃《こ》い茶色や薄《うす》い茶色、様々な色合いのものがあるなかから、琥珀色《こはくいろ》の液体を小さなグラスに注いだ。さらにもう一杯《ぱい》。二杯目《はいめ》を半分飲んだところで、ようやく客がいることに気づいたらしい。

ジュピターをじっと見つめてから、残りを飲みほした。

「迷子を見つけたっていうわけか？」彼《かれ》はモリガンを頭で示しながら、ようやくそう尋《たず》ねた。普《ふ》通《つう》に話しているときでさえ、その声は深くて音楽のようだった。モリガンは喉《のど》のすぐ奥《おく》で、なにかが妙《みょう》にうずくのを感じた。ホームシックのような、懐古《かいこ》の情のような、切望のようななにか。ごくりと唾《つば》を飲んだ。

ジュピターが作り笑いをした。「モリガン・クロウ、彼《かれ》がエンジェル・イスラフェルだ。彼《かれ》ほど素晴らしい歌い手はいないよ」

「お会いできて――」モリガンが口を開いた。

「こちらこそ」イスラフェルがモリガンを遮《さえぎ》って言い、曖昧《あいまい》に手を振《ふ》った。「今夜は客が来るとは思っていなかった。あまりここには入れないんだが……」カートを示して言った。「好きにやってくれ」

「旧友と飲んだり食べたりするために来たわけじゃないんだ」ジュピターが言った。「きみに頼《たの》みたいことがある。急を要することなんだ」

イスラフェルは肘《ひじ》掛《か》け椅《い》子《す》にどさりと座《すわ》ると、両脚《りょうあし》を片側《かたがわ》の肘《ひじ》掛《か》けに掛《か》け、手のなかのグラスを不《ふ》機《き》嫌《げん》そうに眺《なが》めた。翼《つばさ》がぴくりと動いて位置を変え、たっぷりした羽根のマントのように椅《い》子《す》の背《せ》の上に広がった。つやつやしていて滑《なめ》らかで、その下には柔《やわ》らかそうな綿毛みたいなものがある。モリガンは手を伸《の》ばして撫《な》でたくなるのをかろうじてこらえた。そんなことをするのは失礼だろう。

「友人として来たわけじゃないってわかっているべきだったな」イスラフェルが言った。「あんたはもう訪《たず》ねてきてはくれないんだからな、旧友なのに。一一の夏以来じゃないか。おれの素晴らしい初日を見逃《みのが》したってわかっているか？」

「すまなかった。贈《おく》った花は受け取ってくれたかい？」

「いいや。わからない。多分」彼《かれ》はふてくされたように肩《かた》をすくめた。「花はたくさんもらうからな」

イスラフェルはジュピターの気を悪くさせようとしているのだとモリガンは感じたが、モリガン自身も居心地が悪かった。イスラフェルに会ったのは初めてだったけれど、彼《かれ》は幸せではないのだと思うと耐《た》えられなかった。どういうわけか、彼《かれ》にビスケットをあげたいと思った。子犬でもいい。なにかを。

ジュピターはコートのポケットからぼろぼろになった紙とペンを取り出し、黙《だま》って彼《かれ》に差し出した。イスラフェルは受け取ろうとはしなかった。「ぼくの手紙は届《とど》いているはずだ」ジュピターが言った。

イスラフェルは手のなかのグラスをまわしただけで、なにも答えなかった。

「やってくれるか？」ジュピターは紙とペンを差し出したまま、尋《たず》ねた。「頼《たの》む」

イスラフェルは肩《かた》をすくめた。「どうしておれが？」

「きみに納得《なっとく》してもらえるような理由はない。だが、それでもやってくれると信じている」

イスラフェルはモリガンを見つめていた。隙《すき》のない顔つきだ。「偉大《いだい》なるジュピター・ノースを後援者《こうえんしゃ》にさせた理由は、ひとつしか考えられない」イスラフェルは飲み物を口に運ぶと、視線《しせん》をジュピターに戻《もど》した。「おれが間違《まちが》っていると遠慮《えんりょ》せずに言ってくれていいんだぞ」

モリガンもジュピターに目を向けた。気まずい沈黙《ちんもく》が続き、イスラフェルはそれを自分の疑《ぎ》念《ねん》に対する答えだと受け取ったようだ。

「〈ワンダー細工師《さいくし》〉」イスラフェルはささやくような声で言った。深々とため息をつくと、げんなりしたように片手《かたて》で顔を撫《な》で、ジュピターの手から紙だけをひったくった。「あんたはおれの一番の友人で、最高のばか野郎《やろう》だ。だから、もちろんそのばかげた安全協定に署名《しょめい》をするとも。意味のないことだがね。〈ワンダー細工師《さいくし》〉だぞ。まったくばかげている」

モリガンは座《すわ》ったまま、もぞもぞと体を動かした。居心地が悪かったし、少しむっとしていた。控室《ひかえしつ》がこんな汚水《おすい》だめみたいになっている人に、ばかげているなんて言われたくない。鼻を鳴らして、いささかも気にしていないみたいな高慢《こうまん》な態度を取ろうとした。

ジュピターは眉間《みけん》にしわを寄せた。「イジー、ぼくがどれほど感謝していることか。だがきみもわかると思うが、これは極秘《ごくひ》なんだ。このことは――」

「秘密《ひみつ》の守り方くらい知っている」イスラフェルはぴしゃりと言うと、うしろに手を伸《の》ばし、顔をしかめながら片方《かたほう》の翼《つばさ》から黒い羽根を一本抜《ぬ》いた。化粧台《けしょうだい》の上のインク瓶《びん》にその羽根の先を浸《ひた》し、紙の一番下に殴《なぐ》り書きのような署名《しょめい》をすると、むっとした表情でジュピターに突《つ》き返してから、羽根を放り投げた。羽根は金の斑点《はんてん》をきらめかせながら、ふわりと床《ゆか》に落ちた。モリガンはそれを拾いたくなった。宝物《たからもの》として持って帰りたかったけれど、それって彼《かれ》の服を盗《ぬす》むようなことかもしれないと思い直した。「こんなことの前に来てほしかったね。カシエルのことは聞いただろう？」

ジュピターはインクが早く乾《かわ》くように息を吹《ふ》きかけていて、顔をあげることなく訊《き》き返した。

「彼《かれ》がどうかしたのか？」

「いなくなった」

ジュピターは息を吹《ふ》くのをやめて、イスラフェルの顔を見た。「いなくなった？」

「消えたんだ」

ジュピターは首を振《ふ》った。「ありえない」

「おれもそう言った。だがそうなんだ」

「だが彼《かれ》は……。消えるはずが……」

イスラフェルの顔は暗かった。怖《こわ》がっているみたいだとモリガンは思った。「だがそうなんだ」彼《かれ》は繰《く》り返した。

ややあってからジュピターは立ちあがり、コートを手に取って、モリガンにもそうするように身振《みぶ》りで示した。「調べておく」

「本当に？」イスラフェルは疑《うたが》わしそうな顔をした。

「約束するよ」

ふたりは路地の壁《かべ》をおりて、昼間のように明るくけばけばしいボヘミアの大通りに戻《もど》り、

〈ブロリー・レール〉のプラットホームを目指して人込《ご》みのなかを進んだ――さっきよりはずっと人間らしい歩調だった。ジュピターは、ここがごみごみした見知らぬ場所だということを突然《とつぜん》思い出して、モリガンから離《はな》れてはいけないと気づいたかのように、彼女《かのじょ》の肩《かた》にしっかりと手を当てていた。

「カシエルってだれ？」〈ブロリー・レール〉のプラットホームで待ちながら、モリガンは尋《たず》ねた。

「イスラフェルの同胞《どうほう》だ」

「料理人が天使の話をよく聞かせてくれた」モリガンは生まれ育った、クロウの屋敷《やしき》を思い出しながら言った。「死の天使、慈悲《じひ》の天使、台無しになったディナーの天使……」

「それとは違《ちが》うよ」

モリガンは混乱《こんらん》した。「あの人たちは本物の天使じゃないの？」

「それは少しばかり想像をたくましくしすぎだと思うね。彼《かれ》らは天空の生き物なんだ」

「天空の生き物……それってどういう意味？」

「空の住人だよ。空を飛ぶ風変りなタイプさ。彼《かれ》らには翼《つばさ》があって、それを使っている。カシエルは天空の社会では重要人物なんだ。彼《かれ》が本当にいなくなったのだとしたら……ふむ、イスラフェルの間違《まちが》いだと思うね。あるいは大げさに言っているか――彼《かれ》は芝居《しばい》がかったことが好きなんだ。さあ、来たぞ。用意はいいかい？」

モリガンとジュピターは、やってきた〈ブロリー・レール〉の枠《わく》からぶらさがっている金属の輪にどんぴしゃのタイミングで傘《かさ》を引っかけ、迷路のようなネバームーアの上を通り過ぎるあいだ、その傘《かさ》にしがみついていた。〈ブロリー・レール〉のケーブルは町の上空に複雑に張り巡《めぐ》らされていて、大通りや裏道《うらみち》近くの低い場所を通っているところもあれば、屋根や木立のはるか上まで伸《の》びている箇所《かしょ》もある。とんでもなく危険《きけん》だとモリガンは感じていた。風を切って移動しているあいだ、ただひたすら傘《かさ》を握《にぎ》りしめているしか、地面に落ちてぺしゃんこにならずにいるすべはないのだ。けれど、顔に風を受けながら人々や建物がうしろに通り過ぎていくのを見るのは、恐《おそ》ろしいのと同じくらい、気分爽快《そうかい》でもあった。ネバームーアの暮《く》らしのうちでも、モリガンがとても気に入っていることのひとつだ。

「きみに話しておかなきゃならないことがある」レバーを引いて傘《かさ》をはずし、〈ブロリー・レール〉から降《お》りて、家の近くに着地したところでジュピターが言った。「実は、少し隠《かく》していたことがあるんだ。きみの……誕生日《たんじょうび》のことで」

モリガンは目を細くした。「それで？」冷ややかな声だった。

「怒《おこ》らないでくれないか」ジュピターはうしろめたそうに、口の片側《かたがわ》を噛《か》んだ。「なんていうか……その、今日だってことがフランクの耳に入ったんだ。彼《かれ》がどんなだか知っているだろう？　パーティーをするチャンスは逃《のが》さない」

「ジュピター……」

「それに……デュカリオンのみんなはきみのことが大好きなんだ！」ジュピターは珍《めずら》しくモリガンの機嫌《きげん》を取るように、いつもより高い声で言った。「みんなが大好きなモリガン・クロウの誕生日《たんじょうび》を祝っちゃいけないなんて、言えるはずがないだろう？」

「ジュピター！」

「わかってる、わかってるって」ジュピターは降参《こうさん》だと言わんばかりに両手をあげた。「きみは大騒《おおさわ》ぎはいやなんだよね。心配いらないよ。地味にするってフランクが約束した。従業員《じゅうぎょういん》、きみ、ぼく、そしてジャックだけだ。きみはろうそくの火を吹《ふ》き消して、みんなで〝ハッピー・バースデー〟を歌う――」モリガンはうめいた。考えただけで恥《は》ずかしさに首から耳の先までピンク色に染《そ》まった。「――それからケーキを食べて、終わりだ。全部終わって、つぎは一年後ってわけだ」

モリガンはジュピターをにらみつけた。「地味にする？　約束する？」

「誓《ちか》うよ」ジュピターは真面目な顔で片手《かたて》を心臓《しんぞう》の上に当てた。「自分を抑《おさ》えるようにってフランクには言ってある。もっと抑《おさ》えて、これはとんでもなく地味だと思えるまで自分を抑《おさ》えて、それを一〇倍にして抑《おさ》えるようにってね」

「でも、フランクは言うことを聞くと思う？」

ジュピターはおおいに気分を害したかのように、鼻を鳴らした。「いいかい、ぼくは絵に描《か》いたような、おおらかで、ものにこだわらない、いかしたやつだが――」モリガンは疑《うたが》わしげに片方《かたほう》の眉《まゆ》を吊《つ》りあげた。「――従業員《じゅうぎょういん》たちはぼくを尊敬《そんけい》していることがわかると思う。だれがボスなのか、フランクはわかっているよ、モグ。だれが給料を払《はら》っているのかを知っている。信じてほしいね。地味にしろとぼくが言えば、彼《かれ》は――」

ハムディンガー・アベニューの角を曲がったところで、ジュピターの言葉が途切《とぎ》れ、その口があんぐりと開いた。その先にはモリガンとジュピターが暮《く》らすホテル・デュカリオンの華《はな》やかな正面玄関《げんかん》があって……お祭り騒《さわ》ぎ担当《たんとう》責任者であるヴァンパイアの小人のフランクが、ここぞとばかりに飾《かざ》りつけをしていた。

フラミンゴを思わせるピンク色の何百万という豆電球が煌々《こうこう》と灯《とも》り、宇宙《うちゅう》からでも見えるに違《ちが》いないとモリガンが思ったほど、夜を明るく照らしていた。

「――徹底的《てっていてき》にやる？」モリガンは言葉を失っているジュピターのあとを引き取って言った。

デュカリオンの正面の階段《かいだん》には従業員《じゅうぎょういん》だけでなく、いま滞在中《たいざいちゅう》の宿泊客《しゅくはくきゃく》全員と数人の部外者までが集まっているようだった。だれもが興奮《こうふん》に顔を輝《かがや》かせ、ピンクのアイシングを施《ほどこ》した、一二歳《さい》の誕生日《たんじょうび》よりはロイヤル・ウェディングのほうがふさわしいとモリガンが思ったほどの九段《だん》の豪華《ごうか》なバースデーケーキを囲んでいる。噴水《ふんすい》のそばにブラスバンドが待機していて、モリガンとジュピターが帰ってきたのを見たフランクの合図で、わくわくするようなお祝いの曲を奏《かな》で始めた。極めつけが、屋根の端《はし》から端《はし》まである巨大《きょだい》なネオンサインの看板《かんばん》だった。

モリガンは一二歳《さい》

「お誕生日《たんじょうび》おめでとう！」従業員《じゅうぎょういん》と宿泊客《しゅくはくきゃく》たちが声を揃《そろ》えて叫《さけ》んだ。

フランクがジュピターの甥《おい》のジャックを指さすと、ジャックは花火の束に火をつけた。花火はひゅるひゅると音を立てて空へとのぼっていき、星屑《ほしくず》のようにあたりを彩《いろど》った。

有名なソプラノ歌手で、〈森の歌い手団の指揮官《しきかん》〉でもあるデイム・チャンダー・カーリーが、とても劇場《げきじょう》っぽいバースデー・ソングを披露《ひろう》した（たちまち三羽のコマドリとアナグマとリスの一家がやってきて、彼女《かのじょ》の足元でうっとりと耳を傾《かたむ》けていた）。

デュカリオンの車両責任者《せきにんしゃけん》兼運転手のチャーリーは、誕生日《たんじょうび》の少女を乗せるために鞍《くら》をつけたポニーを連れてきた。

コンシェルジュのケジャリーとメイドのマーサは満面に笑みを浮《う》かべながら、両手いっぱいのプレゼントを持ってきた。

客室清掃係《せいそうがかり》の責任者である巨大《きょだい》なマニフィキャットのフェネストラは、その騒《さわ》ぎを利用して、大きな肉球でこっそりとピンクのアイシングをかき取っていた。

ジュピターは不安そうにモリガンを横目で見た。「えーと、その……大騒《おおさわ》ぎの責任者とちょっと話をしてこようか？」

モリガンは、笑みの形になりたがってぴくぴくしている口の端《はし》を動かすまいとしながら――うまくいかなかった――首を振《ふ》った。まるで猫《ねこ》がそこで丸くなって、満足そうに喉《のど》をごろごろ鳴らしているみたいに、胸《むね》の真ん中がぽかぽかと温かくなるのを感じた。誕生《たんじょう》パーティーをしてもらったのは初めてだ。

フランクはなかなかいかしているかもしれない。

その夜遅《よるおそ》く、バースデーケーキを心ゆくまで堪能《たんのう》し、大勢のパーティー客からいつ果てるともないお祝いの言葉をもらって疲《つか》れ果てたモリガンは、その夜ベッドが変身していた、ふわふわした毛布でできた繭《まゆ》のような寝床《ねどこ》に潜《もぐ》りこんだ（とんでもなく長い一日だったことをベッドは知っていたらしい）。頭が枕《まくら》に触《ふ》れたとたんに、眠《ねむ》りに落ちていた。

ほんの半秒しかたっていないと思えたころ、モリガンは目を覚ました。

目を覚ましたところは、ベッドのなかではなかった。

ベッドのなかではなく、ひとりでもなかった。

第二章

兄弟姉妹　二の春

雲ひとつない星空の下、九人の新しいメンバーは〈輝かしき結社《ワンダラス・ソサエティ》〉のすぐ外で、寝《ね》乱《みだ》れた格好で寒さに震《ふる》えながら肩《かた》を並《なら》べて立っていた。

本当なら、夜中にパジャマ姿《すがた》のままネバームーアの寒い通りで目を覚ましたことに不安を覚えていたところだけれど、ふたつのことがあったせいでモリガンは落ち着いていられた。

ひとつめは、〈結社《ワンソック》〉のゲートが、季節外れの植物で作った大きな歓迎《かんげい》の看板《かんばん》に変わっていたことだ。薔薇《ばら》、芍薬《しゃくやく》、デイジー、アジサイといった様々な色の花と緑のつる草が、心躍《おど》る文字を描《か》いていた。

入って

そして仲間になって

ふたつめは、右側に立っている少年――ひょろっとした手足に癖毛《くせげ》、口の片側《かたがわ》には寝《ね》る前に食べたチョコレートの汚《よご》れが残っていた――が、一番の親友だったこと。ホーソーン・スウィフトは目をこすりながら、ぼんやりした顔でモリガンに笑いかけた。

「やあ」ホーソーンはいつもどおり、落ち着いていた。首を伸《の》ばし、両側に並《なら》んでいるほかの七人の子供《こども》たちを眺《なが》めた。みんなパジャマ姿《すがた》で震《ふる》えていて、だれもが不機嫌《ふきげん》そうだったし、程度の差はあれ不安げな顔をしている。「いつもみたいに、〈結社《ワンソック》〉の妙《みょう》ななにかかな」

「だろうね」

「最高の夢を見ていたのにな」ホーソーンは文句を言った。「ドラゴンに乗ってジャングルの上を飛んでいたら、落っこちたんだ……そうしたら猿《さる》の群れに迎《むか》えられて、彼《かれ》らの王様になったんだよ」

モリガンは鼻を鳴らした。「そんなところだろうね」

友だちがここにいる。モリガンはそう考えるとほっとした。きっと大丈夫《だいじょうぶ》。

「あたしたちはなにをすればいいわけ？」モリガンの左側に立っている少女が言った。ピンク色の顔をしたその少女は筋肉質《きんにくしつ》でいかり肩《がた》で、モリガンより少なくとも頭ひとつ分背《せ》が高かった。ハイランドの強いなまりがあって、背中《せなか》のなかほどまである赤い髪《かみ》はもじゃもじゃにもつれている。サディア・マクリードだ。〈特技披露審査《とくぎひろうしんさ》〉で大人のトロルと闘《たたか》って勝った少女だった。

モリガンはその質問に答えられなかった。答えを知らなかったせいもあるけれど、ウォン長老のお尻《しり》の下からサディアが素早く椅子《いす》を取って、胸《むね》の悪くなるような音と共にトロルの膝《ひざ》を砕《くだ》いたときのことを、まざまざと思い出していたからだ。ぞっとした――けれど公平に言って、とても才覚がある。

「推測《すいそく》だけど」ホーソーンは大きなあくびをしながら言った。「入って、仲間になればいいんじゃないかな」

その言葉が聞こえたみたいに、ゲートはギギギギと大きな音を立ててきしみながら、ゆっくりと開き始めた。花の歓迎《かんげい》サインと背《せ》の高いレンガの塀《へい》の向こうには〈結社《ワンソック》〉の敷地《しきち》が広がり、プラウドフット・ハウスへと緩《ゆる》やかな坂道が続いている。建物のすべての窓《まど》には明かりが灯《とも》り、かがり火のようにモリガンたちを招いていた。

九人の合格者たち――数百人の子供《こども》たちから選ばれた、〈輝かしき結社《ワンダラス・ソサエティ》〉のユニット九一九の新しいメンバー――は、ゲートのなかへと足を踏《ふ》み入れた。

今回モリガンは、奇妙《きみょう》な〝〈結社《ワンソック》〉の天気〟に驚《おどろ》かなかった。ゲートの外のオールド・タウンの通りはひんやりした冷たい夜だったけれど、〈結社《ワンソック》〉の気候の泡《あわ》の内側ではなにもかもが少し余分になる。芝生《しばふ》は厚い霜《しも》に覆《おお》われていたし、空気は雪のにおいがする――きんと張りつめて、澄《す》んでいて、ひりひりするくらい寒い。息は白い霧《きり》になった。モリガンもほかの者たちも体を震《ふる》わせ、腕《うで》をこすったり、少しでも暖《あたた》まろうとしてその場で跳《は》ねたりした。ゲートがきしみながら背後《はいご》で閉《し》まり、あたりは静かになった。

もちろん全員が、〈結社《ワンソック》〉のなかに入ったことがあった。去年の最初のテスト――〈本の審査《しんさ》〉――はプラウドフット・ハウスで行われたからだ。モリガンは、ずらりと机《つくえ》が並《なら》ぶ巨大《きょだい》な部屋に何百人という子供《こども》たちが集まっていたことを思い出した。なにも書かれていない小さな冊子《さっし》に質問されて、正直に答えなくてはいけなかった。そうしないと、冊子《さっし》は燃えてしまう。その部屋にいた子供《こども》たちのうち、ほぼ半分の冊子《さっし》が煙《けむり》となって消え、その場で不合格になった。

いま〈結社《ワンソック》〉は違《ちが》って見えた。夜だというだけではない。私道《しどう》の脇《わき》にはいまも枯《か》れた黒い幹の木が並《なら》んでいる――絶滅《ぜつめつ》した火の花の木がそのまま残っているのだ。けれど、今夜は何百人という〈輝かしき結社《ワンダラス・ソサエティ》〉のメンバーたち――若《わか》い者、老いた者、もっと老いた者、さらに老いた者――が育ちすぎた鳥のようにその枝に留まり、新たにやってきた者たちを見おろしていた。ハロウマスの〈黒のパレード〉のときのように黒い正式のマントをまとい、手にしたろうそくの明かりだけがその顔を照らしている。

恐《おそ》ろしい光景のはずだけれど、どういうわけかモリガンは怖《こわ》いとは思わなかった。彼女《かのじょ》はもう〈輝かしき結社《ワンダラス・ソサエティ》〉の一員なのだ。難関《なんかん》は突破《とっぱ》した。

木の上からモリガンたちを見つめる黒の装束《しょうぞく》に身を包んだ見知らぬ人たちの存在《そんざい》は、どこか安心感すら与《あた》えてくれた。敵意《てきい》はない。ただ……動かないだけだ。

赤いレンガ造りのプラウドフット・ハウスに向かって、ユニット九一九がのぼり坂の私道《しどう》を進み始めると、黒いマントのメンバーたちは沈黙《ちんもく》を破り、モリガンも知っている言葉を唱え始めた。数日前、ホテル・デュカリオンに届《とど》いた象牙《ぞうげ》色《いろ》の封筒《ふうとう》のなかに、暗記してその後燃やすようにという指示と共に、小さな文字で丁寧《ていねい》に書かれたものが入っていた。

兄弟姉妹たち、生涯《しょうがい》の忠実《ちゅうじつ》
常につながっていて、どこまでも真実
だれよりも九人、血よりも九人
炎《ほのお》を越《こ》え、水を越《こ》え、永遠の絆《きずな》
兄弟姉妹たち、信頼《しんらい》と真実
永遠にひとつ、選ばれた特別な者たち

誓《ちか》いの言葉だった。新たな〈結社《ワンソック》〉のメンバーがそれぞれのユニット——八人の新しい兄弟姉妹——に対して行う約束だ。〈結社《ワンソック》〉に加わることは、選ばれた者としての教育とチャンスを与《あた》えられるだけではない。モリガンがなによりも欲《ほ》しくてたまらなかったものを手にできるのだ。家族を。

長い私道《しどう》をのぼっていくユニット九一九を、誓《ちか》いの言葉と〈結社《ワンソック》〉のメンバーたちが追ってきた。彼《かれ》らは木から飛びおり、新しいメンバーのうしろを儀仗兵《ぎじょうへい》のようについて歩きながら、幾度《いくど》となく誓《ちか》いの言葉を繰《く》り返していた。

ユニット九一九がさらに私道《しどう》を進むにつれ、歓迎《かんげい》の波は大きくなり、勢いを増していった。右手にある木から音楽隊がおりてきて、意気揚々《いきようよう》としたメロディを奏《かな》で始めた。道の両脇《りょうわき》にいた一〇代の若者《わかもの》ふたりが彼《かれ》らの上に虹《にじ》をかけ、モリガンたちは美しいアーチをくぐって進んだ。

ようやくプラウドフット・ハウスまでやってくると、階段《かいだん》の下にいた大きな象が到着《とうちゃく》を知らせるように高い声で鳴いた。

広々とした大理石の階段《かいだん》には九人の男女が――そのうちのひとりは鮮《あざ》やかな赤い髪《かみ》をしていた――待っていて、彼《かれ》らの生徒たちの到着《とうちゃく》を誇《ほこ》りと喜びに満ちた表情で眺《なが》めていた。

モリガンが階段《かいだん》を駆《か》けあがっていくと、ジュピターは太陽のように顔を輝《かがや》かせた。彼《かれ》はなにか言おうとして口を開いたけれど言葉は出てこず、その青い目にうっすらと涙《なみだ》が浮《う》かんだ。彼《かれ》が感情をあらわにしたのを見て、予想もしていなかったモリガンは驚《おどろ》き、それ以上に心を打たれた。感謝の気持ちとして、彼《かれ》の腕《うで》にパンチをお見舞《みま》いした。

「見てられない」モリガンが小声で言うと、ジュピターは目を拭《ふ》きながら笑った。

ジュピターの隣《となり》にはホーソーンの後援者《こうえんしゃ》であるナンシー・ドーソンがいて、両頰《りょうほお》にえくぼを作って彼《かれ》に笑いかけた。「元気？　問題児さん？」

「元気だよ、ナン」ホーソーンはにやりと笑って答えた。

ナンの反対側にいた年配の後援者《こうえんしゃ》がとがめるように顔をしかめ、ふたりに向かってシッといった。

「あら、あなたが静かにしていて、ヘスター」ナンは優《やさ》しく応じると、ホーソーンとモリガンのほうを向いて変な顔をして見せた。

後援者《こうえんしゃ》の列の先には、モリガンが二度と会いたくないと思っていた男がいた。バズ・チャールトン。去年バズはいんちきをして自分の候補者《こうほしゃ》を合格させようとする一方で、何度もモリガンの審査《しんさ》を妨害《ぼうがい》して、ネバームーアから追い出そうとした。

バズの生徒、催眠術師《さいみんじゅつし》のカデンス・ブラックバーンは、胸《むね》の前で腕《うで》を組んで立っていた。こんな奇妙《きみょう》な状況《じょうきょう》にもかかわらず、頭をくいっと振《ふ》って、三つ編みにした長い黒髪《くろかみ》を肩《かた》のうしろにはらったその仕草にはなんの緊張感《きんちょうかん》もなくて、退屈そうにさえ見えた。モリガンはどういうわけか、感心すると同時にいらだちを覚えた。

ジュピターはモリガンに顔を寄せ、耳元でささやいた。「よく見てごらん、モグ。これが、きみが欲《ほ》しかったものだよ。楽しむといい」

モリガンたちのうしろに、〈結社《ワンソック》〉の人たちが集まっていた。誓《ちか》いの言葉を唱えるのをやめて、楽しそうに語らい合っている。新しいメンバーを眺《なが》め、祝いのときを楽しんでいた。

不意に、ぞっとするような叫《さけ》び声が宙《ちゅう》を切り裂《さ》き、全員が空を見あげた。二匹《ひき》のドラゴンとその乗り手がプラウドフット・ハウスの上を飛びながら、炎《ほのお》と煙《けむり》で空に九人の名前を書いている。

アーチャン
アナ
カデンス
フランシス
ホーソーン

ランベス
マヒア
モリガン
サディア

いわゆる〝呪《のろ》い〟とやらを乗り切って、ちょうど一年前に秘密《ひみつ》の町ネバームーアに逃《に》げてきて以来、モリガンはいくつも奇妙《きみょう》なことを経験してきた。ドラゴンが炎《ほのお》で空に書いた自分の名前はそのなかでも一番新しいものだったが、これまで見たなかでは一番よかったかもしれないとモリガンは思った。ユニット九一九のほかのメンバーからもうれしそうな声が漏《も》れたから、そう感じているのは彼女《かのじょ》だけではないようだ。たいして感動していないように見えるのはホーソーン（つまるところ彼《かれ》は、歩けるようになったころからドラゴンに乗っていたのだから）だけだった。

最後の名前が煙《けむり》の筋《すじ》となって消えると、ドラゴンはプラウドフット・ハウスから遠ざかっていき、後援者《こうえんしゃ》たちは自分の生徒を建物のなかへといざなった。彼《かれ》らが本物の名士であるかのように、〈結社《ワンソック》〉のメンバーたちはその背後《はいご》から拍手喝采《はくしゅかっさい》を送り、手を振《ふ》って見送った。ホーソーンが熱心に手を振《ふ》り返しているあいだに玄関《げんかん》の大きなドアが閉《し》まり始め、ナンがあわてて彼《かれ》を引っ張りこむのを見て、モリガンは思わず笑った。ドアが閉《し》まると、外の音は完全に遮断《しゃだん》された。

不意に静かになったプラウドフット・ハウスの広々とした明るい玄関《げんかん》ホールに、奥《おく》の部屋からかぼそい声が響《ひび》いた。

「ユニット九一九のみなさん、残りの人生の最初の一日にようこそ」

そこには、〈結社《ワンソック》〉の長老評議会の三人の尊敬《そんけい》すべき長老たちが立っていた。グレゴリア・クイン長老――虚弱《きょじゃく》そうな外観の女性だが、それが見せかけだけであることをモリガンはよく知っていた。ヘリックス・ウォン長老――全身に刺青《いれずみ》がある白いひげの真面目な男性。アリオス・サガ長老――彼《かれ》は実際のところ、話をする大きな牛だった。

プラウドフット・ハウスの外での歓迎《かんげい》に比べると、結団式そのものは簡素《かんそ》でありきたりだった。長老たちが歓迎《かんげい》の短い言葉を述べた。後援者《こうえんしゃ》たちがそれぞれの生徒の肩《かた》に黒いマントをかけ、襟《えり》に小さい金色のWのピンを留めた。

ユニット九一九の生徒たちは暗記してきた誓《ちか》いの言葉を述べ、互《たが》いへの忠誠《ちゅうせい》を約束した。はきはきした力強い言葉だった。言い間違《まちが》う者はだれもいなかった。これが結団式のもっとも重要な部分であることがモリガンにはわかっていた。

そして式は終わった。それでおしまいだった。

ほぼ。

「後援者《こうえんしゃ》のみなさん」式の終わりにクイン長老が言った。「よろしければ、あと少し残っていてください。話し合わなければならない重要なことがあります。生徒のみなさんはプラウドフット・ハウスの外で後援者《こうえんしゃ》を待っていてください」

これは普通《ふつう》のことなのだろうかとモリガンは考えた。何人かの後援者《こうえんしゃ》たちがけげんそうに視《し》線《せん》を見交わしていたから、そうではないのだろう。ほかの生徒たちのあとについて建物を出ていきながらジュピターのほうを見たが、視線《しせん》が合うことはなかった。彼《かれ》がぐっと歯を食いしばっているのがわかった。

プラウドフット・ハウスの外は寒くて、がらんとしていて、静かだった。そこにはもうだれもおらず、ついさっきまで騒々《そうぞう》しいほどの歓迎《かんげい》を受けていたのは、集団で幻覚《げんかく》を見ていたのかと思うほどだ。

生徒たちも黙《だま》りこんだ。モリガンとホーソーンをのぞけば、ほかのだれも互《たが》いのことをよくは知らない。気まずそうに互《たが》いをちらちら見るばかりだ。アナ・カーロがぎこちなく小さく笑った。金色の巻《ま》き毛のぽっちゃりとしたかわいらしい少女で、彼女《かのじょ》が〈特技披露審査《とくぎひろうしんさ》〉で後援《こうえん》者《しゃ》のお腹《なか》を切り開き、盲腸《もうちょう》を切り取ってから縫《ぬ》い合わせたことを――すべて目隠《めかく》ししたままで

――モリガンはありありと思い出した。

案の定、最初に口を開いたのはホーソーンだった。

「〈特技披露審査《とくぎひろうしんさ》〉できみがやったことだけど」ホーソーンはアーチャン・テイトに話しかけた。「観客のあいだを歩きまわりながら、ただバイオリンを弾《ひ》いているだけだってぼくらが思っているあいだに、みんなの持ち物を掏《す》り取ったあれだよ」

「うん……それで？」アーチャンはあれほど才能のある掏《す》りにはとても見えない、天使を思わせるほど愛らしい顔をした無邪気《むじゃき》そうな少年だった。彼《かれ》は不安げなまなざしをホーソーンに向

けた。「ごめんよ。きみのものをなにか盗《ぬす》んだのかな？　ちゃんと取り戻《もど》した？　正しい持ち主に返すようにしたはずなんだけど。ぼくの後援者《こうえんしゃ》が——」

「とんでもなく素晴らしかったよ」ホーソーンは感心したように目を見開き、アーチャンの言葉を遮《さえぎ》って言った。「**とんでもなく素晴らしかった。**ぼくたち、心底感心したんだ。そうだろう、モリガン？」

〈特技披露審査《とくぎひろうしんさ》〉で、ドラゴンに乗るときに使う手袋《てぶくろ》をまったく気づかないうちにポケットから掏《す》られていたことを知ったときのホーソーンの喜びようを思い出して、モリガンはにんまりした。彼女《かのじょ》も感心はしたけれど、ホーソーンときたらアーチャンの天賦《てんぷ》の才にすっかり興奮していた。

「びっくりした」モリガンはうなずいた。「どうやって覚えたの？」

アーチャンは耳の先までピンク色になり、恥《は》ずかしそうにモリガンに笑いかけた。「えーと、ありがとう。なんていうかその……いつのまにか覚えたんだ」控《ひか》えめに小さく肩《かた》をすくめた。

「素晴らしかった」ホーソーンが繰《く》り返した。「ぼくにも教えてもらえないかな。アーチャン、だったよね？」

「アーチでいいよ」彼《かれ》は差し出されたホーソーンの手を握《にぎ》った。「おばあちゃんだけがぼくを——」

ちょうどそのとき、プラウドフット・ハウスのドアが音を立てて開き、バズ・チャールトンが芝居《しばい》がかった足取りですたすたと大理石の階段《かいだん》をおりてきたかと思うと、自分の生徒を手招きした。

「おまえ――なんといったかな――ブリンクウェルか。行くぞ。帰るんだ」

カデンス・ブラックバーンは怯《おび》えたような表情になった。「え、なに？　どうして？」

「質問してもいいと言ったか？」彼《かれ》の言葉には嘲笑《あざわら》うような響《ひび》きがあった。「帰ると言ったんだ」

けれどカデンスは動かなかった。バズのうしろからほかの後援者《こうえんしゃ》たちが、怯《おび》えと怒《いか》りの表情を交互《こうご》に浮《う》かべながら足早に出てきた。だれもがモリガンを見つめている。

モリガンは自分の体が池でできていて、だれかがとても大きくて重い石を投げこんだみたいに、不安の波が広がっていくのを感じていた。長老たちがどうして後援者《こうえんしゃ》だけを残したのか、モリガンは即座《そくざ》に理解した。彼《かれ》らがなにを――正確にはだれのことを――話し合っていたのかを悟《さと》った。

さっきナンを黙《だま》らせようとした年配女性は、つかつかとモリガンに近づいてきた。鷹《たか》を思わせる青白い顔はいかめしく、白髪《しらが》混じりのとび色の髪《かみ》をぴっちりとまとめている。怒《いか》りと困惑《こんわく》の混じった顔で、数秒間、じっとモリガンを見つめていた。

「どうしてわかったんです？」彼女《かのじょ》はモリガンの肩越《かたご》しに、ジュピターに質問を投げつけた。

「だれに聞いたんです？」

「だれにも」後援者《こうえんしゃ》たちのうしろからのんびりとプラウドフット・ハウスを出てきたジュピターは、くつろいだ様子で柱にもたれていた。モリガンを示しながら言った。「ぼくには見えるんだ。一目瞭然《いちもくりょうぜん》だ」

「見えるですって？　わたしにはなにも見えませんよ」ヘスターはモリガンの顎《あご》をぐいっとつかむと、目のなかをのぞきこみながら右へ左へとモリガンの顔を動かした。

とたんにジュピターが態度を変えた。「おい！」と叫《さけ》びながら前に出てこようとしたが、モリガンは彼《かれ》の助けを必要としていなかった。考えるより早く、ヘスターの手を振《ふ》り払《はら》っていた。ヘスターは息を呑《の》み、熱いものに触《ふ》れたみたいにあとずさった。モリガンはやりすぎたのだろうかと思いながらジュピターの顔を見たが、彼《かれ》は険《けわ》しい表情ながらも満足そうにうなずいた。

アナの後援者《こうえんしゃ》であるスマティ・ミシュラという若《わか》い女性は、うんざりしたようにため息をついた。「ノースの天賦《てんぷ》の才がなんなのか、知っているでしょう、ヘスター。彼《かれ》は〈目撃者《もくげきしゃ》〉よ。彼《かれ》には見えるの」

「嘘《うそ》をついているかもしれないじゃないの」ヘスターが言った。

ジュピター本人はなんとも思わなかったようだが、モリガンの頭に血がのぼった。

ナン・ドーソンも同じくらい腹《はら》を立てた。「ばかなことを言わないでちょうだい、ヘスター。ノース大佐は嘘《うそ》つきなんかじゃない。モリガンは〈ワンダー細工師《さいくし》〉だと彼《かれ》が言ったのなら――

――」

ナンがその言葉を口にしたとたん、あたりの空気から一切の酸素がなくなってしまったかのようだった。**〈ワンダー細工師《さいくし》〉**。まるで銅鑼《どら》を鳴らしたみたいに、その言葉は赤いレンガの建物に反響《はんきょう》した。

「――彼女《かのじょ》は……〈ワンダー細工師《さいくし》〉よ」

〈ワンダー細工師《さいくし》〉。〈ワンダー細工師《さいくし》〉。〈ワンダー細工師《さいくし》〉。

後援者《こうえんしゃ》たちは揃《そろ》ってあとずさったように見えた。生徒たちは目を見開き、びっくりしたように一斉《いっせい》にモリガンを見た。カデンスは線のように目を細くした。モリガンは、一番大切な夢が波にさらわれて二度と取り戻《もど》せないところに流されていくのを海岸線から見ているみたいな、あの昔ながらの孤独感《こどくかん》を覚えていた。

彼《かれ》らは兄弟姉妹のはずだったのに。生涯《しょうがい》、忠実《ちゅうじつ》なはずだったのに。それなのにたったひとこと聞いただけで、まるで敵《てき》を見るような目で彼女《かのじょ》を見ている。

「あ、あたし……」声が出なかった。なにか言いたかった。説明したかったし、彼《かれ》らを安心させるようなことを言いたかったけれど……なにも言えなかった。自分が何者なのか、モリガンは数週間前に知らされていた。彼女《かのじょ》を除けば、この世でただひとりの〈ワンダー細工師《さいくし》〉であるエズラ・スコール、この世に存在《そんざい》するもっとも邪悪《じゃあく》な男からその衝撃的《しょうげきてき》な話を聞かされたのだ。その後ジュピターはその本当の意味を説明して、彼女《かのじょ》の混乱《こんらん》を解消しようとしたけれど、それでもまだモリガンは〈ワンダー細工師《さいくし》〉であるのがどういうことなのかを理解してはいなかったし、その事実に怯《おび》えてもいた。

〈ワンダー細工師《さいくし》〉というのは悪い言葉ではないとジュピターは何度も言った。その言葉は、昔から悪を意味していたのではない。これまでの〈ワンダー細工師《さいくし》〉たちは尊敬《そんけい》され、称賛《しょうさん》されていたのだという。彼《かれ》らはその不可思議な力で人々を守り、ときには願いをかなえていたからだ。

けれどモリガンは、ジュピターと同じことを言う人間にはひとりも会ったことがなかった。そのうえ、恐《おそ》ろしいエズラ・スコールと実際に会ったことで、〈ワンダー細工師《さいくし》〉のすべてが悪でないとはとても信じられなくなっていた。

スコールはモリガンを自分のものにするために、〈煙《けむり》と影《かげ》のハンター〉――真っ赤に燃える目をしたハンターと馬と猟犬《りょうけん》のおぞましい軍隊――に命じ、容赦《ようしゃ》なく彼女《かのじょ》を襲《おそ》わせたのだ。モリガンは、彼《かれ》が手首をひょいと動かして鉄の棒《ぼう》を曲げ、ひとことつぶやいて火をおこし、パチンと指をならして一瞬《いっしゅん》のうちに彼女《かのじょ》の生まれ育った家を破壊《はかい》して作り直すのを見た。ごく普通《ふつう》の穏《おだ》やかそうな外見が消えて、本当の顔が現われるのを見た。おちくぼんだ黒い目、黒ずんだ口、鋭《するど》い歯。

なにより恐《おそ》ろしいのは、ネバームーアの最大の敵《てき》であるエズラ・スコールが、モリガンを弟子にしたがったことだった。怪物《かいぶつ》の軍隊を作って、ネバームーアを征服《せいふく》しようとした男。彼《かれ》に立ち向かった勇敢《ゆうかん》な人々を惨殺《ざんさつ》し、それ以来フリー・ステートを追放された男。ジュピターがなにを言っても、そのスコールがモリガンのなかに自分と似たものを見たという事実を消すことはできなかった。

自分のなかの恐怖《きょうふ》さえ克服《こくふく》できていないのに、どうやってメンバーを納得《なっとく》させられるというの？

今回もホーソーンだけがなんとも感じていないようだった。モリガンが〈ワンダー細工師《さいくし》〉

であることはすでに知っていたからだ。モリガンが打ち明けたときにホーソーンが気にかけたのは、彼女《かのじょ》もエズラ・スコールのようにフリー・ステートから追放されるのかどうかということだけだった。ホーソーンは、一番の友人が危険《きけん》な存在《そんざい》であるとは一瞬《いっしゅん》たりとも考えなかった。ホーソーンの確信のほんのひとかけらでも自分にあればよかったのにとモリガンは思った。いま、胸《むね》をかきむしられるような不安のなかにあっても、彼《かれ》のおかげでわずかに安堵《あんど》の思い――これが初めてではなかった――を感じることができた。なにごとにもうろたえないちょっと変わったこの少年が、自分と友だちになろうと思ってくれて本当によかった。

「それに、彼女《かのじょ》は危険《きけん》じゃないってジュピターが言ったなら、彼女《かのじょ》は危険《きけん》じゃないの」ナンが重苦しい沈黙《ちんもく》を破って言い、元気づけるような笑みをモリガンに向けた。モリガンは少しだけ勇気が湧《わ》いた気がしたが、それでも笑みを返すことはできなかった。

ウォン長老とサガ長老にはさまれてプラウドフット・ハウスから出てきたクイン長老が、あきらめたように黙《だま》ってその様子を眺《なが》めていた。

厚い眼鏡をかけ、髪《かみ》に青いリボンをつけた年若《わか》い後援者《こうえんしゃ》が、マヒア・イブラヒムの隣《となり》に立った。震《ふる》える手を彼《かれ》の両肩《りょうかた》に載《の》せて、自分のほうに引き寄せると――マヒアどころかだれのことも守れるようにはとても見えなかったけれど――咳払《せきばら》いをした。「クイン長老、この少女が〈ワンダー細工師《さいくし》〉なんていうことがあるんですか？　〈ワンダー細工師《さいくし》〉はもういません。少なくともひとりしかいない――追放されたエズラ・スコールです。だれだって知っています」

「間違《まちが》いです、ミス・ムルリアン」クイン長老が応じた。「ひとりしかいませんでした。いまはふたりいるようですね」

「ですが、それがなにを意味するのか、だれも心配していないんですか？」ヘスターが問いただした。「ノース、わたしたちはみんな、〈ワンダー細工師《さいくし》〉になにができるのかを知っているんです。エズラ・スコールが教えてくれましたからね」

ジュピターは唇《くちびる》を結び、鼻の付け根をつまんだ。忍耐力《にんたいりょく》をかき集めているのだとモリガンにはわかっていた。「スコールがあんなことをしたのは、彼《かれ》が〈ワンダー細工師《さいくし》〉だからじゃないよ、ヘスター。彼《かれ》はたまたま〈ワンダー細工師《さいくし》〉であり、頭もおかしかっただけだ。最悪の組み合わせだが……そういうことだ」

「どうしてそんなことが言えるんです？」バズ・チャールトンが長老たちに訴《うった》えた。「〈ワンダー細工師《さいくし》〉がなにをするのか、おれたちみんなが知っています。ワンダーをコントロールするんだ。この黒い目の小さな怪物《かいぶつ》を見てください——悪党《あくとう》だってことはだれだってわかる。彼女《かのじょ》がワンダーでおれたちを支配しようとしたら、どうやって止めるんです？」バズは憎《にく》しみもあらわにモリガンを見つめた。モリガンは歯を食いしばった。その感情はお互《たが》いさまだ。

「もっとひどいことかもしれない」ヘスターが言い添《そ》えた。「わたしたちを殺そうとしたら？」

「いい加減にしろ」ジュピターは赤い髪《かみ》を振《ふ》りたてた。「この子はほんの子供じゃないか！」

ヘスターは嘲《あざけ》るように言った。「いまはね」

「でもどうして彼女《かのじょ》を〈結社《ワンソック》〉に入れなければいけないんです？」ミス・ムルリアンが震《ふる》える声でおずおずと尋《たず》ねた。その顔は牛乳《ぎゅうにゅう》よりもさらに白くて、モリガンが〈ワンダー細工《さいく》師《し》〉なりの卑劣《ひれつ》なやり方で彼《かれ》をどこかに連れ去るかもしれないと心配しているのか、小さな細い指でマヒアの肩《かた》をぎゅっとつかんでいる。マヒア自身は表情を変えず、ただ眉毛《まゆげ》が一本につながるくらい眉間《みけん》に深いしわを寄せているだけだった。後継者《こうけいしゃ》とほぼ同じくらいの背丈《せたけ》があるので、まるでネズミが狼《おおかみ》を守ろうとしているように見えた。「ど、どうして彼女《かのじょ》を……ほかの子供《こども》たちと一緒《いっしょ》に置いておくような危険《きけん》を冒《おか》すんです？」

モリガンは顔がかっと熱くなるのを感じた。まるであたしが病原菌《びょうげんきん》みたい。

すべてが、よく知っているあの感覚を思い出させた。

生まれてから一一年間、モリガンは自分が呪《のろ》われているのだと信じていた。なにか悪いことが起きれば──彼女《かのじょ》の家族、彼女《かのじょ》の町、彼女《かのじょ》が生まれ育ったウィンターシー共和国のほぼすべてで──それは全部彼女《かのじょ》のせいだと言われた。去年の終わり、それが事実ではないことをモリガンは知ったけれど、呪《のろ》われているというのは、いまもありありと思い出すことができる、二度と味わいたくない感覚だった。長い私道《しどう》を駆《か》けおりて、花で覆《おお》われたゲートの外に逃《に》げ出したいという衝動《しょうどう》が湧《わ》き起こったとき、ジュピターの温かいしっかりした手が肩《かた》に置かれるのを感じた。

「それではきみは、彼女《かのじょ》にはどこかほかのところにいてほしいというのだね？」サガ長老がひづめを踏《ふ》み鳴らしながら、あてつけがましく訊《き》いた。「ひとりきりで？　なにをしているのかだれも知らないところに?」

「そうです」ヘスターは言い張った。「ここにいるほかの後援者《こうえんしゃ》と生徒たちはみんな同じ考えのはずだわ」

「それなら、出ていってもらってかまいません」クイン長老が落ち着いた冷たい声で言った。ヘスターとほかの後援者《こうえんしゃ》たちは驚《おどろ》いたようだ。クイン長老はうなずいた。「そうしたいのなら。確かにこれは、通常の状《じょう》況《きょう》ではありません。このことの重みはよくわかっていますし、あなたがたの不安も理解できます。ですが、わたくしはほかの長老たちとこのことについて入念に話し合いました。ミス・クロウをユニット九一九から追い出すことはしません。それが最終決定です」

バズ・チャールトンは首を振《ふ》りながらつぶやいた。「信じられない」

「信じるのですね」クイン長老が厳《きび》しい声で言い返すと、バズはマントのなかで小さくなった。

ヘスターは、クイン長老がはったりをかけているのだと考えたようだ。「お言葉を返すようですが」歯を食いしばりながら言った。「結社は、ひとりの危《き》険《けん》な人物のために、才能ある八人の新しいメンバーを失いたくはないと思いますが。この八人の素晴らしい子供《こども》たちがあのゲートを出ていくのを見れば、気持ちが変わるんじゃないでしょうか。いらっしゃい、フランシス」彼女《かのじょ》は並木《なみき》のある私道《しどう》に向かって階段《かいだん》をおり始めた。

「ヘスター伯母《おば》さん」フランシスは懇願《こんがん》するように言った。「ぼくは残りたい。お願いだよ。父さんはぼくを――」

「弟は決してあなたの命を危険《きけん》にさらすことはしませんよ！」ヘスターは荒々《あらあら》しい仕草で振《ふ》り返った。「〈ワンダー細工師《さいくし》〉の近くにあなたを置いておくようなことはしません」

クイン長老は咳払《せきばら》いをした。「後援者《こうえんしゃ》の方々、これはあなたたちが決めることではありません。子供《こども》たち、ユニット九一九をやめたい――〈輝かしき結社《ワンダラス・ソサエティ》〉をやめたい――と思う人がいたら、前に出てそのピンを返してください。批判《ひはん》はしませんし、あなたがたになんの影響《えいきょう》もありません。幸運を祈《いの》って、送り出すだけです」

クイン長老は片手《かたて》を突《つ》き出した。遠くから早起きの鳥の声が聞こえる以外、なんの物音もしない。空気そのものが凍《こお》りついてしまったようで、後援者《こうえんしゃ》と生徒たちの息が白い霧《きり》になっていた。モリガンだけはほとんど息をすることもできずにいた。

アナは震《ふる》える手で襟元《えりもと》のピンに触《ふ》れ、唇《くちびる》を噛《か》んだ。フランシスは申し訳《わけ》なさそうに伯母《おば》を見たけれど、カデンスはバズのほうに顔を向けようともしなかった。まばたきすらしていない。だれもピンを返す者はいなかった。そんなばかなことをするはずもない。去年、あれだけの審査《しんさ》をくぐり抜《ぬ》けてきたあとで、だれがこの小さな金のピンとそれが約束するものを手放すというのだろう？　ありえない。

「よろしい」クイン長老は手をおろした。「それでいいのですね。ですが、ひとつ言っておきます。生徒たち――それから後援者《こうえんしゃ》の方々」そう言って、ひどく腹《はら》を立てているらしいヘスターとバズに射《い》るような視線《しせん》を向けた。「ミス・クロウの珍《めずら》しい――」〝天賦《てんぷ》の才〟という言葉を口にする直前で思いとどまったようだ。「――状態は、〈結社《ワンソック》〉全体に知らせる時期がきたと長老評議会が決定するまで、極秘扱《ごくひあつか》いとします。一般《いっぱん》社会に知られる危険《きけん》を冒《おか》すわけにはいきませんから。このことが知られれば、パニックが起きるでしょう。つまり、ごくわずかな例外――たとえば、教育支援士《スカラー・ミストレス》やユニット九一九の案内人――をのぞいて、わたくしたちのなかに〈ワンダー細工師《さいくし》〉がいるという事実は、いまここにいる人間だけの秘密《ひみつ》にしておかなくてはいけません。指導教員たちにはミス・クロウの天賦《てんぷ》の才については一切触《ふ》れないように指示しますし、詮索《せんさく》好きな学者たちはミストレスたちが適切と考えるやり方で対処《たいしょ》します」

クイン長老は、小さく縮《ちぢ》んでしまったように見える九人の子供《こども》たちに向き直った。輝《かがや》かしい夜は、恐《おそ》ろしい知らせですっかり台無しになっていた。

彼女《かのじょ》の声は鋼鉄《こうてつ》のようだった。「あなたたちはすでにひとつのユニットです。お互《たが》いに責任があります。お互《たが》いに義務があります。ですから、もしもだれかが――だれであっても――わたくしたちの信頼《しんらい》を裏切《うらぎ》ったことがわかったら……」クイン長老は言葉を切り、いかめしい顔で順に子供《こども》たちの顔を眺《なが》めた。最後にその視線《しせん》はモリガンの上で止まった。「……あなたたち九人全員が〈輝かしき結社《ワンダラス・ソサエティ》〉から除名《じょめい》されることになります。永遠に」

第三章
刺青《いれずみ》でないものとドアでないもの

翌朝日《よくあさ》を覚ましたとき、真夜中に〈結社《ワンソック》〉を訪《おとず》れたのは、奇妙《きみょう》で、素晴らしくて、恐《おそ》ろしい夢だったに違《ちが》いないと自分を納得《なっとく》させていたかもしれない。金色の刺青《いれずみ》が残っていなかったなら。

「それは刺青《いれずみ》じゃないよ」モリガンが焼いたクランペット（火に近づけすぎたので少し焦《こ》げていたけれど、食べられないほどではなかった）にハチミツをたっぷり塗《ぬ》って、シナモンをせっせと振《ふ》りかけているあいだに、ジュピターはふたつのグラスにジュースを注いで言った。ゆうべはあんなことがあったから、ふたりが目を覚ましたときには食堂で朝食をとるには遅《おそ》すぎる時間になっていたので、ジュピターは自分の書斎《しょさい》にトレイを運ばせた。ふたりは、正しい朝食っぽいもの（スモークした鮭《さけ》やスクランブルエッグ）から、とてもそうとは言えないもの（トマトスープやアーティチョークのつぼみ――ジュピターの大好物だった）まで様々な食べ物が並《なら》んだ彼《かれ》の机《つくえ》をはさんで座《すわ》っていた。

「ぼくが本当にきみに刺青《いれずみ》をさせると思うのかい？」

モリガンは答えなくてもすむように、クランペットにかじりついた。実を言えば、ジュピターがなにを許して、なにを許さないのか、モリガンにはよくわかっていなかった。

モリガンのごまかしはジュピターには通用しなかった。愕然《がくぜん》とした表情で彼《かれ》は言った。「モグ！　冗談《じょうだん》じゃない。刺青《いれずみ》は痛《いた》いんだぞ。それは痛《いた》いかい？」

モリガンは口のなかのものを飲みこみながら、首を振《ふ》った。「ううん」右手の人差し指についたハチミツをなめ取り、指紋《しもん》の上に新たに加わったものを眺《なが》めた。ずっと小さいけれど、〈結社《ワンソック》〉のピンとまったく同じ金色のWが、皮膚《ひふ》の上でわずかに盛《も》りあがり、光を浴びてかすかに光っている。「全然痛《いた》くない。ただ……なんていうか……そこにあるっていう感じ」

今朝目を覚ましたときに現われていたその印をそれ以外にどう説明すればいいのか、ふさわしい言葉が見つからなかった。ひりひりもちくちくもむずむずもしない。どんな感覚とも違《ちが》っていた。外からの力でできたものではない——傷《きず》ではなかった。どちらかと言えば、皮膚《ひふ》の内側から外へと浮《う》きあがってきたみたいだ。まだ眠《ねむ》りから完全に覚めてもいないうちに、目で見るより早くモリガンには指にそれがあることがわかっていた。「なんだか変だよね？」

ジュピターは軽い驚《おどろ》きの表情で自分の人差し指を眺《なが》めた。遠い遠い昔、〈結社《ワンソック》〉の結団式の翌朝《よくあさ》に、モリガンと同じように彼《かれ》の指にもこの印が現われたのだとあらかじめ説明してあった。もう長いあいだ、このことを真剣《しんけん》に考えていなかったらしい。「ふむ。確かに。だが役に立つんだよ」

「なにに？」

と考えた。

「いろんなことに」ジュピターは肩《かた》をすくめ、食べ物に視線《しせん》を戻《もど》して、つぎはどれにしようか

「たとえば？」

「いろいろなところに入れる。ほかの〈結社《ワンソック》〉のメンバーにきみだということがわかる」

「でもそのためにWのピンがあるのに」

「いや」ようやく半分焦《こ》げたトーストに決め、ジュピターはジャムに手を伸《の》ばした。「それとは違《ちが》う」

モリガンは目を細くした。「どう違《ちが》うの？」

いつものいらだたしいジュピターだった。情報を小出しにするのは、ある種の拷問《ごうもん》みたいだ。本当はモリガンに教えたくないのかもしれないし、彼《かれ》の頭のなかを駆《か》けめぐっている一〇もの思考のなかで、いま交わしている会話が一番どうでもいいからかもしれない。相手がジュピターとなると、その違《ちが》いを見極めるのは難《むずか》しかった。

「ピンは非結社《アンワン》のためのものだ」

「非結社《アンワン》？」

「んん」ジュピターは口のなかのトーストを飲みこみ、胸《むね》のあたりにこぼれたパン屑《くず》をはらった。「ほかの人っていうことさ。〈結社《ワンソック》〉のメンバーではない人間。ピンは〈結社《ワンソック》〉の外の人間にぼくたちが何者かを教えてくれる。この印は違《ちが》うんだ」ジュピターは指を立てて、もぞもぞと動かした。Wは暖炉《だんろ》の光を受けて、輝《かがや》いているように見えた。「これはぼくたちのため

の？」

モリガンはあることに気づいて、急に腹《はら》が立った。「どうして前に見せてくれなかった

「意味がないからだよ、モグ。自分に印がなければ、人のは見えないんだ。言っただろう？

これはぼくたちのためのものだって。これでぼくたちは互《たが》いを見分けるんだ。家紋《かもん》……みたい

なものだね。きみも今後はいたるところで気づくようになるよ」

家紋《かもん》。その言葉はモリガンの心を優《やさ》しく揺《ゆ》すぶった。金のWのピンは、なによりも大切なも

のだったけれど（傘《かさ》はべつとして）、でも結局は……物にすぎない。簡単《かんたん》に壊《こわ》れたり、なくな

ったりする。けれど、この印は違《ちが》う。これはあたしの一部だ。そして、あたしが、あたし自身

よりも大切で大きなものの一部であることを証明してくれる。家族の一員であることを。

兄弟姉妹たち、生涯《しょうがい》の忠実《ちゅうじつ》。

でも、あたしは本当にそれを手に入れたんだろうか？　そうだと思っていた。あの言葉――

〈ワンダー細工師《さいくし》〉――が出てきて、幻想《げんそう》が一〇〇万もの破片《はへん》となって砕《くだ》け散るまでは。

「ほら」ジュピターはバターの皿をナイフで軽く叩《たた》いて、モリガンを現実に引き戻《もど》した。モリ

ガンは顔をあげた。「きみにはほかの子たちと同じだけ、〈結社《ワンソック》〉にいる権利《けんり》があるんだよ、

モグ」ジュピターはモリガンの心を読んだかのように言うと、顔を寄せてささやきにまで声を

落とした。「いや、それ以上だ。〈特技披露審査《とくぎひろうしんさ》〉で順位表の一番上に名前が載《の》ったのはだれ

だったのか、忘《わす》れていないだろう？」そこで一度言葉を切った。「きみだ。忘《わす》れているといけ

ないから教えておくよ」

忘《わす》れてはいなかった。けれど順位表の位置にいまどれほどの意味があるだろう？　ユニットのメンバーが信用してくれないのなら、去年の出来事のなにに意味がある？　彼《かれ》らがあたしを怖《こわ》がっているとしたら？

「あせらないことだ」今度もジュピターは、モリガンがなにを考えているのかをわかっているようだった。〈目撃者《もくげきしゃ》〉の不公平な強みだ――彼《かれ》はモリガンが決して理解できない方法で世界を見ている。隠《かく》している気持ちや秘密《ひみつ》は、しかめ面を見て取るのと同じくらい簡単《かんたん》にジュピターにはわかってしまうらしい。それは安心できることであり、同時にすごくすごくむかつくことでもあった。「いずれわかるさ。きみのことを知る時間が必要なんだ。それだけだ。そのうち彼《かれ》らの目にも、ぼくが知っている魅力的《みりょくてき》なモリガン・クロウが見えるようになるよ」

魅力的《みりょくてき》なモリガン・クロウってだれなの、喜んで交代するのに、と言おうとしたとき、ドアをノックする音がした。かくしゃくとしたケジャリー・バーンズが真っ白な頭をのぞかせた。

「メッセージが届《とど》いています、サー。セレス――」

「ありがとう、ケジャリー」ジュピターは最後まで言わせず、手紙を受け取った。コンシェルジュはモリガンにウィンクをすると、上品にかかとをカチリと鳴らして部屋を出ていった。

その手紙は銀色の蠟《ろう》で封《ふう》がされていた。ジュピターは部屋の向こうに行き、暖炉《だんろ》にかがみこむようにして炎《ほのお》の明かりで手紙を読み始めた。静かな時間が流れ、モリガンは暖炉《だんろ》を見つめながら考えていた。

ジュピターの言うとおりだ。あたしはもう〈輝かしき結社《ワンダラス・ソサエティ》〉の正式な一員になった。ユニットのほかのメンバーと同じように、戦って審査《しんさ》を勝ち抜《ぬ》いた。

最後の審査はそうじゃなかった。頭のなかで小さな声がした。〈特技披露審査《とくぎひろうしんさ》〉――候補者《こうほしゃ》たちが〝天賦《てんぷ》の才〟を披露《ひろう》する四つめにして最後の審査《しんさ》――では、なにもせず、ただトロル競技場の真ん中で困惑《こんわく》して立っていただけだ。そのあいだにジュピターは、彼独自《かれどくじ》の視界《しかい》をそれぞれの長老たちと共有し、彼《かれ》がずっと以前から見ていたもの――彼《かれ》らにもモリガンにも秘密《ひみつ》にしていたこと――を彼《かれ》らに見せていた。モリガンが〈ワンダー細工師《さいくし》〉であること。ワンダーと呼《よ》んでいる不思議な魔法《まほう》のエネルギー源《げん》――モリガンには理解できない形でこの世界をまわしている力――が、蛾《が》が光に集まるようにモリガンのまわりに集まっていること。モリガンの（いまだにかたくなに現われようとはしない）力になろうとして、じっと待っていることを教えたのだ。

トロル競技場に黙《だま》って立っていただけのモリガンとは違《ちが》い、それぞれがすべきことをしたほかの大勢の候補者《こうほしゃ》と後援者《こうえんしゃ》たちは当然激怒《げきど》したが、長老たちはその場でモリガンが〈輝かしき《ワンダラス・ソサ》結社《エティ》〉の一員になることを認《みと》めた。

モリガンは咳払《せきばら》いをして、座《すわ》ったまま背筋《せすじ》を伸《の》ばした。「それで」毅然《きぜん》とした声で言ったつもりだ。「いつはじまるの？」

「うん？」

「〈結社《ワンソック》〉で。あたしはいつ行けばいいの？　いつ授業ははじまるの？」

「ああ」ジュピターは眉間《みけん》にしわを寄せて、手にした手紙をじっと見つめている。「わからない。すぐだと思う」

わくわくしていた気持ちがしぼんだ。ジュピターは本当に知らないの？　これは〈輝かしき結社《ワンダラス・ソサエティ》〉らしい謎《なぞ》なんだろうか？　それともジュピター・ノースのいかにも彼《かれ》らしい曖昧《あいまい》な態度？　モリガンは不安が忍《しの》び寄るのを感じた。

「月曜日？」

「ああ、うん。そうかもしれない」

「できたら……調べてもらえる？」モリガンはいらだちを表に出さないようにしながら頼《たの》んだ。

「うん？」

ため息が漏《も》れた。「調べてほしいって――」

「ぼくは行かなきゃいけない、モグ」ジュピターが唐突《とうとつ》に言った。暖炉《だんろ》に背《せ》を向け、手紙をズボンのポケットに突っこむと、肘掛《ひじか》け椅子《いす》の背《せ》にかけてあったコートを手に取った。「ごめんよ。大事な用ができた。ちゃんとお食べ。またあとで会おう」

ジュピターのうしろでドアが閉《し》まった。モリガンはドアに向かってトーストを投げつけた。

夜のあいだに現われたのは、指の印だけではなかった。

「ノブもないのよ」その日の午後、モリガンのベッドに腰《こし》かけたマーサは、反対の壁《かべ》に現われた、装飾《そうしょく》を施《ほどこ》したつやつや光る黒く真新しい木のドアを見ながら言った。「だから、ドアとは言えないわよね？」

「そうだと思う」モリガンが答えた。

モリガンの寝室《しんしつ》が形を変えたり、大きくなったり、小さくなったり、あるいはひと晩《ばん》のうちに新しいなにかができていたり、翌日《よくじつ》にはそれがなくなっていたりするのは珍《めずら》しいことではなかった。けれどこれまで、ふたつめのドアが現われたことはなかった。

ドアがふたつあってもかまわなかったけれど、気になることがふたつあった。ひとつめ：暖《だん》炉《ろ》の横に現われたので、部屋の対称性《たいしょうせい》が崩《くず》れたこと（ささいなことだったけれど、モリガンは自分でも驚《おどろ》くほどいらいらした）。ふたつめ：開けることができないから、まったくもってそこにある意味がないこと。モリガンはかなり現実的なタイプだったから、自分の部屋にただの飾《かざ》りとしてのドアを欲《ほ》しがったりはしない。けれど……モリガンが好まない形に部屋が変わるとも思えなかった。

モリガンは顔をしかめた。あたしの部屋は、あたしに腹《はら》を立てているんだろうか？　それとも具合が悪いとか？　建築物の鼻風邪《はなかぜ》みたいなものかもしれない。このドアは、部屋が大きなくしゃみをして鼻水を垂《た》らしているということなのかもしれない。

「とにかく」マーサは肩《かた》をすくめた。「この部屋で起きた一番奇妙《きみょう》なことっていうわけでもないでしょう？」隅《すみ》に置かれているタコの形の肘掛《ひじか》け椅子《いす》を見ながら言うと、椅子《いす》は脅《おびや》かすように脚《あし》をぴくりと動かした。マーサは身震《みぶる》いした。「それを捨《す》ててくれたらいいのにって思うわ。掃除《そうじ》するたびにぞっとするのよ」

モリガンが寝《ね》る時間になっても、ジュピターは帰ってこなかった。〝領域間《りょういきかん》における仕事のため、やむを得ず帰宅《きたく》が遅《おく》れる〟ことをデュカリオンの従業員《じゅうぎょういん》に告げる〈探検者同盟《たんけんしゃどうめい》〉からの手紙が日曜日の朝に届《とど》いた。例によって、その短さも内容のなさもまったく役に立たない手紙だったけれど、行方のわからなくなっている天使に関係しているのではないかとモリガンは考えていた。がっかりはしたけれど、驚《おどろ》きはしなかった。みんなから尊敬《そんけい》されている有名な人間が後継者《こうけいしゃ》であることのマイナス面は、〈探検者同盟《たんけんしゃどうめい》〉や〈輝かしき結社《ワンダラス・ソサエティ》〉や、〈ネバームーア宿泊施設連盟《しゅくはくしせつれんめい》〉や、〈ネバームーア交通局〉やそのほかいろいろな組織や人間が、しばしば彼《かれ》を必要とすることだ。

それでもジュピターは同盟《どうめい》の手紙に加えて、モリガン宛《あ》てに自筆の手紙を送ってきた。

モグ

きみの初日までには帰れなくなった。本当にごめんよ。

大事なことを忘《わす》れていた。**なにがあろうとも、**きみひとりで〈結社《ワンソック》〉の外に出てはいけない。本気で言っているんだよ。きみを信じている。

幸運を祈《いの》る！　きみは大丈夫《だいじょうぶ》だ。

覚えておくんだよ、きみの居場所はここだ。

JN

その日の午後になるころには、授業はいつはじまるのか、いったいどこに行けばいいのかが気になって、モリガンはそわそわして、いらいらしていた。初日から欠席したくはなかったし、ほかのメンバーたちにますます嫌《きら》われるような理由を作りたくなかった。ホーソーンの家にメッセージを送ってくれるようにケジャリーに頼《たの》んだほどだ――けれどホーソーンから返ってきたのは、彼女《かのじょ》が送った手紙の裏《うら》に書かれた短い言葉だけだった。〝知らない〟ナンに訊《き》いてみようとは考えなかったんだろうかと思いながら、モリガンは天を仰《あお》いだ。きっと考えなかったに違《ちが》いない。

というわけでモリガンは、助けになってくれるかもしれないと思えるただひとりの人に話を訊《き》きに行くことにした。

「ダーリン――ラ・ラ・ラ・ラ！――ずいぶんくよくよしているのね」デイム・チャンダー・カーリーは今夜音楽室で開く内輪のコンサートの準備をしているところだった。発声練習をしつつ、ふさわしい衣装《いしょう》を選んでいる。舞踏室《ぶとうしつ》ほどの大きさがある巨大《きょだい》な衣装《いしょう》部屋の床《ゆか》には、彼女《かのじょ》が試しては脱《ぬ》ぎ捨《す》てた、宝石《ほうせき》のような色合いのシルクやサテンやスパンコールのドレスが散《さん》乱《らん》していた。並行《へいこう》作業の哀《あわ》れな犠《ぎ》牲者《せいしゃ》たちだ。「わたしならそんなことは心配しないわね、ミス・モリガン。ええ、しませんとも。〈輝かしき結社《ワンダラス・ソサエティ》〉がどんなものか、あなたもわかっているでしょう?」デイム・チャンダーはいわくありげに人差し指を振《ふ》った。Wの印が光を受けて光った。ジュピターをのぞけば、ホテル・デュカリオンで暮《く》らしている〈結社《ワンソック》〉のメンバーはデイム・チャンダーだけだった。ジュピターと同じ〈目撃者《もくげきしゃ》〉であるジャックは、一度もメンバーになるための審査《しんさ》を受けたことがない。彼《かれ》は〈聡明《そうめい》な若者《わかもの》のためのグレイスマーク・スクール〉に通っていて、学校のオーケストラでチェロを弾《ひ》き、毎日シルクハットと蝶《ちょう》ネクタイで学校に通い、週末でもめったにここに帰ってこない。

「ううん、わからない」モリガンは失望もあらわに答えた。〈結社《ワンソック》〉がどんなものか、モリガンは知らなかった。ネバームーアに暮《く》らすほかの人たちとは違《ちが》い、彼女《かのじょ》はフリー・ステートではないところで育った。ほんの一年前まで、だれもが知っている有名な〈輝かしき結社《ワンダラス・ソサエティ》〉を、聞いたこともなかったのだ。

「もちろんわかっているわよ。ド・レ・ミ・ファ・ソ・ラ・シ」デイム・チャンダーは歌いながら体の向きを右に左にと変え、金メッキの額の鏡に映《うつ》った自分の姿《すがた》を眺《なが》めた。その素晴らしい声が高い天井に反響《はんきょう》し、感動のあまりモリガンの両腕《りょううで》が総毛立った。小さなネズミが、恋《こい》わずらいをしているような顔を床板《ゆかいた》の穴《あな》からのぞかせ、デイム・チャンダーはそれを追い払《はら》った。

「〈結社《ワンソック》〉は注文が多いの。押《お》しつけがましくて、人の都合とかプライバシーなんてまったく気にかけない」彼女《かのじょ》は振《ふ》り返って、鋭《するど》い視線《しせん》をモリガンに向けた。「ひとことで言うとね、〈結社《ワンソック》〉があなたに用があるときは、すぐにわかるっていうこと。まっすぐにあなたのところに来るから。ソ・ソ・ソ・ソ・ソ」

「そうなの？」

デイム・チャンダーは一瞬《いっしゅん》、けげんそうな顔をしたが、すぐに笑いながら言った。「そうよ。あなたのことが必要になったら、すぐにさらいに来るわ。心配しなくていいのよ。気がついたときには、〈結社《ワンソック》〉の曲がりくねった迷路にはまりこんでいるから。そうなったら、今度は出ていきたくてたまらなくなるのよ。教えてあげるわ――どうしても参加しなきゃいけないイベントや特別なときだけしか、わたしは行かないようにしているの」

「どうして？」

「だって、ほら」デイム・チャンダーは明るく言うと、吊《つ》ってある何枚《なんまい》ものドレスを適当に両手に抱《かか》え、長いソファの上に無造作に放り投げた。「あの神聖《しんせい》な殿堂《でんどう》にしょっちゅう顔を出していたら、あの人たちのくだらない仕事をさせられてしまうかもしれないもの。わたしには用事がないみたいに思われて」モリガンは、デイム・チャンダーの用事を七つ知っていた。ホテル・デュカリオンの音楽室で毎週日曜日の夜に開かれるコンサートと、六人のハンサムで魅力《みりょく》的《てき》な崇拝者《すうはいしゃ》と順番に過ごすそれ以外の夜。金曜日の男とジュピターがひそかに呼《よ》んでいる男性はモリガンの誕生《たんじょう》パーティーにやってきて、ピンクと紫《むらさき》の薔薇《ばら》の大きな花束をプレゼントしてくれた（デイム・チャンダーを感心させるためだとわかってはいたけれど、モリガンは喜んでいるふりをした）。「それにマーガトロイドにばったり会ったりしたくないし」

「マーガトロイドって？」

「ディアボーンとマーガトロイドのマーガトロイドよ。スカラー・ミストレス」デイム・チャンダーは身震《みぶる》いした。「恐《おそ》ろしい莢《さや》に入った忌《い》まわしい二個の豆。あら、それは不公平かもしれないわね……気の毒なディアボーンはそれほど悪くないから。避《さ》けるべきはマーガトロイドよ。避《さ》けられるのならね」鏡のなかのモリガンに気の毒そうなまなざしを向けた。「ダーリン、こんなことは言いたくないけれど、多分無理ね」

デイム・チャンダーは正しかった。彼《かれ》らがモリガンに用があるときには、すぐにわかる。ドアを叩《たた》く三度のノックの音で起こされたのは、月曜日の早朝だった――モリガンが考えていたよりもずっと、ずっと早い時間だった。

寝室《しんしつ》のドアではなかった。

新しいドアだ。ドアではないドア。謎のドア。

開かないドア。

第四章 ホームトレイン

モリガンはベッドの上で体を起こし、ドアを見つめた。静かな夜のなかで、心臓《しんぞう》が激《はげ》しく打っている。数分が過ぎ、きっと空耳だったに違《ちが》いないと思いはじめたとき――

コンコンコン。

モリガンは息を止めた。ノックを無視《むし》したかった。ドアを叩《たた》いているだれか――なにか――がいなくなるまで、毛布に潜《もぐ》りこんで、枕《まくら》を頭にかぶせていたかった。

でもそれは、〈輝かしき結社《ワンダラス・ソサエティ》〉のメンバーがすることじゃない。モリガンは自分に言い聞かせた。

心を決めると、さっと毛布を押《お》しのけ、わざと荒々《あらあら》しい足音を立ててドアに近づいた。どすどすという足音を聞いた向こう側にいるだれか（もしくはなにか）が、モリガンのことを実際の彼女《かのじょ》よりもずっと大きくて、怖《こわ》い存在《そんざい》だと思ってくれればいい。荒《あら》い息をつきながら、ドアに耳を押《お》し当てようとして顔を近づけ……動きを止めた。近くまで来ると、さっきまでは気づかなかったものが見えた。黒い木の中央に、小さな金色の円がある。指先の大きさの円。

その円が光り始めた——金属が金色の光を発している。最初は淡《あわ》い光だったものが次第に明るくなっていき、やがて中央に小さなWの文字が浮《う》かびあがった。

そういうことね。モリガンは右の人差し指のWを光る円に押《お》し当てた。温かい。

ドアがあっさりと開き、モリガンはだれかが飛びかかってくるのではないかと思ってあわてて飛びのいた。

だれもいなかった。

廊下《ろうか》とユーティリティルームとウォークインクローゼットの中間のような、明るい小さな部屋だ。黒い化粧板《けしょういた》を張った壁《かべ》には服を吊《つ》るすためのスペースがあり、ガラス張りの陳列棚《ちんれつだな》が置かれている。どれも空っぽだ。

この部屋は最初からここにあったんだろうかとモリガンは考えた。ここはデュカリオンの一部？　それともあの不思議なドアがあたしをどこかべつの場所に連れてきたの？

モリガンが入ってきたドアの向かい側に、まったく同じ形のドアがもうひとつあった。モリガンはそのドアに駆《か》けより、金の円に指を押《お》し当てた。なにも起きない。がっかりすると同時に、その円が冷たくて、光ってもいないことに気づいた。

「どうすればいいの？」モリガンはなにもない部屋を見まわした。

そこに答えがあった。その部屋はなにもないわけではなかった。最初のドアの裏《うら》に、着るものがひとそろい吊《つ》るされている。ブーツ、靴下《くつした》、ズボン、ベルト、シャツ、セーター、コート。

シャツだけが灰色《はいいろ》で、あとはどれも黒だ。お洒落《しゃれ》で、新しくて、きれいにアイロンがかけられていて……そしてモリガンにぴったりのサイズだった。

「なるほどね」

一分もたたないうちに、モリガンは準備ができていた――シャツのボタンを留め、ブーツの靴紐《くつひも》を結び、パジャマは床《ゆか》に脱《ぬ》ぎ捨《す》てた。とたんに、二番めのドアのWが光り始め、モリガンはにやっと笑って指を押《お》し当てた。

ドアが開いた先は、ワンダー地下鉄の小さな駅だった。きれいに片付《かたづ》いていて、――煙《けむり》が残っていたし、放置されている雰囲気《ふんいき》が漂《ただよ》ってはいたものの――天井から吊《つ》るされているつややや光る真鍮《しんちゅう》の時計と、プラットホームの端《はし》に置かれた木のベンチ以外はなにもない。ドアの敷《しき》居《い》の向こうに足を踏《ふ》み出すと、耳がつんとした。空気が変わった。からみつくような冷たさとエンジンオイルのようなにおいをかすかに感じた。

つまりはそういうことだ。ここはもうホテル・デュカリオンではない。デュカリオンの部屋がどれくらい形を変えるとしても、タコの肘掛《ひじか》け椅子《いす》やハンモックやかぎ爪《づめ》の形の足がついたバスタブを用意できるとしても、ホテルは絶対に地下にはないし、四階にあるモリガンの寝室《しんしつ》の隣《となり》にだれもいない駅はない。

ほぼ……だれもいない駅。

太い三つ編みの少女が肩《かた》を丸め、プラットホームの縁《ふち》から脚《あし》をぶらぶらさせて座《すわ》っている。モリガンの背後《はいご》でドアが音を立てて閉《し》まり、少女が振《ふ》り向いた。

「こんにちは」モリガンはいくらかぎこちなく声をかけた。

「やっと来たのね」カデンス・ブラックバーンはしかめ面だったが、ほんの一秒前、その表情が不安から安堵《あんど》に変わったのをモリガンは確かに見たと思った。ひとりじゃないこと、ユニットのほかのメンバーがようやく現われたことにほっとしたのだろう。

「いつからここにいるの、カデンス？」

自分を覚えている人間がいたことにカデンスが驚《おどろ》いた顔をしたのは、これが初めてではなかった。モリガン以外に彼女《かのじょ》を覚えていた人間はいないと、〈特技披露審査《とくぎひろうしんさ》〉のあとでカデンスは言っていた――それが催眠術師《さいみんじゅつし》でいることのマイナス面だ。

けれどモリガンが彼女《かのじょ》を忘《わす》れることはなかった。それどころか、忘《わす》れたくても忘《わす》れられるはずがない。〈追跡審査《ついせきしんさ》〉で、長老たちとの秘密《ひみつ》のディナーへのチケットをモリガンから奪《うば》ったのが彼女《かのじょ》だったことは忘《わす》れようがない。ハロウマスの夜、モリガンを池に突《つ》き落としたのが彼《かの》女《じょ》だったことは忘《わす》れようがない。ネバームーアから追放されそうになったのを――驚《おどろ》いたし、わけがわからなかった――助けてくれたことは、忘《わす》れようがない。カデンスに対して、モリガンはとても複雑な感情を抱《いだ》いていた。

「少し前から」カデンスが答えた。「ドアが閉《し》まっちゃったから」

モリガンは振《ふ》り返った。彼女《かのじょ》が出てきたドアの金の円はもう光っていない。つまりもう戻《もど》れないっていうこと？　不安になった。指を押《お》し当ててみた。

なにも起きない。冷たくて暗いままだ。

「わたしのはあれ」カデンスは黒いドアから三つめの緑色のドアを指さした。モリガンのもの以外に、ドアは全部で八つあった。形も色も違《ちが》う八つのドアは、異《こと》なる八つの家に通じているのだろう。「あのドア、夜のあいだにうちの居間に現われたの。母さんは気に入らなくて、邪《じゃ》魔《ま》ものって呼《よ》ぶのはやめてって言わなきゃならなかった」

「あたしのドアは寝室《しんしつ》にある」

カデンスは興味なさそうにうなっただけで、その後は沈黙《ちんもく》が続いた。

プラットホームは小さかった――通常のワンダー地下鉄が停まるだけの長さはない。けれどホームの上に吊《つ》るされている標識には〈九一九駅〉と書かれていた。

「これって……待って。嘘《うそ》でしょう。ここはあたしたちの駅なの？」モリガンは信じられないというようにあんぐりと口を開けた。「あたしたちだけのワンダー地下鉄の駅があるの？」

「そうみたいね」カデンスのいつものぶっきらぼうな口調には、隠《かく》し切れない驚《おど》きの響《ひび》きが混じっていた。〈輝かしき結社《ワンダラス・ソサエティ》〉のメンバーにはワンダー地下鉄に指定席があるとジュピターが冗談《じょうだん》を言っていたことがあるけれど、自分たちだけの駅――どれほど小さなものであっても――があるほうが、それよりずっといかしている。カデンスは立ちあがり、黒いズボンのほこりをはらうと、探《さぐ》るようなまなざしをモリガンに向けた。「それで……本当なの？　あんたは本当に〈ワンダー細工師《さいくし》〉なの？」

モリガンはうなずいた。

カデンスは信じていないようだ。「どうして知っているの？」

「知っているから」本当のことを話したくはなかった。エズラ・スコール本人から聞いたのだとは。ネバームーアでもっとも憎《にく》まれている男と実際に言葉を交わしたのだとは。「ジュピターには見えるの」

カデンスは片方《かたほう》の眉《まゆ》を吊《つ》りあげ、モリガンは用心深いまなざしを彼女《かのじょ》に向けた。なにか辛辣《しんらつ》なことを言おうとしているような、いらついているみたいな表情を浮《う》かべているけれど、カデンスのことだからなんとも言えない。〝いらついているみたいな〟表情が、彼女《かのじょ》のいつもの表情であることが次第にわかってきた。モリガンは彼女《かのじょ》が気の毒になった。

「つまりわたしたちはどちらも危険《きけん》な存在《そんざい》だってことね。ひとつのユニットにふたり。ずいぶん勇気があるよね」カデンスはどこか苦々しげに笑った。「安全協定が必要だって言われた？」

「うん」モリガンは答えた。それが、〈結社《ワンソック》〉に入るための絶対条件だった。ネバームーアの信頼《しんらい》できて影響力《えいきょうりょく》のある九人の住人に、モリガンは信用できると保証してもらうこと……それ以外になにをしてもらわなくてはいけないのか、モリガンは知らなかった。モリガンにはよくわかっていない、〈輝かしき結社《ワンダラス・ソサエティ》〉の奇妙《きみょう》な伝統のひとつだ。けれど結団式の前に、モリガンの安全協定の最後の署名者《しょめいしゃ》になってくれるようにジュピターがエンジェル・イスラフェルを説得できていなかったら、モリガンはユニット九一九のメンバーになっていなかった。

「わたしも。三人に署名《しょめい》してもらった。あんたは？」

「九人」

カデンスは小さく口笛を吹《ふ》いた。

ふたりはまた黙《だま》りこんだ。やがて、三つのドアが同時に勢いよく開いて沈黙《ちんもく》を破った。ぼーっとしながらも好奇心《こうきしん》をそそられているような顔で、アナ・カーロとフランシス・フィッツウィリアムとマヒア・イブラヒムが、慣れない制服を整えながら現われた。すぐにサディアとアーチャンとランベスが加わり、そして──

「このブーツってどれくらい上等なんだろう?」ホーソーンがわざとらしくプラットホームを踏《ふ》みつけた。モリガンを見てにやりと笑うと、腰《こし》に手を当てて胸《むね》を張った。「この服、いかしてるよね? きみがどうして黒を着るのか、よくわかったよ。スーパーヒーローみたいな気分になるもんね。スーパーヒーローみたいな気分にならない?」

「あんまり」モリガンは答えた。

「マントをくれればよかったのに! そう思わない? マントをもらえるかどうか、頼《たの》んだほうがいいかな?」

「やめようよ」

「ここって、ワンダー地下鉄の駅? そうみたいだね」ホーソーンは公園でリスを見つけた犬みたいに、素早くあちこちに視線《しせん》を走らせた。「ちょっと汚《きたな》いね。ぼくは気にしないけどね。多少の汚《よご》れは免疫《めんえき》システムにいいんだって母さんが言ってたよ。ここはどこ? 九一九駅? そんな駅を聞いたことは──え? わお! まさか。モリガン、これってひょっとして──」

「そう。あたしたちの──」

「ぼくたちの駅？」

「そういうこと！」

「まさか」

　モリガンはにっこり笑った。まわりのものに対するホーソーンの飽《あ》くなき好奇心《こうきしん》が、いつにも増してうれしかった。ほかのメンバーたちが疑《うたぐ》り深そうに無言で自分を見つめていることを気にかけずにすむ。アナはこの狭《せま》い場所で可能なかぎりモリガンから離《はな》れ、壁《かべ》に背中《せなか》を押《お》しつけていた。初めて会ったとき、いじめられている彼女《かのじょ》をかばってあげたことを考えれば、その態度はちょっと失礼だとモリガンは思った。それでも、まじないかなにかをかけているとアナに思われないように、できるだけ表情を変えないようにした。

　ホーソーンは思いっきりジャンプして、頭上に吊《つ》るされている標識に手を触《ふ》れた。標識はぎーぎーきしみながら前後に揺《ゆ》れた。「列車はいつ――」

「いま来る」プラットホームの端《はし》で淡々《たんたん》とした声がした。全員が一斉《いっせい》にそちらに顔を向けた。背筋《せすじ》を伸《の》ばし、あぐらをかいて地面に座《すわ》っているランベスがトンネルの暗い入口を見つめている。彼女《かのじょ》は黄褐色《おうかっしょく》の肌《はだ》とシルクのようにつややかな長い黒髪《くろかみ》をした、小柄《こがら》で真面目な顔つきの少女だった。

　ほかのメンバーたちは顔を見合わせ、彼女《かのじょ》が説明するのを待った。

　モリガンは咳払《せきばら》いをした。「えっと、なにが……」

　ランベスはトンネルからメンバーたちに視線《しせん》を戻《もど》し、待ってという合図のように指を一本立てた。数秒後、足の下の地面が揺《ゆ》れ始めた。トンネルの内側のどこからか警笛《けいてき》の音が聞こえ、やがてホーソーンの質問の答えが見えてきた。

「気色悪いな」ホーソーンが言った。

「不気味ってこと?」サディアが、まるで玉座《ぎょくざ》に座《すわ》る女王みたいに駅の床《ゆか》に堂々とした様子で落ち着いて座《すわ》っているランベスを横目で見ながら言った。

それは列車というよりは、車両だった。体のない頭部みたいに、一両だけだと妙《みょう》に見える。少し傷《きず》があって使い古されているようだったけれど、黄銅の半クレド硬貨《こうか》みたいにきれいに磨《みが》かれて光っていた。車両は楽しげに白い蒸気《じょうき》を吐《は》きながら、速度を落として止まった。その側面には大きな黒いWと、その下に新しく書かれたばかりらしい九一九の文字があった。

列車が再び警笛《けいてき》を鳴らしたかと思うとドアが開いて、しわくちゃの紙を手にした若《わか》い女性がプラットホームに降《お》り立った。背《せ》が高くて、子馬のように長い脚《あし》をしている。長身の人は、ほかの人に威圧感《いあつかん》を与《あた》えないように背中《せなか》を丸めていることが多いけれど、彼女《かのじょ》はちゃんと背筋《せすじ》を伸《の》ばしていた。バレリーナみたいだとモリガンは思った。胸《むね》を張って、足を少し外に開いて立っている。

「ランベス・アマラ、短期の予言者《よげんしゃ》」女性は紙を読みあげた。「カデンス・ブラックバーン、催眠術師《さいみんじゅつし》。モリガン・クロウ、〈ワンダー細工師《さいくし》〉。フランシス・フィッツウィリアム、料理家。マヒア・イブラヒム、語学に堪能《たんのう》。アナ・カーロ、治療師《ちりょうし》。サディア・マクリード、戦士。ホーソーン・スウィフト、ドラゴン乗り。アーチャン・テイト、掏《す》り」彼女《かのじょ》は自分を見つめている九つの顔をうれしそうに見まわした。〈ワンダー細工師《さいくし》〉という言葉を口にしたとき、彼《かの》女《じょ》はたじろぐことも、顔をしかめることもなかった。まばたきすらしなかった。モリガンはもう彼女《かのじょ》のことが好きになっていた。

ユニット九一九のメンバーは互《たが》いに顔を見合わせ、曖昧《あいまい》にうなずいた。

「たいした取り合わせね。全員いる？」

「それなら乗って」彼女《かのじょ》はにこやかに笑いながら、手招きした。ホーソーンは嬉々《きき》としてその言葉に従《したが》い、モリガンとほかのメンバーたちは彼《かれ》のあとから順に乗りこんだ。

「わお」ホーソーンが声をあげた。

「いかしてる」マヒアがつぶやいた。

「すごいね」サディアが言った。

本当にとモリガンは思った。

古いワンダー地下鉄の車両を持ってきて、なかを空っぽにして、居心地のいい細長い居間に変えたみたいだった。でこぼこした大きなクッション、ふかふかした肘《ひじ》掛け椅子《いす》、様々なコーヒーテーブルやランプや使い古したソファといったものが、きれいに配置されている。片隅《かたすみ》には薪《まき》で燃やす小さなコンロがあって、銅のケトルが載っている。傍《かたわ》らには焚《た》きつけがいっぱい入った木箱が置かれ、虹色《にじいろ》の手編みの毛布が山積みになっていた。車両の一番前には、一面にステッカーが貼られた赤い木の机《つくえ》。壁《かべ》は鼓舞《こぶ》するような言葉――〝かなうかぎりの最高を目指せ〟とか〝チームワークに『わたし』はいらない〟とか――が書かれたポスターで覆《おお》われ、コルクボードには色鮮《あざ》やかな絵葉書やちらしが留められている。いろいろなものが詰《つ》めこまれていたけれど、快適だった。雑然としているけれど、清潔だ。素晴らしかった。

「わたしが飾《かざ》りつけしたのよ。どうかしら？」あたかも時間をかけて選んだプレゼントを愛する人に贈《おく》っているかのように、若《わか》い女性は固唾《かたず》を呑《の》んでモリガンたちを見つめた。じっとしていられないのか、爪先立《つまさきだ》って体を揺《ゆ》らしている。「こうなる前に見せたかったわ。本当になにもなかったんだから。前にこの車両を使っていたユニットがかわいそうだった。なんの変哲《へんてつ》もない九つの机《つくえ》と硬《かた》い九つの椅子《いす》があるだけ。ソファもない！　ビーンバッグクッションもない！　暖房《だんぼう》もなくて、冬は凍《こご》えるくらい寒かったんだから。本当よ。ビスケットの壺《つぼ》さえなかったの！　信じられる？」彼女《かのじょ》は赤い机《つくえ》の上に置かれた、ホッキョクグマの形をした大きな陶《とう》器《き》の壺《つぼ》を指さした。「あの壺《つぼ》はいつもビスケットでいっぱいにしておくって約束するわね。ぱさぱさのまずいビスケットなんかじゃないから——ちゃんとしたチョコレート・ビスケットよ。ピンクのアイシングをしたドーナツ型のものや、カスタードクリームをはさんだものとか。ひとつ覚えておいてちょうだいね。わたしがビスケットに要求するレベルはとても高いの」

彼女《かのじょ》は壺《つぼ》を順にまわし、黙《だま》ってビスケットを食べるモリガンたちを笑顔で眺《なが》めていた。人間のもっとも基本的な欲求《よっきゅう》を満たせることがうれしくてたまらないようだ。

「さあ、座《すわ》って、座《すわ》って」子供《こども》たちは寄せ集めの家具にそれぞれ座《すわ》った。モリガンは床《ゆか》に置かれた大きなクッションを選び、ホーソーンはその隣《となり》に座《すわ》った。女性はベルベットの肘《ひじ》掛《か》け椅子《いす》に楽々と腰《こし》をおろした。大きすぎるピンクのセーターに格子《こうし》柄《がら》のレギンス、黄色いスニーカーという格好の彼女《かのじょ》は、溶《と》かしたクレヨンを入れた箱みたいだ——黒い服に身を包んだ、葬式帰《そうしきがえ》りと言っても通りそうなユニット九一九とは対照的だった。

「わたしはミス・チェリー。マリーナ・チェリー。あなたたちの案内人よ」案内人とはなにをする人なのかをみんな知っているんだろうかと思いながら、モリガンはほかのメンバーたちをちらりと見た。目が合うと、ホーソーンは肩《かた》をすくめた。「ばかみたいな名前よね、いかしてる《チェリー》なんて。でも名前に負けないようにがんばるって約束するわ。本当はチェリー案内人って呼《よ》んでもらうことになっているんだけど、そのほうがもっとばかみたいでしょう？　だから、ミス・チェリー。いいわね？」

ビスケットを口いっぱいに頬張《ほおば》ったユニット九一九はうなずいた。

ミス・チェリーは、九人が世界でもっとも重要な人物であるかのように、活気にあふれた表情でモリガンたちを眺《なが》めていた。その目は生き生きしていて優《やさ》しくて、肌《はだ》は温かそうな濃《こ》い茶色で、モリガンがこれまで見たこともないほど素敵《すてき》な笑顔の持ち主だった。

「ホームトレインにようこそ」ミス・チェリーは両手を大きく広げた。「ジュニアの生徒としてのこれからの五年間、この居心地のいい小さな列車があなたたちの移動手段《しゅだん》であり、避難《ひなん》場所であり、ベースキャンプになるの。学校のある日は、みんな一緒《いっしょ》にここからはじまってここで終わる。月曜日から金曜日まで、わたしが毎朝、九一九駅まであなたたちを迎《むか》えにきて、一日の終わりにはここまで送り届《とど》けるのよ。とっても簡単《かんたん》。わたしたちはこの列車をホームトレインって呼《よ》んでいるの。だってそのものだから。あなたたちを家《ホーム》に連れて帰るんだもの。でもそれだけじゃなくて、ここをそういうふうに考えてほしいと思っている」彼女《かのじょ》は真面目な顔でモリガンたちを見た。「二番目の家《ホーム》として。安心できて、幸せでいられる場所として。みんなが味方をしてくれて、なにを訊《き》いてもばかにされなくて、だれにも批判《ひはん》されないところとして。それをわかったうえで――なにか質問は？」

フランシスが手をあげた。「あなたの天賦《てんぷ》の才はなんですか？」

「訊《き》いてくれてうれしいわ、フランシス」ミス・チェリーは笑顔になった。「わたしは綱渡《つなわた》りをするの。〈俗世《ぞくせ》の技能の学校〉を卒業していて、そのことを誇《ほこ》りに思っている」

ビンゴ、モリガンは心のなかでつぶやいた。バレリーナではなかったけれど、かなり近い。素晴らしく姿勢《しせい》がいいのも当然だ。

「〈俗世《ぞくせ》の技能の学校〉ってなんですか？」マヒアが聞いた。

「すごくいい質問ね」ミス・チェリーは勢いよく立ちあがり、大きな白黒のポスターに歩み寄った。そのポスターには、的《まと》のような三重の同心円《どうしんえん》が描《えが》かれていた――一番外側は灰色《はいいろ》、真ん中が白、そして中央が黒の円だ。「〈輝かしき結社《ワンダラス・ソサエティ》〉はふたつの専門《せんもん》分野に分けることができるの。俗世《ぞくせ》の技能の持ち主と不可解な技能の持ち主」ミス・チェリーは外側の灰色《はいいろ》の円を示した。「この大きな円は俗世《ぞくせ》の技能を表している――あなたたちの技能もここに含《ふく》まれるわね。これは〈輝かしき結社《ワンダラス・ソサエティ》〉の一番大きな部門で、主に医学、スポーツ、パフォーマンス、工学、政治、そのほか創造的《そうぞうてき》なものの分野における天賦《てんぷ》の才を使った、一般向《いっぱんむ》けのアートや活動やサービスに携《たずさ》わっている。〈輝かしき結社《ワンダラス・ソサエティ》〉がその重要な仕事を続けていくためには、人々の支持と財政支援《しえん》が不可欠だけれど、それを最前線で担《にな》っているのがここ」

モリガンは顔をしかめた。〈輝かしき結社《ワンダラス・ソサエティ》〉の重要な仕事って、なんだろう？　だれも教えてくれなかった……それどころか、いままで尋《たず》ねようと思ったこともなかったと気づいて、少し恥《は》ずかしくなった。

ミス・チェリーはテストのために暗記する必要があったみたいに、よどみなく話を続けた。

「わたしたち俗世《ぞくせ》の存在《そんざい》は、人々を魅了《みりょう》してお金を集めるの。お気に入りのミュージシャンやスポーツ選手、これまでに見た最高のサーカス、ニュースで耳にしたもっとも頭のいい政治家、町一番の建築家やエンジニア──彼《かれ》らはおそらく〈輝かしき結社《ワンダラス・ソサエティ》〉の一員よ。それはつまり、おそらく〈俗世《ぞくせ》の技能の学校〉を卒業しているっていうこと。世論《せろん》が〈輝かしき結社《ワンダラス・ソサエティ》〉にとって好ましいものであり続けるように、わたしたちは驚《おどろ》くようなことをしているの」彼女《かのじょ》はにっこりと笑った。「〈結社《ワンソック》〉のモットーは〝わたしたち抜《ぬ》きで、できるものならやってみな〟だから」

彼女《かのじょ》は内側の白い円を指さした。「これは不可解な存在《そんざい》。数で言えば俗世《ぞくせ》の存在《そんざい》の三分の一ほどしかいないけれど、同じくらい重要だし──一部の人に言わせれば──倍くらい強力よ。主に、魔《ま》法《ほう》や超自然的《ちょうしぜんてき》なものや秘伝的《ひでんてき》なものの分野における天賦《てんぷ》の才を使った、一般向《いっぱんむ》けのアートや活動やサービスに携《たずさ》わっている──魔法使《まほうつか》いや予言者や霊能者《れいのうしゃ》といったたぐいね。害をなそうとするものから、〈結社《ワンソック》〉や町やフリー・ステートを守る防御《ぼうぎょ》の最前線に立つのは、だいたい彼《かれ》らになる。彼《かれ》らのモットーは〝わたしたちがいなければ、みんなゾンビになる〟」

「黒の円はなんですか？」カデンスが絵の中央を示しながら訊《き》いた。

「あら……」ミス・チェリーはポスターを見つめ、考えたこともなかったと言わんばかりに肩《かた》をすくめた。「ただ、〈結社《ワンソック》〉全体を表しているだけよ」

「あたしたちがどっちになるか、いつわかるんですか？」サディアはビーンバッグクッションの上でせいいっぱい背筋《せすじ》を伸《の》ばした。害をなそうとするものからフリー・ステートを守りたくてたまらないように、指をぽきぽき鳴らしている。

「コートのボタンをはずして」ミス・チェリーが指示した。「シャツの袖《そで》を見せて」

全員が言われたとおりにした。大部分が自分と同じ灰色《はいいろ》のシャツを着ているけれど、ふたりのシャツが白いことにモリガンは初めて気づいた。

「そういうことよ」ミス・チェリーが言った。「灰色《はいいろ》の袖《そで》はアナ、アーチ、マヒア、ホーソーン、モリガン、サディア、フランシス。そして不可解な白い袖《そで》はランベスとえーと……えーと——」彼女《かのじょ》は持っていた書類に目を向け、指で名前をたどった。「——カデンス！　そうだったわ。もっともよね。カデンスは催眠術師《さいみんじゅつし》だから——」

「カデンスってだれですか？」フランシスが尋《たず》ねた。

ミス・チェリーは、ぎらぎらする目でモリガンたちをにらみつけているカデンスを頭で示した。彼女《かのじょ》がそこに座《すわ》っていることに初めて気づいたかのように、全員——モリガン以外——が驚《おどろ》いたように振《ふ》り返った（実際に彼《かれ》らがカデンスがいることに気づいたのは、そのときだった）。

「ふむ」ミス・チェリーはメモを取った。「そうね、このことについてはどうにかしないといけないわね。とにかく、カデンスは催眠術師《さいみんじゅつし》、ランベスはレーダー——これってとても具体的なタイプの予言者なのよ。長期的な予言というよりは、もっと近い未来の予測をするの。どちらも、不可解な技能のなかでもごく珍《めずら》しい天賦《てんぷ》の才だわ。あなたたちがいてくれて、わたしたちは幸運ね」

カデンスの気持ちはいくらか和らいだようだ。ランベスは壁《かべ》のポスターを眺《なが》めながら、ここで交わされている会話にはまったく興味がないかのように、小声でなにかをつぶやいている。だれかがなにかおかしなことを言ったみたいに小さく微笑《ほほえ》み、それから顔をしかめ、やがてまた笑顔になった。モリガンはじっと彼女《かのじょ》を見つめていた。ランベスがレーダーだとしたら、ほかの人間とはまったく違《ちが》う周波数に波長を合わせているに違《ちが》いない。

残りの者たちは、ちらちらとモリガンを盗《ぬす》み見しているグループと、あからさまに彼女《かのじょ》を見つめているグループに分かれた。彼《かれ》らがなにを考えているのか、モリガンにはよくわかっていた。彼女《かのじょ》自身も同じことを考えていたからだ。

カデンスとランベスが不可解な存在《そんざい》なのに、どうしてあたしは俗世《ぞくせ》の存在《そんざい》なの？〈ワンダー細工師《さいくし》〉はそれほどありふれているの？

「あなたはどれくらい上手なんですか？」サディアが指についたチョコレートをなめながら尋《たず》ね、話題を変えた。「綱渡《つなわた》りのことですけど」

失礼な質問だとモリガンは思った。それにあまり意味がない。〈輝かしき結社《ワンダラス・ソサエティ》〉に入れるくらい上手なのは間違《まち》《が》いないのだから。そんな質問をしたのは、〈不可解な技能の学校〉に入れなかったことに腹《はら》を立てているからかもしれない。サディアは〝同じくらい重要で倍くらい強力〟という言葉が気に入ったのだろうと、モリガンは思った。

「かなり上手よ」ミス・チェリーは肩《かた》をすくめた。「でも、案内人になったのはこれが初めてなの。だから、初めのうちはあまりうまくできないかもしれない。コツを学ぶまでは、手加減してちょうだいね」

そう言いながら、彼女《かのじょ》はモリガンに向かって笑いかけ、モリガンは思わず笑みを返していた。すでに彼女《かのじょ》のことが好きになっている。その笑顔に勇気づけられたので、手をあげて尋《たず》ねた。

「案内人ってなんですか？」

「あら、そうだったわ」ミス・チェリーは笑いながら自分の額《ひたい》を叩《たた》いた。「一番大切なことを忘《わす》れていたわね。〈輝《ワンダラス・ソサエティ》かしき結社〉では、ひとつのユニットに案内人がひとりつくの。ジュニアの生徒として学んでいるあいだ、一緒《いっしょ》に過ごすのよ。わたしの仕事はあなたたちをいるべきところに送り届《とど》けること。実際、わたしはこのホームトレインの車掌《しゃしょう》として、毎日あなたたちを〈結社《ワンソック》〉に送迎《そうげい》するわけだから。

でももっと広い意味もあるの。ジュニア期間が終わるまでに、あなたたちが必要とされているところに行き着く手助けをする。ある種の……ガイドと言えるかしら。授業で特別な道具だったりキットだったり、なにか必要なものが出てきたら、わたしが用意する。今週はもう購買《こうばい》所《じょ》に山ほど注文したわ」彼女《かのじょ》は指を折りながら数えあげていった。「ボクシングのグローブ、耐火性《たいかせい》の甲冑《かっちゅう》、包丁《ほうちょう》をひとそろい、感覚遮断《しゃだん》タンク……あなたたちって、人の関心を引くタイプでしょう？」

　小さな笑いの波が起きた。モリガンはホーソーンに目を向け、笑みを浮《う》かべた。いよいよだ。いよいよ現実になった。彼女《かのじょ》たちの残りの人生の最初の日。はじまるのが待ちきれない思いだった。

「あなたたちひとりひとり」ミス・チェリーは言葉を継《つ》いだ。「それぞれの後援者《こうえんしゃ》、そしてスカラー・ミストレスと協力して、授業スケジュールを立てていくことになるわ。〈輝《ワンダラス・ソサエテ》かしき結社《イ》〉のメンバーとしてのあなたたちの可能性を最大限に引き出すために。そして豊かな人間であり、フリー・ステートのよき住人となるために。あなたたちの天賦《てんぷ》の才はもちろんのこと、ほかのたくさんの才能を磨《みが》く手助けもする。誠実《せいじつ》な心と勇敢《ゆうかん》な魂《たましい》もね──いいえ、とりわけそのふたつを。なにより、あなたたちみんなといい友だちになりたいの。それが一番分別《ふんべつ》のあることだと思うわ。だってこれから五年間、わたしたちは一緒《いっしょ》に過ごすんだもの」ミス・チェリーは言い終えて、微笑《ほほえ》んだ。

　これほど熱をこめて〝誠実《せいじつ》な心と勇敢《ゆうかん》な魂《たましい》〟について語ったのがほかの人間だったなら、モリガンはおえっとつぶやいていたかもしれない。けれどミス・チェリーには、一言一句にじっと耳を傾《かたむ》けたいと思わせるなにかがあった。

「さてと」彼女《かのじょ》は手を二回叩《たた》いた。「行くべきところにあなたたちを連れていく時間ね。オリエンテーションの時間なの。パキシマス・ラックがＶＩＰツアーに連れていってくれるのよ。運のいい子たちね！」

「まさか」ホーソーンは今日が人生最高の日になったみたいに、ぱっと顔を輝《かがや》かせた。「パキシマス・ラック？　本物？」

「本物よ」ミス・チェリーがにんまりしながら答えた。

「本物の、本当のパキシマス・ラック？　プラッキー？」マヒアが確認《かくにん》した。「有名な奇術師《きじゅつし》で、こっそりいたずらしたりもするストリート・アーティストの？」

「その人よ」

マヒアとホーソーンは顔を見合わせ、満足そうににやりと笑った。

パキシマス・ラックが何者なのか、モリガンにはさっぱりわからなかった。ネバームーアのなにかなのだろうと思った。

「でも彼《かれ》の正体は秘密《ひみつ》だと思ったけれど」カデンスが言った。

「そうね、でもあなたが思っているほどにはこだわっていないと思うわ。少なくとも、〈結社《ワンソック》〉のなかでは。パックスは毎年、新しい生徒のツアーをしてくれているの。もう何十年もよ」ミス・チェリーは勢いよく立ちあがると、車両の前方へと駆《か》けていき、いくつものレバーやボタンを操作《そうさ》した。エンジンが大きなうなりと共に目を覚ました。「楽しみにしているといいわ。彼《かれ》はいつも最高の奇術《きじゅつ》を初日に披露《ひろう》してくれるから。去年は毛むくじゃらのマンモスの群れが、プラウドフット・ハウスの正面玄関《げんかん》から勢いよく走り出てきたのよ。そして森へと消えていったの。まるで幽霊《ゆうれい》みたいに。もちろん錯覚《さっかく》なんだけれど、でもすごかったわ」

「わお」アーチが息を呑《の》んだ。

「そういうこと。さあ出発しましょう。でないと人生最高の日に遅《おく》れてしまうわ」ミス・チェリーは振《ふ》り返って尋《たず》ねた。「なにか質問は？」

ホーソーンがまっすぐ上に手をあげた。

「マントってもらえますか？」

第五章

ディアボーンとマーガトロイド

「プラウドフット駅。ネバームーアで一番古いワンダー地下鉄の駅よ」ミス・チェリーが告げた。「ほとんどの人はそれが、〈結社《ワンソック》〉のキャンパスのなかの〈不平の森〉にあることすら知らないの」

　ホームトレイン九一九はワンダー地下鉄のトンネルを出て、明るく活気のある場所に到着《とうちゃく》した。モリガンが見たこともないほど素晴らしい駅だ。プラットホームは六つ。それぞれをつないでいる絵のように美しい赤いレンガの歩道橋は、プラウドフット・ハウスの壁《かべ》と同じように蔦《つた》で覆《おお》われている。きれいに磨《みが》かれた木のベンチとガラスの壁《かべ》の待合室がいくつかあった。駅は濃《こ》い緑の森に包まれていて、木々が枝を伸《の》ばして自然の天蓋《てんがい》を作っていた。まだ早い時間だったけれど——空は夜明け時のひんやりした青色だった——木の葉の合間から、わずかな光がまだら模様《もよう》にこぼれている。プラットホームに吊《つ》るされたガス灯が、ひとつ、またひとつと消え始めているところだった。

早朝にもかかわらず、プラットホームにはすでに三両のホームトレイン（側面にそれぞれ九一八、九一七、九一六の数字があった）と蒸気《じょうき》エンジンの長い列車、それに真鍮《しんちゅう》の小さな車両がいくつか止まっていた。

ミス・チェリーは一番線に車両を進めた。そこには〈結社《ワンソック》〉のメンバー――若《わか》い者も年配の者もいた――が待ち構えていて、ユニット九一九が車両から降《お》りられるようにドアを開けてくれた。プラットホームの壁《かべ》は、ありとあらゆるクラブやグループやバンドや〈結社《ワンソック》〉内の結社のポスターで覆《おお》いつくされている。モリガンは、月曜と火曜と水曜と木曜の夜と日曜日は一日中活動するという、〈野心を抱《いだ》く若者《わかもの》のための目標設定と達成のクラブ〉は気に入らなかったけれど、会合や集まりのたぐいはまったくないらしい〈名もなき内気な人間〉には入ってもいいかもしれないと思った。

駅には動揺《どうよう》しているような空気が漂《ただよ》っていた。あちらこちらに人々がかたまって、小声で話をしている。会話の断片《だんぺん》が聞こえてきた。

「……だれも知らないんだ。長老たちもなにも言ってなくて……」

「……彼《かれ》の奇術《きじゅつ》のひとつじゃないか？」

「……こんなことは一度も……」

ミス・チェリーはどこか落ち着かない様子で、眉間《みけん》にしわを寄せた。

「どうかしたんですか？」モリガンが訊《き》いた。

「いいえ。でも休暇《きゅうか》のあとの初日は、いつもはもう少し明るい雰囲気《ふんいき》なのよ。それにパキシマス・ラックはいつもここで待っていて――」

「どうかしたかい、マリーナ？」若《わか》い男性がホームトレイン九一七のドアから身を乗り出し、ミス・チェリーに声をかけた。彼《かれ》はプラットホームに飛び降《お》り、駆《か》け寄ってきた。「案内人になったって聞いたよ。おめでとう」

「ありがとう、トビー」ミス・チェリーは上の空で応じた。「なにがあったの？　プラッキーはどこ？」

トビーは険《けわ》しい顔になった。「だれも知らないんだ。夜のあいだに姿《すがた》を消した」

ミス・チェリーは顔をしかめた。「そんなの、ありえない」モリガンは、〈春の前日〉にジュピターが友人のイスラフェルと交わしていたこれとほぼ同じ会話を、不意に思い出した。行方不明になったカシエルのことだ。「プラッキーは、オリエンテーション・ツアーの前の夜にいなくなったりしない。この二五年というもの、一度もそんなことはなかったわ」

さらなる行方不明者。

なんとも言えない漠然《ばくぜん》とした不安が、蛇《へび》のようにモリガンの胃《い》のなかでとぐろを巻《ま》いた。よく知っている感覚だった。なにかが、どこかで、ひどくまずいことになっていて、それはモリガンのせいかもしれない。

やめなさい、モリガンは自分を叱《しか》りつけ、恐《おそ》ろしい考えを振《ふ》り払《はら》うように首を振《ふ》った。あたしには関係ない。あたしは呪《のろ》われてはいない。

ジュピターに手紙を書ければ、と思った。

ミス・チェリーはがっくりと肩《かた》を落とし、途方《とほう》に暮《く》れたように駅を見まわした。「それじゃあ、だれがツアーをしてくれるの？」

「えーと……」真に恐《おそ》ろしい知らせを伝えようとする人間のように、トビーは口ごもった。

ミス・チェリーはユニット九一九を駅から連れ出し、遠くにそびえる堂々としたプラウドフット・ハウスまでまっすぐに続いている、緑のなかのゆったりした道へと案内した。「道からはずれないようにしてね。わかった？　なにがあっても、〈不平の森〉のなかに入ってはだめよ」

「危険《きけん》なんですか？」フランシスが下生えのあいだをのぞきこみながら、不安そうに尋《たず》ねた。

「そうじゃない。ただ、うっとうしいだけ」ミス・チェリーは、木々に聞かれたくないみたいに、生徒たちに顔を寄せた。「文句を言い出したら、止まらないの。だから同情したりしてはだめよ。ほら、よく聞いて。スカラー・ミストレスのどちらかがツアーをしてくれるみたいなの。ミズ・ディアボーンかミセス・マーガトロイドがプラウドフット・ハウスの階段《かいだん》で待っているわ。だから――」彼女《かのじょ》は深々とため息をついた。「――だから……とにかく行儀《ぎょうぎ》よくしてね。おとなしくして、なんとか切り抜《ぬ》けるのよ。わかった？」

意味ありげな言葉を最後に、ミス・チェリーは手を振《ふ》ってユニット九一九を駅から送り出し、モリガンたちはどこか恐《おそ》ろしく見え始めたプラウドフット・ハウスへの短い道を歩き始めた。

左側の木々の奥《おく》のほうから、怒《おこ》っているような低いつぶやきが聞こえた気がした（〃……あいつらは朝の早くから、重たい靴《くつ》でほっつき歩いてたんだ。だいたい敬意《けいい》ってものが……〟）けれど、モリガンはミス・チェリーの助言に従《したが》って、聞こえないふりをした。小声でホーソーンと言葉を交わしながら、列の最後尾《さいこうび》を歩いた。

「信じられないよ」ホーソーンがぼやいた。「パキシマス・ラックにもう少しで会えるところだったのに、いなくなっちゃったなんて！　こんなついてないことってないよなあ。もしも——え！」ホーソーンはなにかに気づいたらしい。「えええ。ちょっと待ってよ。これって、なにかのいたずらだとは思わない？」

「そうかもしれない」モリガンは疑《うたが》わしげに答えた。「でも、あんまりいいいたずらじゃないよ」

「ナンが、スカラー・ミストレスのことを教えてくれたんだ。マーガトロイドは本当に面倒《めんどう》らしいよ」

（右側から木の葉がこすれる音と、哀《あわ》れっぽいうめき声がした。きしむような、押《お》し殺した声が木立から聞こえてきた。〝ああ、今日はわたしの枝がいつにも増して痛《いた》い……〟）

「デイム・チャンダーも同じことを言っていた」〈不平の森〉のつぶやきに負けまいとして、モリガンはいくらか声を張りあげた。「そんな感じのことを」

「もしぼくが面倒《めんどう》を起こしたときは——」

モリガンは鼻を鳴らした。「〝もし〟？」

「——そのことに気づくのが、マーガトロイドじゃなくてディアボーンだといいんだけどってナンは言っていた。マーガトロイドが相手のときは、気づかれないようにできるだけおとなしくしていろって。だからぼくはナンに言ったんだ。そもそも、ぼくが面倒《めんどう》を起こすと思っているのは侮辱《ぶじょく》だよって」モリガンがまた鼻を鳴らしたので、ホーソーンはにやりと笑いながら横目で彼女《かのじょ》を見た。「それに、どちらにも気づかれないようにすればいいことだしね。そうだろう？」

〈輝《ワンダラス・ソサエティ》かしき結社〉の新しい生徒たちが森の道を抜《ぬ》けたときには、空は明るくなっていた。プラウドフット・ハウスを目指して霜《しも》に覆《おお》われた斜面《しゃめん》をのぼっているあいだにも、地平線の淡《あわ》い金色の筋《すじ》はピンクに変わり、巨大《きょだい》な花のように空を染《そ》め、赤いレンガの正面玄関《げんかん》を照らした。

女性がひとりプラウドフット・ハウスの階段《かいだん》に立ち、モリガンたちを出迎《でむか》えようとして待っていた。出迎えるためじゃないかもしれないと、近くまで来たところでモリガンは考えた。というよりは……冷ややかなまなざしで、彼女《かのじょ》たちを見つめている。

彫像《ちょうぞう》のようにじっと動かないその女性は、〈輝《ワンダラス・ソサエティ》かしき結社〉の制服ともいえる黒の服に身を包んでいたが、マントの下にのぞくシャツだけは灰色《はいいろ》だった。髪《かみ》は銀に見えるくらいの金色で、頭上高く古風なスタイルに結《ゆ》いあげているせいで、しわのない若《わか》い顔が連想させる年齢《ねんれい》よりもずっと老けて見える。染《し》みひとつない月のような肌《はだ》の持ち主で、入念に手入れをしてきただけでなく、長年、家のなかで過ごしてきたのだろうと思えた。瞳《ひとみ》は氷のように青く、頬骨《ほおぼね》はナイフのように鋭《するど》い。そういったものが合わされば、さぞ美しくなるはずなのに、彼女《かのじょ》の場合は人間の形をした氷河のようにしか見えなかった。冷たくて、硬質《こうしつ》で、揺《ゆ》るぎない。その優雅《ゆうが》な黒い靴《くつ》で踏《ふ》みつぶそうとしている虫を眺《なが》めるようなまなざしで、プラウドフット・ハウスの階段《かいだん》の上からモリガンたちを見つめていた。

あれがきっとマーガトロイドだとモリガンは思った。ナンがホーソーンに与《あた》えた助言を思い出し、できるかぎり小さくなって、目立たないようにした。

「おはよう、ユニット九一九のみなさん」彼女《かのじょ》が言った。モリガンはその声を聞いて、ガラス板を連想した。表面は傷《きず》ひとつなく滑《なめ》らかだけれど、端《はし》は手が切れるほど鋭《するど》い。「わたしはダルシニア・ディアボーンです」

モリガンは驚《おどろ》きに声が出そうになった。

「〈俗世《ぞくせ》の技能の学校〉のスカラー・ミストレスです。その肩書《かたがき》には無限の責任と仕事がついてまわるというのに――そして無責任な道化師がひとり、折あしくいなくなったせいで――あなたたちの今日のツアーのガイドをするようにと長老たちから命じられました。あなたたちはわたし以上に落胆《らくたん》しているはずだと思うことで自分を慰《なぐさ》めているところです。

わたしのことはミズ・ディアボーンかスカラー・ミストレスと呼《よ》んでください。ミセス・ディアボーンとかミス・ディアボーンとかディアボーン教授とかお母さんとかママなどとは呼《よ》ばないように。わたしはあなたの親ではありませんし、子守女でもありません。子供《こども》っぽい問題に関わっている暇《ひま》は、わたしにはありません。もしなにか問題が起きたときにはユニットの案内人に相談するか、二度と悩《なや》むことなどないように、そんな問題は心の奥深《おくふか》くに押《お》しこめてください。わかりましたか？」

ユニット九一九は無言でうなずいた。ミス・チェリーから温かな歓迎《かんげい》を受け、ホームトレインの快適さを味わったあとだったから、まるで氷水を浴びせられたような気分だ。妄想《もうそう》にかられたかわいそうな生徒が、この北極みたいに冷たい女性をうっかり〝ママ〟と呼《よ》んでしまったのだろうかとモリガンは考えた。

「なによりもあなたたちが覚えておかなければいけないのは、こういうことです‥あなたたちは、少しも重要ではありません。毎年、新しいユニットがわたしたちの一員となります。フリー・ステートの輝《かがや》かしくも輝《かがや》かしい人々が連綿とつなげてきた列に、新たに九人が加わるのです。あなたがたは生まれてからずっと特別な存在《そんざい》で、だれよりも才能があり、だれよりも頭がよいと言われ、平凡《へいぼん》な家庭や学校やコミュニティではだれよりも称賛《しょうさん》されてきたことでしょう」

モリガンは鼻を鳴らしたくなるのをこらえた。心の底から、熱烈《ねつれつ》に、全面的に——けれどもちろん声には出さずに——ミズ・ディアボーンの言葉に異議《いぎ》を唱えた。

「わたしの戸口に立っているいまも、同じような扱《あつか》いを受けることを期待しているかもしれません。優《やさ》しい言葉をかけてもらい、甘《あま》やかされ、称賛《しょうさん》され、愛されると思っているかもしれません。〈結 社《ワンソック》〉のなかを歩いている重要な人々が足を止め、あなたたちに感心してくれる、〝ほら、あれが一番新しいメンバーだよ！　みんな素晴らしいじゃないか〟と声をあげてくれると考えているかもしれません」ミズ・ディアボーンはそこで言葉を切り、気持ち悪いくらい甘《あま》ったるい笑みを浮かべて、モリガンたちを順番に眺《なが》めていたが、やがてその表情は冷笑に変わった。「全部、忘《わす》れなさい。いいですか、**あなたたちは、少しも重要ではありません**。この神聖《しんせい》な場所では、だれもあなたたちの小さな手を引いてくれたり、洟《はな》を拭《ふ》いてくれたりはしません。〈結社《ワンソック》〉にいるすべての人間にはするべき仕事があります――ジュニアの生徒、シニアの生徒、卒業生、教師、後援者《こうえんしゃ》、長老、指導者、すべてです。そこにはあなたたちも含《ふく》まれます。あなたたちの仕事は年長者に敬意《けいい》を示し、言われたことをして、常に努力を怠《おこた》らず、役に立てるときが来たときのために――運がよければの話ですが――その日に備えることです。わかりましたか？」

モリガンにはわからなかった。ミズ・ディアボーンの言う〝役に立てる〟というのは、どういう意味なのだろう？　けれどいまは説明を求めるくらいなら、ピラニアでいっぱいの水槽《すいそう》に手を突《つ》っこむほうがましだと思えたから、ほかの生徒たちと一緒《いっしょ》になってうなずいた。「はい、スカラー・ミストレス」

「いいでしょう」ディアボーンはそう言うとくるりときびすを返し、プラウドフット・ハウスの壮麗《そうれい》な入口へと歩きだした。モリガンたちが当然ついてくるものだと思っている。「わたしたちの授業スケジュールはカレンダーどおりで、二学期制です。一学期めは春に、二学期めは秋にはじまります。夏休みのあいだ、あなたたちは……」

生徒たちが階段《かいだん》をぞろぞろとのぼっているあいだ、ディアボーンの話は続いていて、ホーソーンがモリガンに顔を寄せて、耳元でささやいた。「素晴らしいスピーチだね。まじで、ほんわかしてきたよ」

モリガンたちが最初に教わったのは、華《はな》やかで美しい五階建てのプラウドフット・ハウスには地下があって、そこが〈結社《ワンソック》〉の本当の本拠地《ほんきょち》であり、暗くて、果てしない迷路になっていることだった。

「地下は九階まであります」ミズ・ディアボーンは玄関《げんかん》ホールから、音が反響《はんきょう》する長い廊下《ろうか》へと生徒たちをいざないながら説明した。その声は冷ややかで事務的だったし、つやつや光る黒のハイヒールは木の床《ゆか》の上でコツコツと大きな足音を立てた。モリガンとホーソーンとほかの生徒たちは、彼女《かのじょ》に追いつくためにいつもの倍のスピードで歩かなくてはならなかった。

「地下一階は、学校の職員と来訪《らいほう》した〈結社《ワンソック》〉の大人のメンバーのための食事と宿泊《しゅくはく》、および娯楽《ごらく》のための施設《しせつ》になっています。あなたたちは入れません。地下二階には、ジュニアとシニアの生徒の食堂、購買所《こうばいじょ》、キャンパスで暮《く》らしたいシニアの生徒のための寄宿所がありまず」

地下二階をあわただしく見てまわるうちに、〈結社《ワンソック》〉の日々の生活がどんなものなのか、モリガンは少しわかった気がした。生徒の食堂は様々な形のテーブルと椅子《いす》が置かれた円形の空間で、居心地のよさそうな空気が漂《ただよ》っていた。一方の端《はし》は、カフェのような錬鉄《れんてつ》の小さなテーブルと、ペンキが点々と散っている縁《ふち》が欠けた長方形の木のテーブルと、ふぞろいの椅子《いす》がところせましと並《なら》び、もう一方の端《はし》には巨大《きょだい》な暖炉《だんろ》を囲んで使い古された肘掛《ひじか》け椅子《いす》が置かれていた。

いくつかのテーブルではシニアの生徒たちが朝食を食べたり、朝刊を読んだり、紅茶《こうちゃ》を飲みながら語りあったりしていた。モリガンは、ベーコンのにおいにふらふらと近づいていこうとするホーソーンを引き留めなくてはならなかった。

「朝食もまだなんだぞ！　想像できる？」ホーソーンは憤慨《ふんがい》したようにささやいた。「考えるより先に、あのばかみたいなドアをくぐっていたんだ。きみもだろう？」

「うん」モリガンはほとんど聞いていなかった。シニアの生徒たちのおしゃべりにはどこか切羽詰《せっぱつ》まった響《ひび》きがあるような気がして、パキシマス・ラックがいなくなったことを話題にしているのではないかと考えていたからだ。ミズ・ディアボーンは生徒たちを引き連れ、食堂の反対側に出た。そこには、レールに吊《つ》るされたいくつもの大きな真鍮《しんちゅう》の球体が列を作っていた。

彼女《かのじょ》はくるりと振《ふ》り返って言った。

「このレールポッドのネットワークは、地下であらゆるところをつないでいます」ミズ・ディアボーンは機械のような退屈《たいくつ》そうな口調で言った。「許可さえあればあなたたちは、このポッドで〈結社《ワンソック》〉内のどこにでも行けます。キャンパスの外のいくつかのワンダー地下鉄の駅にも通じていますが、ジュニアの生徒はスカラー・ミストレスかもしくは後援者《こうえんしゃ》の明確な許可がないかぎり、キャンパス外に行くことは許されていません。どこが許可されているのかは、あなたたちの印が教えてくれます。ひとつのポッドの乗員は最大一二人です。

地下三階、四階、五階は、〈俗世《ぞくせ》の技能の学校〉のための教育施設《しせつ》です。地下六階、七階、八階は〈不可解な技能の学校〉が使います。九階は、生徒は立ち入り禁止になっています。

〈俗世《ぞくせ》のスカラー・ミストレス〉であるわたしの元で学ぶ、あなたたちのうちの七人は、地下五階より下に行く必要はありませんから、そこへ行く許可はおりません。ミス・ブラックバーンとミス・アマラ、あなたたちふたりは〈不可解な技能の学校〉で学びます。〈不可解なスカラー・ミストレス〉が、あとであなたたちを案内します」

ミズ・ディアボーンはモリガンたちを球状の真鍮《しんちゅう》のポッドに乗せると、指のＷの印をポッドの壁《かべ》で光るＷに押《お》し当て、いくつかのレバーを引いた。モリガンはその順番を覚えようとしたけれど、複雑すぎて覚えられなかった。ポッドは胃《い》がひっくり返りそうな、耳がつんとなるようなスピードで数階分おりたかと思うと、だれもが――ミズ・ディアボーン以外は――驚《おどろ》いたことに突然《とつぜん》前方に進み始めた。鋭《するど》く左に曲がり、後退《こうたい》し、再び左に曲がり、そして……ジグザグに上へ上へ上へとあがっていく。そのあいだ中、ドアの上のライトは狂《くる》ったように点滅《てんめつ》していた。

やがてポッドは唐突《とうとつ》に停止し、ユニット九一九の生徒は全員が壁《かべ》に激突《げきとつ》した。ミズ・ディアボーンは天井から吊《つ》るされている革《かわ》の吊《つ》り輪をつかんでいたけれど、子供《こども》たちはだれひとりとしてそこに届《とど》かないことをなんとも思っていないようだった。

「地下三階。〈俗世《ぞくせ》の技能の学校〉」ポッドのドアが開き、ミズ・ディアボーンは生徒たちを連れて磨《みが》きあげられた木の廊下《ろうか》に降《お》り立った。モリガンはめまいと吐《は》き気を感じていたけれど、なんとか遅《おく》れまいとした。

「ここは、実務科学と呼《よ》んでいるもののための階です」ミズ・ディアボーンが説明した。「医学、地図作成、気象学、天文学、調理法、工学、アンニマルの飼育といったものです。世界を続けていくために欠かすことのできない、地に足のついた日々の事柄《ことがら》ですね。地下三階には実験室、観測所、地図の間、階段《かいだん》教室が九つ、動物学の施設《しせつ》、調理実習室、そしてもちろん病院があります」

ミズ・ディアボーンは暗い階段《かいだん》教室のひとつに生徒たちを連れていった。そこではドクター・ブランブルが、セブン・ポケットのどこからか訪《おとず》れた〈結社《ワンソック》〉のメンバーに、〝現代のアンニマル学者の道徳上の責任〟について語っていた。ドクター・ブランブルのかたわらにはバスケットが置かれていて、そのなかには汚《きたな》らしい大きな白いぼろ切れのようなものが入っているように見えたが、やがてそれが――

「マニフィキャット！」モリガンはホーソーンの脇腹《わきばら》をつつきながら言った。とたんにミズ・ディアボーンにぎろりとにらまれたので、あわてて口をつぐみ、彼女《かのじょ》の視線《しせん》を感じなくなるまでただひたすら教壇《きょうだん》を見つめていた。

「その生き物にとって一番いいことを考えて行動するだけでは充分《じゅうぶん》ではありません」ドクター・ブランブルはそう言うと、愛情をこめてその生き物の顎《あご》の下を撫《な》でた。「個人として考えなくてはいけません」

「フェンほど大きくないね」ホーソーンは口の隅《すみ》だけ使ってささやいた。

「赤ちゃんなんだと思う」モリガンが答えたちょうどそのとき、マニフィキャットは恐《おそ》ろしいけれど愛らしい仕草で牙《きば》をむいた。「ほら、見て！」

けれどミズ・ディアボーンはさっさと歩きだし、つぎの階へと向かった。

「人文科学」地下四階に着いたところで、ミズ・ディアボーンが告げた。「哲学《てつがく》、外交術、言語、歴史、文学、音楽、芸術などで構成されていて、劇場《げきじょう》があります」

地下四階の数十もの教室、スタジオ、ギャラリー、音楽室、劇場《げきじょう》を見たあと、一行《いっこう》は地下五階に向かった。〈俗世《ぞくせ》の技能の学校〉の三つめの部門である、先端《せんたん》科学のための階だとディアボーンは説明した。

ここまでの階は博物館や大学のような、落ち着いて改まった雰囲気《ふんいき》があったけれど――広々とした廊下《ろうか》、高い天井、磨《みが》きあげられた木の床《ゆか》――地下五階はなにが起きてもおかしくないような、どこか雑然とした空気が漂《ただよ》っていた。

この階には、スパイとしての技術を学ぶための教室（〝自分の死を偽装《ぎそう》する〟というタイトルのワークショップを五分間だけ聞くことができた）、騒々《そうぞう》しい武術の道場（学期の初日の朝だというのに、数人の生徒がすでに鼻を折っていた）、そして――ホーソーンは大喜びした――大きな洞窟《どうくつ》のようなドラゴンの小屋と彼《かれ》が多くの時間を過ごすことになるだろうアリーナがあった。

地下五階は少しホテル・デュカリオンに似ているとモリガンが考えていると、年上の少年がホールの向こうから駆《か》け寄ってきた。

「スカラー・ミストレス」少年は三つ編みに編んだ長い髪《かみ》をたなびかせながら、ミズ・ディアボーンとモリガンたちを追ってきた。興奮《こうふん》している様子だ。「スカラー・ミストレス。話があるんですが、いいですか？」

「いまはだめです、ミズ・ディアボーン」

「お願いです、ミズ・ディアボーン」少年は腰《こし》に手を当てて前かがみになり、息を整えようとした。「お願いです、マーガトロイドと話をしてもらえませんか。明日、ぼくの頭を剃《そ》るって彼女《かのじょ》が言うんです。このあいだの〈市民の義務〉の試験でぼくたちのユニットが不合格だったから。でもあれはぼくのせいじゃなくて――」

「それはあなたの問題です」

「でも彼女《かのじょ》は――」少年は哀《あわ》れっぽい声をあげた。「今夜、カミソリを研《と》いでおくって言ったんです」

「でしょうね」

「お願いです。彼女《かのじょ》と話をして――」

「ばかなことを言うんじゃありません。わたしが彼女《かのじょ》と話ができるわけがないでしょう」ミズ・ディアボーンは目を閉《と》じると、こきりと音を立てながら首を片方《かたほう》に曲げた。モリガンはその音を聞いて、顔をしかめた。少年はたじろいだように、ひゅっと息を吸《す》った。「あなたは白袖《しろそで》でしょう、ウィタカー。〈不可解な技能の学校〉の生徒。わたしはあなたのスカラー・ミストレスではないと、改めて教えなくてはならないのですか？　自分の生徒をどうやって規律《きりつ》に従《したが》わせるのかは、ミセス・マーガトロイド次第です。さあ、これ以上事態を悪くする前に、自分の教室に戻《もど》りなさい。いまにも彼女《かのじょ》が来ますよ」

少年は青い顔であとずさったかと思うと、きびすを返して来たほうへと駆《か》け戻《もど》っていった。モリガンはそのうしろ姿《すがた》を眺《なが》めながら、ごくりと唾《つば》を飲んだ。あの悪名高きマーガトロイドは、いい、本当に彼《かれ》の頭を剃《そ》るんだろうか？　そんなことが許されているの？　あたりを見ると、ユニット九一九のほかの生徒たちも同じくらい動揺《どうよう》しているようだった。

疲《つか》れてもいる。夜明けに起こされて、迷路のような地下のキャンパスを数百マイルにも感じるくらい歩かされて、そのうえ朝からビスケットを二枚《まい》食べただけだ。モリガンは、この場で昏倒《こんとう》してもう二度と立ちあがれないかもしれないと思った。ツアーはいつ終わるのか（せめて、いつ食べるものをもらえるのか）を尋《たず》ねようと心に決めたちょうどそのとき、ミズ・ディアボーンは彼女《かのじょ》たちをレールポッドまで連れ帰った。

「ブラックバーンとアマラ」カデンスはひるむことなくミズ・ディアボーンを見つめたが、ランベスは眉間《みけん》にしわを寄せて天井を見あげているだけだった。呼《よ》ばれたことに気づいているのかどうかもわからない。「〈不可解なスカラー・ミストレス〉のミセス・マーガトロイドはまもなくやってきて、あなたたちを地下六階から八階まで案内します」

自分たちには禁じられているところを見ることのできるカデンスとランベスをうらやましいと思う気持ちもモリガンには少しあったけれど……彼女《かのじょ》と仲間の灰色袖《はいいろそで》たちにとってのツアーはこれで終わりであることを願う気持ちのほうが、はるかに大きかった。

「ミセス・マーガトロイドがやってきたら、ほかの人たちは自分で地下の階を通って、プラウドフット・ハウスの階段《かいだん》まで戻《もど》ってください。あなたたちの案内人が待っていて、家まで連れて帰ってくれます。地上一階まであなたたちだけで戻《もど》れるはずです」

絶対無理とモリガンは思った。ホーソーンを見ると、彼《かれ》も同じくらい不安そうな顔をしている。あの複雑なレバーの操作《そうさ》を覚えておかなくてはいけなかったの？

「わたしたちは残らなきゃいけないのに、みんなはもう帰るっていうことですか？」カデンスが訊《き》いた。

「本当に気の毒ね」サディアが吐《は》き捨《す》てるように言った。「あたしたちが入れない三つの階を全部見られるくらい特別な才能を持っているのって、さぞ、大変なんだろうね。同情で胸《むね》が痛《いた》む――」

「なんてこと」ランベスが天井を見つめたままつぶやいた。駅でしていたように、指を一本立てている。みんなを黙《だま》らせようとしているのか、風向きを調べているのか、モリガンにはわからなかった。「彼女《かのじょ》が来る」

「だれか、頼むからあれをやめさせてくれないかな」マヒアがつぶやいた。「ぞっとするよ」

「静かに」ミズ・ディアボーンの声から辛辣《しんらつ》さは消えていたけれど、突然《とつぜん》、不安に襲《おそ》われたように見えた。左の袖口《そでぐち》を緊張《きんちょう》した様子で引っ張っている。彼女《かのじょ》もミセス・マーガトロイドが怖《こわ》いんだろうか？　モリガンはそう考えると、ますます落ち着かない気持ちになった。

「待っているあいだに、事務的なことを伝えておきます」ミズ・ディアボーンが言葉を継《つ》いだ。「授業にふさわしい服装《ふくそう》や必要な道具は自分で用意しなくてはいけません」つかの間言葉を切り、またこきりと首を鳴らした。モリガンは顔をしかめた。「なにかが――たとえば弓に塗《ぬ》る松やにとか手術着とか山刀《マチェーテ》とか——必要なときには」彼女《かのじょ》はアーチャンとアナとサディアを順番に見つめた。「——案内人に頼《たの》むか、もしくは購買所《こうばいじょ》にある書類を使って、自分で請求《せいきゅう》してください」

ディアボーンはまた言葉を切って、妙《みょう》なことをした。明かりを遮断《しゃだん》しようとするかのように強く目をつぶると、ぎゅっと肩《かた》を持ちあげてゆっくりとうしろにまわし、ウナギみたいに首をねじったのだ。彼女《かのじょ》の背骨《せぼね》が上から順にぽきぽきと小さな音を立てて鳴るのが聞こえて、モリガンはすくみあがった。身の毛がよだった。

ほかの生徒たちに目を向けた。モリガンが感じているのと同じ、募《つの》っていく一方の恐怖《きょうふ》が彼《かれ》らの顔にも浮《う》かんでいる。いったいスカラー・ミストレスはどうしたっていうの？

「もし用意できなかったときは……授業に……出ることはできません」ディアボーンは目を閉《と》じたまま、言葉を継《つ》いだ。顎《あご》がありえない角度で突《つ》き出している。「それはすべて——」喉《のど》の奥《おく》からごぼごぼという妙《みょう》な音が聞こえた。あまりに恐《おそ》ろしい音だったので、モリガンはぞっとしてあとずさりした。「——自分の責任ですから、このキャンパスにはだれひとりとして……同情する人間は……いません」ガラスのように滑《なめ》らかだった声はすっかり消えていた。恐《おそ》ろしいしわがれた声だったが、気味の悪い歌を歌っているようにも聞こえた。あってはならない……声だ。「そうでしょう、ミセス・マーガトロイド？」

ディアボーンは目を開いた。

モリガンは息を呑《の》んだ。〈不可解なスカラー・ミストレス〉のミセス・マーガトロイドがやってきたのだと考えたほかの生徒たちは、困惑《こんわく》した表情で違《ちが》う方向を眺《なが》めている。彼《かれ》らが見逃《みのが》したことを、モリガンだけが見ていた。

ディアボーンは……違《ちが》っていた。それぞれを見れば、変化はわずかだ。肩《かた》の曲線、頬《ほお》のくぼみ。氷のような青い目は、冬の空を思わせるどんよりした淡《あわ》い灰色《はいいろ》に変わり、さらに落ちくぼんだ。高く結いあげた髪《かみ》は銀色に近いつややかな金髪《きんぱつ》ではなく、色を失って白になっている。唇《くちびる》――紫《むらさきいろ》色にひびわれていた――はまくれあがって不快な笑みを作り、そのあいだから茶色がかった鋭《するど》い歯が見えていた。

モリガンは目を離《はな》すこともできず、大きく目を見開いたまま、その不気味な変化を見つめていた。当惑《とうわく》と恐怖《きょうふ》はやがて理解へと変わった。

「そのとおりだよ、ミズ・ディアボーン」彼女《かのじょ》は自分の質問にしわがれた声で答えた。

つまり、彼女がマーガトロイドだ。

〈俗世《ぞくせ》の技能〉の生徒たちはその場からじりじりとさがりはじめた。灰色袖《はいいろそで》で本当によかったと、モリガンがこの日考えたのは初めてではなかった。

第六章

過失、失態、大失敗、怪異《かいい》、そして破滅《はめつ》

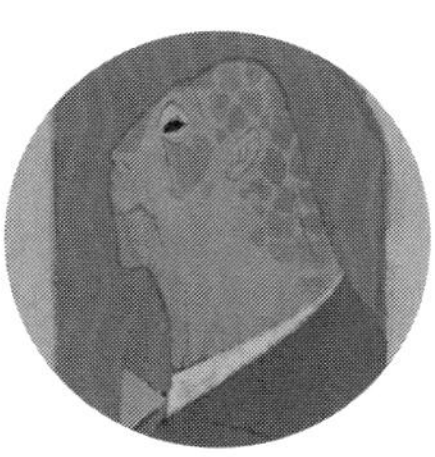

「午前中はずっとドラゴンに乗るんだ！」翌日《よくじつ》、ホーソーンは宙《ちゅう》にこぶしを突《つ》きあげながら叫《さけ》んだ。「やった！」

ホームトレイン九一九はプラウドフット駅に到着《とうちゃく》したが、別のホームトレイン二両が先に着いていたため、その生徒たちが降《お》りてプラットホームが空《あ》くまで、ミス・チェリーはドアを開けるのを待たなくてはならなかった。

「喜んでくれてうれしいわ」ミス・チェリーがホーソーンに言った。車両が〈結社《ワンソック》〉に着くまでのあいだに、生徒たちにはそれぞれの時間割《じかんわり》が配られていて、今週受けることになっている数々の授業やワークショップや講義を、だれもが興奮《こうふん》しながら眺《なが》めていた。木曜日の午前中に予定されている〝死人との会話を開始する〟という興味深い表題の授業が、モリガンはとりわけ楽しみだった。「でも、アリーナであまり疲《つか》れないようにしてね。ランチのあとは、ドラゴン語の授業が三時間あるんだから」ミス・チェリーはホーソーンの時間割《じかんわり》を示しながら言っ

た。「頭をはっきりさせておきたいでしょう？　ややこしい言葉だもの」

ホーソーンはこぶしをおろした。鼻にしわを寄せて、時間割《じかんわり》を見つめている。「どうしてドラゴン語を勉強しなきゃいけないの？」

ミス・チェリーは目を大きく見開いて、彼《かれ》を見つめた。「そうね。あなたは毎日、古代の爬《は》虫類《ちゅうるい》のかぎ爪《づめ》に自分の命を預《あず》けている、ネバームーアでもっとも前途《ぜんと》有望な若《わか》きドラゴン乗りですものね。ばかみたいよね」彼女《かのじょ》は鼻を鳴らした。「でもね、ホーソーン、ドラゴンと話ができたら、役に立つとは思わない？」

「でも……ぼくはドラゴンと話をしているよ。三歳《さい》のときからドラゴンに乗ってる。ドラゴンがぼくの命令を聞かないと思うなら、見に来てくれれば――」

「あら、わかっているわよ。あなたの審査《しんさ》を見たもの。でも、どうやってドラゴンにあ、あなたの命令を理解させればいいのかは学んできたかもしれないけれど、あなたはドラゴンの言うことを理解しようとしたことはある？」

ホーソーンは、ミス・チェリーの頭から角が生え始めたみたいにまじまじと彼女《かのじょ》を見つめた。

「ドラゴン語は素晴らしい言葉よ。わたしもジュニアのころに少し勉強したの。それに――マヒアがあなたと一緒《いっしょ》に授業を受けるわ。きっと楽しいわよ」

ホーソーンはマヒアの肩越《かたご》しに彼《かれ》の時間割《じかんわり》をのぞきこんだ。

「でもマヒアは一時間だけじゃないか」ホーソーンが文句を言った。

「そうね……あなたには多めにしておいたほうがいいと思っただけなのよ。ミスター・イブラヒムは、少しドラゴン語が話せるから。そうでしょう、マヒア？」

「**ヒチャス　シュカ・レヴ**」マヒアは重々しくお辞儀《じぎ》をしながら言った。

ミス・チェリーは感心したようだ。「**マチャー　ロク　ダンシュヴァ・レヴ**」そう応じて、お辞儀《じぎ》を返した。

「それってどういう意味？」ホーソーンはふたりを疑《うたが》わしそうに眺《なが》めながら尋《たず》ねたが、ちょっと嫉妬《しっと》しているみたいだとモリガンは思った。

「ドラコニアンの挨拶《あいさつ》よ」ミス・チェリーが答え、ホーソーンがますます戸惑《とまど》ったような顔になったのを見て、言い添《そ》えた。「ドラコニアンっていうのは、ドラゴン語のこと。**ヒチャス　シュカ・レヴ**は、**あなたが長く燃えますように**っていう意味よ」

ホーソーンは顔をしかめ、モリガンも同じような顔をした。**あなたが長く燃えますように**だなんて、挨拶《あいさつ》というよりは脅《おど》しに聞こえる。

「それに対する丁寧《ていねい》な返事が、**マチャー　ロク　ダンシュヴァ・レヴ**で、**あなたと知り合えてさらに明るく燃えます**っていう意味なの。ドラゴンにとってはそれが……健康をお祈《いの》りしますっていう挨拶《あいさつ》で、仲良くなれてうれしいですって返事をしているのよ」

自分の時間割《じかんわり》を眺《なが》めていたサディアは、どんどんいらだちを募《つの》らせていた。「ミス・チェリー、どうしてあたしの時間割《じかんわり》にはドラゴンに関するいかした授業がひとつもないの？　不公平だよ。あたしはドラゴンが大好きなのに」

ミス・チェリーはサディアの隣《となり》のソファに腰《こし》をおろし、彼女《かのじょ》の肩越《かたご》しに時間割《じかんわり》を眺《なが》めた。

「でもほかにいかしたものがあるじゃない」

「たとえば？」

「ほら――金曜日の午後にローラー・ダービーがあるわ。リンダと」

サディアは納得《なっとく》していないようだ。「リンダのなにがいかしているの？」

「まずは、ローラー・ダービーをしていることね。それからベースギターを弾《ひ》くこと。それに彼女《かのじょ》はケンタウルスなの。それってかなりいかしているでしょう？　それに、ほら――あなたとモリガンは、火曜日にドクター・ブランブルとマニフィキャットの世話についてのワークショップが――あら、だめだわ」ミス・チェリーはペンを取り出して、その授業の上に線を引いた。「ごめんなさい。これは修正しないと。ドクター・ブランブルのマニフィキャットの子供《マニフィカブ》はいなくなったのよ。気の毒に彼女《かのじょ》はとても取り乱《みだ》しているの」

「いなくなった？」モリガンは時間割《じかんわり》から顔をあげて尋《たず》ねた。

「そうなの。盗《ぬす》まれたんだってドクター・ブランブルは言い張っているけれど、逃《に》げたんだとわたしは思っている――マニフィキャットは独立心が旺盛《おうせい》な生き物として知られているもの。きっと、閉《と》じこめられているのがいやになったのね」ミス・チェリーは、不機嫌《ふきげん》そうなサディアをつついた。「心配しないで。同じくらい面白そうなものを探《さが》すから。約束する」

モリガンは眉間《みけん》にしわを寄せた。行方がわからなくなったと聞いたのは、今週に入ってこれが三度めだ。カシエル、パキシマス・ラック、そしてマニフィカブ。

「ミス・チェリー」フランシスが声をあげた。「この授業はなんですか？　〝催眠術《さいみんじゅつ》を識別する〟っていうのは？」

「あたしもその授業がある」アナが言った。「水曜日の朝」

モリガンは自分の時間割《じかんわり》を確かめた。同じ授業があった。

「あたしもある」サディアが言った。

「ぼくも。八時に」マヒアが続いた。

「ええ、そうね」ミス・チェリーが説明した。「あなたたち全員にとって役に立つ能力になるって、長老たちが考えたの。このユニットには催眠術師《さいみんじゅつし》がいるから」

カデンスがさっと顔をあげた。怒《おこ》ったようにふっと息を吐《は》いてミス・チェリーをにらみつけたが、彼女《かのじょ》の穏《おだ》やかな表情に変化はなかった。

ホーソーンはけげんそうな顔をした。「このユニットになにがいるって？」

「催眠術師《さいみんじゅつし》」

「へえ。そうなの？」

「そうよ」ミス・チェリーはいつもどおり辛抱強《しんぼうづよ》く答えたが、ほんの少しだけため息らしいものを漏《も》らした。「カデンス・ブラックバーンは催眠術師《さいみんじゅつし》で、あなたの隣《となり》に座《すわ》っているわ」

ホーソーンはカデンスを見て、ぎょっとしたようにつぶやいた。「わお。びっくりだ」

「そういうこと。催眠術《さいみんじゅつ》を識別するのは、あなたたちに必要な授業よ。新しい友だちを覚えておくために。カデンスが彼女《かのじょ》の素晴らしい天賦《てんぷ》の才を使おうとしているとき、なにに気をつけていればいいのかを知っておくために」

「でも、ミス・チェリー」カデンスは愕然《がくぜん》とした表情になった。「そうしたら、わたしはどうやって彼《かれ》らに催眠術《さいみんじゅつ》を――」

「それが大事なところなの、カデンス」ミス・チェリーが優《やさ》しく言った。「ユニットに対して、自分の天賦《てんぷ》の才を使ってはいけない。兄弟姉妹だもの。覚えているでしょう？　生涯《しょうがい》の忠実《ちゅうじつ》は？」

「忠実とは言ったけれど、催眠術《さいみんじゅつ》をかけないなんて言ってない！　ほかのみんなが好きなように天賦《てんぷ》の才を使えるのに、どうしてわたしだけ使っちゃいけないの？」

「それは違《ちが》う。アーチはあなたたちからなにかを掏《す》ることは許されていないし、フランシスはスープであなたたちを泣かせることを許されていない。あなたたちはみんな誓《ちか》いを立てたのよ」

カデンスは狡猾《こうかつ》そうな表情になった。「わたしも誓《ちか》いを立てたのに、どうして催眠術《さいみんじゅつ》を識別する方法をみんなに教える必要があるわけ？　だれからも掏《す》らないって、アーチのことは信用しているんでしょう？　どうしてわたしが催眠術《さいみんじゅつ》をかけないって信じてくれないの？」

ミス・チェリーは、カデンスの言葉をもっともだと思ったみたいに視線《しせん》を落とし、唇《くちびる》をきゅっと結んだ。「あなたがいらだつのはわかるわ、カデンス。本当よ――よくわかる。でも催《さい》眠術《みんじゅつ》と掏《す》りは、まったく違《ちが》う天賦《てんぷ》の才よ。結果が大きく変わる可能性があるもの。後援者《こうえんしゃ》のなかには――」

「わたしは信用できないと考えている人がいる」カデンスは怒《いか》りに目をぎらつかせながら、ミス・チェリーの言葉を引き取って言った。「わたしは催眠術師《さいみんじゅつし》だから、犯罪者だってことね。典型的だわ」

モリガンは〈特技披露審査《とくぎひろうしんさ》〉のことを思いだした。カデンスが様々に催眠術《さいみんじゅつ》を駆使《くし》している映像《えいぞう》が流されたのだが、そのなかで彼女《かのじょ》は実際に公共の財産にいたずらをし、それを咎《とが》めた警《けい》察官《さつかん》に自分の手錠《てじょう》をかけさせた。モリガンは眉《まゆ》を吊《つ》りあげてホーソーンを見たけれど、なにも言おうとはしなかった。

「だれもあなたを犯罪者だなんて思っていないわ、カデンス。本当よ。ただ、とても慎重《しんちょう》になっているだけ」

カデンスの怒《いか》りは少しも収《おさ》まっていないようだ。彼女《かのじょ》は朝からみんなとは距離《きょり》を置いていた。九一九駅で会ったとき、地下六階、七階、八階がどんなふうだったのかとモリガンとほかの灰《はい》色袖《いろそで》たちが尋《たず》ねたのに、カデンスは答えるどころか質問が聞こえなかったふりをした。サディアに同じことを訊《き》かれたランベスもそうだったから、なにも言わないようにと指示されているのかもしれない。

ホームトレインのドアが開くと、カデンスは車両を飛び出し、歩道橋を渡《わた》ってさっさと駅から出ていった。ほかの生徒たちはそのままプラットホームに残り、またカデンスのことは忘《わす》れてしまったらしく、時間割《じかんわり》を見比べながら楽しげに語らい合っていた。

「きみの午前中の授業は？」ホーソーンがモリガンに訊《き》いた。

「〝意識と瞑想《めいそう》〟」モリガンは答えた。「地下四階で。ランチのあとは地下五階で〝忍《しの》び、回避《かいひ》、

「ぼくも午後はそれだ。ほら、〝忍《しの》び、回避《かいひ》、隠蔽《いんぺい》〟。でも、ぼくにこの授業が必要だとは思わないな。ほら、ぼく以上にこっそりなにかをできるやつなんていないだろう？」

モリガンは首をかしげた。「それはどうかな？」

「チェリー案内人！」

冷たい声が響《ひび》いた。ミズ・ディアボーンが一枚《まい》の紙を握《にぎ》りしめて、つかつかとこちらに近づいてくる。ホーソーン、モリガン、そしてほかの生徒たちは足を止めた。ディアボーンの声にはそうせざるを得ない響《ひび》きがあった。

ミス・チェリーが車両のドアから顔をのぞかせた。「スカラー・ミストレス」不安そうな笑みを浮《う》かべる。「おはようございます。なにか？」

ディアボーンは額《ひたい》に深いしわを作って、彼女《かのじょ》をにらみつけた。「これについて話し合う必要があります」ディアボーンは持っていた紙をミス・チェリーに向かって投げ、彼女《かのじょ》はかろうじてそれをつかんだ。

「モリガンの時間割《じかんわり》ですね」モリガンは自分の名前を聞いて、体を凍《こお》りつかせた。「これになにか問題でも？」

「ええ、おおありです」ディアボーンは嘲《あざけ》るような顔で彼女《かのじょ》の手から再び時間割《じかんわり》を奪《うば》い取った。「それどころか、ほぼ全部です。カデル・クラリーの〝意識と瞑想《めいそう》〟？　だめです」ディアボーンはペンを取り出すと、芝居《しばい》がかった仕草でその上に線を引いた。「〝素手による護身術〟？

これもだめです」線を引く。「〝初心者のための宝探《たからさが》し〟？　〝忍《しの》び、回避《かいひ》、隠蔽《いんぺい》〟？　どちらもだめ。いったいあなたは、この子をなににするつもりなんですか？　大量破壊《はかい》兵器？」

モリガンは顔をしかめた。ほかの生徒たちの時間割《じかんわり》に比べて、自分の授業はどれも平凡《へいぼん》だと思っていたのだ。アナの時間割《じかんわり》には、〝人間の心臓《しんぞう》を（一時的に）止める方法〟という特別授業があったし、カデンスは〝ヒ素を識別する〟、〝尋問《じんもん》技術〟、〝素人のための偵察《ていさつ》技術と爆弾《ばくだん》処理《しょり》の基礎《きそ》〟といった、驚《おどろ》くような名前のついたワークショップに参加することになっていた。

「〝意識と瞑想《めいそう》〟のなにが問題なんですか？」ミス・チェリーが尋《たず》ねた。

「この子はワン――」ディアボーンは我《われ》に返ったかのようにあたりを見まわし、声を潜《ひそ》めた。

「この子は〈ワンダー細工師《さいくし》〉なんですよ、ミス・チェリー。高い意識を使って、意識的にわたしたちを墓に送ろうとする意識の高い〈ワンダー細工師《さいくし》〉にしたいんですか？」

瞑想《めいそう》でスカラー・ミストレスを死に追いやることができるなどと考えただけで、モリガンは笑いそうになった。ホーソーンは自分を抑《おさ》えきれず、思わず吹《ふ》き出したので、咳《せき》をしてごまかさなくてはならなかった。

ミス・チェリーは面白いとは思わなかったようだ。一瞬《いっしゅん》、激《はげ》しい表情がその顔をよぎったが、口を開いたときにはすでに自分を取り戻《もど》していた。「モリガンにはなんの授業を受けさせたいんですか、スカラー・ミストレス？」

「時間割《じかんわり》を修正しておきました」ディアボーンはべつの紙を差し出した。「ただちに実施《じっし》してください」ミス・チェリーが呼《よ》びかけたときには、ディアボーンはすでに歩道橋の手前までたどり着いていた。

「スカラー・ミストレス――なにかの間違《まちが》いだと思います。この時間割《じかんわり》には授業がひとつしかありませんけれど」

ディアボーンは彼女《かのじょ》を見つめ返した。「間違《まちが》いではありません、ミス・チェリー。ごきげんよう」

スカラー・ミストレスの姿《すがた》が見えなくなるやいなや、モリガンとホーソーンは再びホームトレインに乗りこみ、なにがそんなにミス・チェリーを困惑《こんわく》させているのだろうと彼女《かのじょ》の手元をのぞきこんだ。

「ヘミングウェイ・Q・オンストールド教授の〝ワンダーによる凶悪《きょうあく》な行為《こうい》の歴史〟」モリガンは困惑《こんわく》しただけでなく、ひどくがっかりした。「これ……だけ？　この授業だけ？　毎日？」

「そうみたいね」ミス・チェリーは感情を抑《おさ》えていることがわかる、硬《かた》い声で言った。「初めて聞いた授業だから、あなたのために特別に作ったのね。すごく……わくわくするわね！」

けれどモリガンはごまかされなかった。

ミス・チェリーは心配そうな笑みを浮《う》かべた。「もう行ったほうがいいわ。遅《おく》れるわよ」

ヘミングウェイ・Q・オンストールドは亀《かめ》よりは人間に近かったけれど、それでもかい、かなり亀《かめ》だった。

ワニマルの社会では、教授がワニマル・マイナーと呼《よ》ばれていることをモリガンは知っていた――アンニマルよりも、より人間らしい特徴《とくちょう》を持っているという意味だ（どこから見ても牛にしか見えないサガ長老は、明らかにワニマル・メジャーだ）。ホテル・デュカリオンで暮《く》らしているあいだに、モリガンはワニマルに対するエチケットをしっかり学んでいた。ワニマルの宿泊客《しゅくはくきゃく》は少なくなかったから、ジュピターとケジャリーはワニマルとアンニマルの違《ちが》いをモリガンにしっかりと教えこんだ。ワニマルは人間のように意識があって、自己《じこ》を認識《にんしき》していて、言語や創造《そうぞう》や芸術といった複雑なものを理解するだけの知性のある生き物だ。アンニマルはそうではない。

彼《かれ》らに対する正しい呼《よ》び方も教わっていた。たとえば、ワニマルの熊は熊と呼《よ》ぶのではなく（それはひどい侮辱《ぶじょく》になる）、熊もどきと呼《よ》ばなくてはいけない。熊と熊もどきを間違《まちが》えるのは、とんでもなく不作法なことで、許されないくらいの無礼にあたる。モリガンがそれを知っているのは、一度うっかり呼《よ》び間違《まちが》えてしまい、大切な熊もどきの客をなだめるためにジュピターとケジャリーが幾度《いくど》となく謝罪し、ご機嫌《きげん》を取り、お詫《わ》びのしるしとして、ピクニックのお弁当を提供《ていきょう》しなければならなかったからだ。

一方で、フェネストラはワニマルでもなければアンニマルでもなかった。モリガンが尋《たず》ねたときには、容赦《ようしゃ》のない答えが返ってきた。「あんたは人間に、ワニマルかって訊《き》くのかい？アンニマルかってケンタウルスに訊《き》くのかい？　いいや、あたしはマニフィキャットだ。それだけだよ」モリガンの枕《まくら》のなかの羽根をホテル中の排水口《はいすいこう》から集めた髪《かみ》に入れ替《か》えたあとで、フェンはようやく許してくれた。

オンストールドの背中《せなか》のドーム型の大きな甲羅《こうら》や、緑がかった灰色《はいいろ》の硬《かた》そうな肌《はだ》や、ズボンの裾《すそ》からのぞいているのが、お洒落《しゃれ》な短靴《たんぐつ》ではなく、うろこに覆《おお》われた丸い脚《あし》だという事実を無視《むし》するのは難《むずか》しかった。

とはいえ、それ以外はごく普通《ふつう》だ。頭はほとんど髪《かみ》がなく、そこここに白い毛が何本か生えているだけだった。縁《ふち》がピンク色をした淡《あわ》い緑色の小さな目をすがめているのは、眼鏡が必要なのかもしれない。身に着けているのは時代遅《じだいおく》れのスーツに胸《むね》のあたりに染《し》みがあるふぞろいのベストで、その上に黒の式服のガウンを羽織り、格子縞《こうしじま》の蝶《ちょう》ネクタイを締《し》めていた。

地下四階の人文科学科にある彼《かれ》の教室は、人間でもあり亀《かめ》でもある人物が使うならこういうところだろうと思える部屋だった（モリガンがこれまでにそんなものを考えたことがあったなら、の話だけれど）。もちろんそこは教室なので、背《せ》もたれのまっすぐな椅子《いす》と木の机《つくえ》がずらりと並《なら》び、壁《かべ》の本棚《ほんだな》は真面目そうな布装《ぬのそう》の本であふれんばかりになっている。けれどその下の床板《ゆかいた》があるべき場所は草で覆《おお》われた地面で、教室の一角には池まであった。

モリガンが教室に入っていったとき、オンストールド教授は黒板の脇《わき》に置いたスツールに腰《こし》かけていた。教授は鼻の先から見おろすようにしてモリガンを眺《なが》め、ゆっくり深々と吸《す》った息を胸《むね》のなかでぜろぜろ言わせながら前列の机《つくえ》を示した。モリガンは指示どおりに座《すわ》って待った。

「きみは」やがて教授は重々しく口を開き、呼吸《こきゅう》をはさんで言葉を継《つ》いだ。「きみは長老たちが……〈ワンダー細工師《さいくし》〉と言っている子だね」

教授には歯が一本もなく、しわだらけの唇《くちびる》は顔にぽっかり空いた穴《あな》のような口にいまにも落ちていきそうだ。口の端《はし》には唾《つば》が溜《た》まっていて、モリガンは鼻にしわを寄せ、それが飛んできて顔に当たるところを想像するまいとした。

「はい」用心のため椅子《いす》の背《せ》に体を預《あず》けながら、モリガンは答えた。「あたしです」

意外な質問だった。スカラー・ミストレスたちとミス・チェリーしか、彼女《かのじょ》の……ちょっとした問題を知らないと思っていたからだ。

教授は険《けわ》しい顔になった。「はい……教授だ」

「はい、教授」

「ふむ」教授は少し離《はな》れた場所に視《し》線《せん》を向けた。

それからしばらく、教授はなにも言わなかった。自分がどこにいるのかを忘《わす》れてしまったのかもしれないとモリガンは思いはじめ、咳払《せきばら》いをしようかと考えたちょうどそのとき、教授はぜいぜい言いながら大きく息を吸《す》い、モリガンに視《し》線《せん》を戻《もど》した。「それできみは……その意味を……理解しているのかね？」

「いいえ、あまり」モリガンは答え、それからあわてて言い添《そ》えた。「教授」

「いま生きている最後の……〈ワンダー細工師《さいくし》〉のことは……聞いたことがあるのだろうね？」

「エズラ・スコールですか？」

オンストールド教授がうなずくと、その頭はそれからしばらく小さくひょこひょこと揺《ゆ》れ続けた。あたかも自分ではどうすることもできなくて、勝手に止まるのを待っているみたいだ。

「彼《かれ》の……なにを……知っているのだ？」

モリガンは小さくため息をついた。「この世に存在《そんざい》したもっとも邪悪《じゃあく》な男で、みんなが彼《かれ》を憎《にく》んでいることは知っています」

「よろしい」オンストールド教授は重々しく答えた。まぶたがとろんと垂《た》れてきて、眠《ねむ》ってしまうのではないかとモリガンは思った。あたしも寝《ね》てしまうかもしれない。「そのとおりだ。どうして……彼《かれ》が……もっとも邪悪《じゃあく》な存在《そんざい》だと言われて……」

「怪物《かいぶつ》になった男だからです」モリガンは教授の質問を最後まで聞くことなく答えた。失礼なことをしたくはなかったけれど、これ以上とても待ってはいられなかった。「怪物《かいぶつ》を作った男だからです」それは、一年前、ケジャリーがエズラ・スコールについて語った言葉だった。感情をはさまず、淡々《たんたん》とした口調で言おうとしたけれど、だめだった。

実を言えばモリガンは、ジュピターがなにを言おうと、〈ワンダー細工師《さいくし》〉でいることは邪《じゃ》悪《あく》ではないと彼《かれ》がどれほど言葉を尽《つ》くそうと、自分のなかにはエズラ・スコールと同じものがあるのではないかという思いを振《ふ》り払《はら》うことができずにいた。スコールはそう言っていたんじゃなかった？　あたしの目を見て、笑いながらうれしそうに言ったんじゃなかった？　**見えるよ、モリガン・クロウ。きみの心臓《しんぞう》には黒い氷がある。**

「それから、〈勇気の広場の大虐殺《だいぎゃくさつ》〉のせいです」モリガンは思い出して言い添《そ》えた。「彼《かれ》がネバームーアを支配しようとしたとき、それを阻止《そし》しようとした人たちを殺したからです」

オンストールド教授は再びうなずき、またぜいぜい言いながら息を吸《す》った。「その……とおりだ。ただ……それだけでは……ない」

教授はスツールから痛々《いたいた》しいほどゆっくりと立ちあがった。骨《ほね》がきしむ音が聞こえて、モリガンは顔をしかめた。教授はほこりっぽい教室をのろのろと移動していき、一〇年ほどたったところで、ようやく奥《おく》の壁際《かべぎわ》の本棚《ほんだな》にたどり着いた。分厚い書物を手に取ったが、あまりに大きすぎて教授共々《ともども》床《ゆか》に転げてしまいそうだったので、モリガンはあわてて立ちあがって手を貸した。ふたりしてその本を机《つくえ》まで運び、どさりとおろすと、ページのあいだからほこりが立ちのぼった。

教授は式服の袖《そで》で表紙に厚く積もったほこりをぬぐった。モリガンはそこに記された古めかしい文字を眺《なが》めた。

過失、
失態、
大失敗、
怪異《かいい》、
そして破滅《はめつ》

ワンダーによる行為領域《こういりょういき》の要約歴史

著者《ちょしゃ》：ヘミングウェイ・Q・オンストールド

「要約歴史」モリガンは声に出して読んだ。「どういう意味ですか？」

「編集してあると……いうことだ。簡潔《かんけつ》に、短くしてある。完全な……歴史は……間違《まちが》いなく数十冊《さつ》か……それ以上になるだろう」

モリガンは眉《まゆ》を吊《つ》りあげ、彼《かれ》が簡略版《かんりゃくばん》しか書こうとしなかったことに心のなかで感謝した。

「わしは……きみの先行者たちの……歴史を通じて……きみの教育を監督《かんとく》するようにと……指示されている」オンストールドはほこりに喉《のど》を刺激《しげき》されて咳《せ》きこみ、そのせいで最初の授業がはじまって一〇分で教師が死んだとスカラー・ミストレスに報告しなければならないかとモリガンが思ったほど、激《はげ》しい咳《せき》の発作を起こした。それでもようやく咳《せき》が治まり、教授は言葉を継《つ》いだ。「〈ワンダー細工師《さいくし》〉が……もたらした危険《きけん》と惨事《さんじ》を……きみに余すことなく……知ってもらうためだ」

モリガンの心は沈《しず》んだ。こんなことを学ぶの？　エズラ・スコールの数々の恐《おそ》ろしい行為《こうい》について？

うんざりした。

彼《かれ》が怪物《かいぶつ》だということはわかっている。いまさら、彼《かれ》の山ほどの邪悪《じゃあく》な行いについて書いた本なんて必要だろうか？

オンストールド教授は厚い本の表紙を指先で叩《たた》いた。「きみは……この授業で……第一章から……第三章まで……読むのだ」彼《かれ》は懐中時計《かいちゅうどけい》を確認《かくにん》した。「三……時間……ある」
彼《かれ》がよろめきながら――ゆっくりと、ゆっくりと――教室から出ていくあいだ、モリガンは『ワンダーによる行為領域《こういりょういき》の要約歴史』の表紙を惨《みじ》めな思いで見つめていたが、やがてため息をつきながら本を開いた。

第一章
〈ワンダー細工師《さいくし》〉たちの悪行の記録
ブリリアンス・アマデオ、その先行者デン・リ、その先行者クリストベル・ファロン＝ダナム、その先行者……

「この人たちはだれですか？」モリガンは、ちょうどドアにたどり着いたところだったオンストールド教授に尋《たず》ねた。
「ん？」
ほかにも〈ワンダー細工師《さいくし》〉はいたとジュピターは言っていた。けれどモリガンは、彼《かれ》らを実在する人間として考えたことはなかった。ひとりの有名な〈ワンダー細工師《さいくし》〉のことを心配しているだけで充分《じゅうぶん》だった。「その……いまブリリアンス・アマデオはどこにいるんですか？彼女《かのじょ》は――」

「死んだ」

モリガンはお腹《なか》に石を入れられた気がした。

「きみの同類は……みんな……死んだ。もしも……死んでいないとしたら――」教授は潤《うる》んだ目でまばたきをすると、長々と息を吐《は》いた。「――死ぬべきだ」

〈ワンダー細工師《さいくし》〉だという事実に対して、これ以上いやな気持ちになることはないだろうと思っていた。間違《まちが》いだった。オンストールド教授の本は、〝彼女《かのじょ》の同類〟がこの数百年のあいだに行ったあらゆる悪事の長いリストのようなものだった。スコールだけが邪悪《じゃあく》だったわけではない。彼自身《かれじしん》の性質だけが、〈ワンダー細工師《さいくし》〉の力を脅《おびや》かしたわけではない。オンストールド教授によれば。

その本には、利己的《りこてき》で権力《けんりょく》が大好きで破壊的《はかいてき》な人々のことがこれ以上ないほどはっきりと描《えが》かれていた。快楽を追い求める彼《かれ》らのライフスタイルは、貧しい人々の税金によって賄《まかな》われ、王家の人々や政府がそれを支えてきたのだという。オンストールドの本によれば、何世紀ものあいだ、〈ワンダー細工師《さいくし》〉はごく普通《ふつう》のネバームーアの住人のお金に依存《いぞん》して生きていて、その見返りとして与《あた》えたのがたくさんの苦悩《くのう》と不正だった。

もっともいいほうに解釈《かいしゃく》すれば〈ワンダー細工師《さいくし》〉は、多くの人にとって迷惑《めいわく》なだけでほとんど恩恵《おんけい》のない無価値《むかち》なプロジェクトを行った、気ままな変わり者と言えなくもない。たとえば、公的資金と資源《しげん》を使って、水だけでできたワンダーの摩天楼《まてんろう》を作ろうとしたデシマ・ココロ。お金のかかる危険《きけん》な試みで、中止されるまでに数人が溺死《できし》した。たとえば、貧困《ひんこん》に苦しむ町の一区画にある家すべてを取り壊《こわ》し、アドベンチャー・パークを作ったオドゥブイ・ジェミティ。彼《かれ》は完成したその公園に自分の名前をつけ、だれにも使わせようとしなかった。

最悪な面を見れば、彼《かれ》らは人を支配するために自分の力を利用し、富と地位を手放すまいとする危険《きけん》な暴君だった。エズラ・スコールはもちろんそのひとりだが、一〇〇年ほど前にもワニマル・メジャーとマイナーの両方を投獄《とうごく》するように求め、結局はサソリもどきに暗殺されたグレイシャス・ゴールドベリーがいた。フレイ・ヘンリックソンは六〇〇年前に、町の半分を燃やし、数千人の死者を出したネバームーアの大火を起こしていた。

ジュピターは間違《まちが》っていたことをモリガンは知った。あばらの裏側《うらがわ》あたりに、不快な重たいものが居座《いすわ》っている気分だ。ここまでひどく間違《まちが》えるもの？

〈ワンダー細工師《さいくし》〉は最悪だ。その全員が。

憂鬱《ゆううつ》な三時間が過ぎて、オンストールドがカタツムリのような足取りでゆるゆると戻《もど》ってきた。モリガンは指示された章をすでに読み終えていて、この二〇分ほどは教室の前方を見つめながら、じっと考えていた。

「きみが……学んだことを……話してみなさい」

モリガンは力のない声で、読んだ内容を語った。〈ワンダー細工師《さいくし》〉の残酷《ざんこく》さと不注意さの歴史。決して正すことのできなかった、数々の過ち。話を終えたモリガンは大きくため息をついて、自分の両手を見つめた。

オンストールド教授は長いあいだ、無言だった。ようやく口を開いたとき、その声は死の世界からよみがえってきたかのように、疲《つか》れ果てて、老いて、気味が悪かった。

「どうして……わしは……きみにこれを……読ませたと思うかね？」

モリガンは顔をあげた。しばらくそのことを考えていた。「〈ワンダー細工師《さいくし》〉でいることの危険《きけん》をあたしに教えるためですか？」オンストールド教授はなにも言わない。モリガンの頭のなかで、なにかがはまる音がした。「あの人たちみたいにならないためだ！　あの人たちと同じ間違《まちが》いを犯さないように……」

オンストールドのビーズのような目に浮《う》かんでいる冷たい表情に気づいて、モリガンの言葉が尻《しり》すぼみに途切《とぎ》れた。教授は椅子《いす》からおりると、ゆっくりモリガンに近づいてきた。「わしが……きみに……これ以上のものを……求めていると思うのかね？」

モリガンは戸惑《とまど》った。この世で最悪の存在《そんざい》よりもましかって？　もちろんだ。「ええと――」

「きみがましだと……これ以上だと……この――」教授は机《つくえ》に身を乗り出し、『ワンダーによる行為領域《こういりょういき》の要約歴史』の表紙をこつこつと叩《たた》いた。「――怪物《かいぶつ》たちに比べて？」

「ええと――はい、そうです」モリガンは答えた。「だって……そうですよね？　あたしにこの人たちと同じようになってほしいなんて――」

「きみは彼《かれ》らと……すでに同じだ」オンストールド教授の声が大きくなった。荒《あら》い息遣《いきづか》いはますます速く、苦しそうになっている。しぼんだ口から唾《つば》のしぶきが飛んだ。「きみは……すでに……怪物《かいぶつ》だ。わしの仕事は……きみを……きみ自身から……救うことではない。きみが……救うことのできない……存在《そんざい》だと……教えることだ。きみたちの同類は……だれも救うことは……」

モリガンはその先を聞いていなかった。席を立ち、教室を飛び出していた。惨《みじ》めな気持ちと怒《いか》りが胸《むね》のなかで渦巻《うずま》いている。どこに向かっているかもわからないまま、複雑な廊下《ろうか》を駆《か》け抜《ぬ》け、なんとかプラウドフット・ハウスの外に出ることができた。森のなかの道をプラウドフット駅へと戻《もど》っていく。

木のベンチにがっくりと腰《こし》をおろし、涙《なみだ》に濡《ぬ》れた目で時計を見あげた。ホームトレインはあと数時間は来ない。

わかった。ホームトレインはなし。

かまわなかった。あたしには、二本の足と心臓《しんぞう》がある。

数分後、モリガンはゲートを出て、並木《なみき》にはさまれた私道《しどう》を〈ブロリー・レール〉のプラットホームに向かって駆《か》けだしていた。ジュピターの手紙がふと頭に浮《う》かんで、良心をちくちくとつついた。**なにがあろうとも、きみひとりで〈結社《ワンソック》〉の外に出てはいけない。本気で言っているんだよ。きみを信じている。**

好きなだけ本気で言えばいい、モリガンは苦々しく考えながら、近づいてくるレールの金属の輪に持っていた傘《かさ》を引っかけた。もうどうでもよかった。いまはただ、家に帰りたかった。

アドレナリンと無鉄砲《むてっぽう》さが消え、良識が短い旅行から戻《もど》ってきて、とんでもない考えだったことに気づいたのは、もちろんデュカリオンに帰り着く前だった。こんなに早く帰ったりすれば、フェネストラやケジャリーやマーサからあれこれと質問を浴びせられるだろう。彼《かれ》らはもちろんジュピターに話すだろうから、彼《かれ》は二度とモリガンを信用してくれなくなる。

モリガンはうろたえて、つぎの停留所――ザ・ドックス――で降《お》り、ひとつ深呼吸《しんこきゅう》をした。〈結社《ワンソック》〉に戻《もど》るつもりはない。とても我慢《がまん》できない。できることはひとつしかなかった。デュカリオンのロビーに入っていってもおかしくないくらいの時間まで、暇《ひま》をつぶさなくてはいけない。

ジュロ川のあたりは寒くて、強烈《きょうれつ》な魚のにおいがしたけれど、船のあいだをひとりでぶらぶら歩いたり、漁師たちの気さくな会話やラジオから流れるけたたましい音楽に耳を傾《かたむ》けたりするのは、ある意味、いいものだった。モリガンよりずっと幼《おさな》い子供《こども》たちが、川の水を入れたドラム缶《かん》でノコギリガザミをゆでながら、順番に火をつついていた。

ジュロ川のぬかるんだ川岸に近づくにつれ、寒さが厳《きび》しくなってきた。けれどカモメの鳴き声や水の音は心を落ち着かせてくれて、泣きだしたくなるほどの激《はげ》しい動揺《どうよう》はじきに収《おさ》まり、なんとか対処《たいしょ》できるくらいの苦々しい憤《いきどお》りに変わってきた。

なにもかもクズだ。

モリガンは川岸を歩きながら、小石を蹴《け》った。「オンストールドはクズだし、〈ワンダー細《さい》工師《くし》〉の歴史はクズだし、〈ワンダー細工師《さいくし》〉はクズ。ディアボーンはクズ。〈輝かしき結《ワンダラス・ソサエテ》社《イ》〉はクズ」

ミス・チェリーは感じがいい、分別《ふんべつ》のある脳《のう》の一部がささやいた。ホームトレインも。

「ああ、もう。黙《だま》ってってば」モリガンは黙《だま》らせようとした。

自分の不機嫌《ふきげん》さと向かい合うことに気を取られていたモリガンは、思っていたよりもずっと先まで歩いていたことに気づかなかった。空気はますます冷たくなり、ふと見ると、土手の上のほうまで水があがってきていることを知ってぎょっとした。戻《もど》ろうとしたところで、不意に足を止めた。ありえない音が聞こえる。

キキキーーーー。カツン、コツン。カツン、コツン。

見たくはなかった。ネバームーアには見たくないものが存在《そんざい》することを、モリガンはだれよりも知っている。けれど、どうすることもできなかった。

キキキーーーー。カツン、コツン。カツン、カツン、カツン、カツン。

ゆっくりと顔を横に向けると、見たこともないほど奇妙《きみょう》で奇怪《きかい》なものが視界《しかい》に入ってきた。

ジュロ川のぬかるんだ土手をあがってくるのは、骨《ほね》でできたなにかだ——骸骨《がいこつ》ではない。構造や秩序《ちつじょ》のあるものではない。

秩序《ちつじょ》らしいものはなにもなかった。この……この人間？　この生き物？　できそこないの人間とすら言えない。それ以上に気味が悪かったのは、モリガンが見ているあいだにもそれが育って——汚泥《おでい》に長年埋《う》もれていた骨《ほね》や瓦礫《がれき》らしいものから材料を集めて——いることだった。

なにより恐《おそ》ろしかったのは、それがモリガンを見つめていることだった。

頭とおぼしき場所に目はないのに、それでもモリガンにはわかっていた。あたしを見ている。モリガンのものをなにか欲《ほ》しがっているように。骨《ほね》かもしれない。

答えを知りたくはなかった。心臓《しんぞう》をばくばく言わせながら、モリガンはひたすら走った。ぬかるんだ川岸――水は足首近くまで押《お》し寄せていた――を駆《か》け戻《もど》り、コンクリートの階段《かいだん》をあがり、波止場を駆《か》け抜《ぬ》け、あえぎながら〈ブロリー・レール〉のプラットホームをひたすら目指した。

「気をつけな、お嬢《じょう》ちゃん」しわがれ声の漁師が船の甲板《かんぱん》から声をかけた。モリガンの背後《はいご》にちらりと心配そうな視《し》線《せん》を向けて言った。「このあたりには、危《あぶ》ないものがいるからな。早いところ、おうちに帰るんだな」

反論《はんろん》するつもりはなかった。来るべきではなかったのだ。なにがあってもひとりで〈結社《ワンソック》〉から出てはいけないとジュピターに言われていたのに。あたしを信用してくれたのに。あたしはルールを破って、その愚《おろ》かさの代償《だいしょう》がこれだ。死ぬほど恐《おそ》ろしいめに遭《あ》っている。

ジュピターには絶対にこんなことは話せない。

運がよければ、帰りのホームトレインに間に合うようにプラウドフット駅に戻《もど》ることができて、〈結社《ワンソック》〉を抜《ぬ》け出していたことをだれにも気づかれずにすむかもしれない。モリガンは〈ブロリー・レール〉の輪に傘《かさ》を引っかけた。どうしようもないくらいがたがたと体を震《ふる》わせながら、〈結社《ワンソック》〉までの長く、憂鬱《ゆううつ》な道のりを高速で運ばれていった。

第七章
小指の約束

金曜日の夕方、従業員用《じゅうぎょういんよう》の入り口からつやつやした黒い両開きのドアを通ってデュカリオンのロビーに戻《もど》ってきたモリガンは、寒くて、疲《つか》れていて、濡《ぬ》れていて、惨《みじ》めで、お腹《なか》がぺこぺこだった。

人生最悪の一週間が最悪のまま終わった。

ますます悲惨《ひさん》になっていくオンストールド教授の授業だけを受け続けた一週間。ユニットの仲間たちが時間割《じかんわり》を見比べ、どの授業がだれと同じでどの授業が違《ちが》うのかを語り合ったり、つぎの興味深い授業はプラウドフット・ハウスの地下のどこで行われるのかを調べたりしているのを、ただ見ていた一週間。

サディアが、全国レスリング選手権《せんしゅけん》で二七年連続優勝《ゆうしょう》している、レスリングのコーチの熊もどきのブルーティラス・ブラウンをほめそやすのを聞いていた一週間。アーチの理論的窃盗罪《りろんてきせっとうざい》の授業の愉快《ゆかい》な話を聞いていた一週間。そのなかには、歴史上もっとも偉大《いだい》な美術品泥棒《どろぼう》のへ

ンリック・フォン・ハイダーによる強奪《ごうだつ》特別授業もあった。ゾンビの方言や偵察《ていさつ》の技術や川でのサーフィンや熱気球や毒蛇《どくへび》の扱《あつか》い方やそのほかモリガンも学びたくてたまらない数十もの技術について、仲間たちが興奮《こうふん》して語り合うのをじっと我慢《がまん》して聞いていた一週間。

なかでも最悪だったのは、一番の友人に嫉妬《しっと》を感じたことだった。

ホーソーンは、モリガンが受けているたったひとつのつまらない授業の話を聞いて、彼女《かのじょ》と同じくらいショックを受けていた。そんな彼《かれ》にわずかでも怒《いか》りの感情を抱《いだ》くのは、間違《まちが》ったことだとわかっていた。

水曜日の午後、ホーソーンはモリガンをいくらかでも元気づけられるかもしれないと考えて、地下五階で行われているドラゴン乗りの授業を見にくるように誘《さそ》った。けれどそれは逆効果だった。そのために生まれてきたことをしている、いるべき場所にいるという純粋《じゅんすい》な喜びの表情を浮《う》かべた友人が、ドラゴンの背《せ》にまたがって地下のアリーナを飛び回っているのを見ていると……。

ホーソーンのために喜んであげるべきだと、モリガンはわかっていた。けれど、嫉妬《しっと》の感情は怪物《かいぶつ》のようだった。彼女《かのじょ》にはどうすることもできない、腹《はら》を空かした狼《おおかみ》のようだった。その感情は今週ずっと、モリガンの心の奥《おく》でほえ続けていた。

最悪の一週間の締《し》めくくりが、今日のオンストールド教授の授業で、〝ジェミティ・パークの直接の影響《えいきょう》と余波。〈ワンダー細工師《さいくし》〉オドゥブイ・ジェミティによる失態〟という題名の三〇〇〇単語の作文を書かされたことだった。そのうえ、すべてを書き終えるまで教室を出ることを許されなかった。当然ながら何時間もかかったので、ランチも食べられず、ホームトレインにも乗れなかった。

モリガンはプラットホームでミス・チェリーが戻《もど》ってくるのを長いあいだ待った。駅から人《ひと》気《け》がなくなり、太陽が沈《しず》んで〈不平の森〉が次第に暗さを増していくにつれ、モリガンの不安も大きくなっていった。一週間のうちに二度もジュピターの言いつけを破ることになるけれど、あたりが不気味さを増していくなか、ここにひとりで立っていることなどできそうもない。やがて雨が降《ふ》り出したところで、モリガンはミス・チェリーを待つのをあきらめ、〈ブロリー・レール〉とワンダー地下鉄で家に帰ることに決めた。

デュカリオンの人たちがジュピターに言わずにいてくれることを祈《いの》るだけだった。ジュピターが戻《もど》ってくるころには、みんな忘《わす》れているかもしれない。彼《かれ》が留守にしていることの唯一《ゆいいつ》の利点だ。

〈探検者同盟《たんけんしゃどうめい》〉から、ジュピターは〝無期限〟に留守にするという手紙が月曜日に届《とど》いていた（〝無期限〟と書いておけば、それ以上の説明は必要ないということらしい）。そういうわけで今週のモリガンは、ジュピターが戻《もど》っていて話を聞いてくれるかもしれないという一縷《いちる》の望みを抱《だ》いて帰宅《きたく》し……コンシェルジュの机《つくえ》に駆《か》け寄っては、ケジャリーがすまなそうに首を振《ふ》るのを見てがっかりするという毎日を過ごしていた。いまモリガンは雨のなかを帰りながら、ホテル・デュカリオンのキッチンで作られるおいしいもののことを考えていた。団子入りチキンスープ、オーブンから出したばかりのべたべたした焼きチーズと堅焼《かたや》きパン、ハチミツをかけて焼いた洋ナシを添《そ》えたスパイス入りのライス・プディング、三〇センチもの高さに重ねてたっぷりシロップをかけた、ブルーベリー入りバターミルク・パンケーキ……そしてスコーン！　一個でいい、デュカリオンのスコーンが食べたい！

　ぐーぐー鳴るお腹《なか》を抱《かか》えたモリガンは、険《けわ》しい顔でホテルの黒いドアを押《お》し開け、活気のあるロビーに足を踏《ふ》み入れた。黒と白の市松模様《もよう》の大理石の床《ゆか》、鉢植《はちう》えの木、ピンクのベルベットの豪華《ごうか》なソファ……そしてもちろん、モリガンのお気に入りのものが見えた。鳥の形をした、光の当たり方によって様々な色に変化する黒いシャンデリアだ。いつものごとく、広げた羽根はゆっくり上下に動き、スローモーションで羽ばたいていた。

「ミス・モリガン、帰ってきたのね！」マーサの声がロビーに響《ひび》きわたった。マーサはすっぽりと彼女《かのじょ》を抱《だ》きしめ、ケジャリーはまるで戦場から戻《もど》ってきた英雄《えいゆう》を迎《むか》えるみたいに、机《つくえ》の向こうから手を叩《たた》きながら駆《か》け寄ってきた。モリガンはため息をつき、だれも自分を邪悪《じゃあく》だと思っていない（少なくともいまのところは）場所がまだこの世にあることを知ってほっとした。

「帰ってきたね！　きみの案内人はついいましがた、帰ったところだ。プラウドフット・ハウスにきみを迎《むか》えに戻《もど》ったけれど、見つけることができなかったと言っていた。かわいそうに、ひどくうろたえていたよ」

　マーサが息を呑《の》んだ。「ケジャリー、急いでだれかを行かせて――モリガンは無事だって、彼女《かのじょ》に伝えないと」

「わかったよ、マーサ」ケジャリーはみずからロビーを走っていき、正面玄関《げんかん》から雨のなかへと出ていった。

「やあ、帰ってきたじゃないか！」運転手のチャーリーがらせん階段《かいだん》の最後の段《だん》から飛び降《お》り、はずむような足取りで近づいてきた。「きみは賢《かしこ》いからちゃんと自分で帰ってこられるってぼくは言ったのに、みんな耳を貸さないんだから。週末だし、わくわくしているだろう？　フランクが今夜、階段《かいだん》でマットレスを使ったそりレースをするんだ。ちょうどこれから申しこみなんだ。きみの名前を書いておこうか？」

「もちろん」モリガンは笑顔で応じた。マットレスを使ったそりレースというのは、今日聞いた一番いい言葉だ。〈結社《ワンソック》〉でのひどい一週間が過去のものになっていく気がした。あたしは、帰ってきた。

「手がすっかりかじかんでいるじゃないの！」マーサはモリガンの黒いコートを脱《ぬ》がせながら、声をあげた。「そのうえ、びしょ濡《ぬ》れになって。かわいそうに。温かいお風呂《ふろ》を用意するわね。肌《はだ》をくすぐる緑のモスフラワーのバブルバスがいい？　それともクラシック音楽を奏《かな》でるシャンパンのバブルバス？」

「ちょっと待ってくれ、マーサ」ミス・チェリーを追いかけていたケジャリーが戻《もど》ってきて、お洒落《しゃれ》なピンクのジャケットの雨をはらいながら言った。「それはだめ――」

「アルコールは入っていないわよ」

「そうじゃない。この子にはほかに用事があるんだよ」ケジャリーはモリガンに折りたたんだ紙を渡《わた》した。

すぐにぼくの書斎《しょさい》においで
JN

「ジュピターが帰ってきているの？」安堵《あんど》と喜びが胸《むね》に広がったが、モリガンの人生で最悪の週にジュピターは出かけていたというもいらだたしい記憶《きおく》が、その直後によみがえった。このことは必ず、彼《かれ》の耳に入るだろう。

「つい一〇分前にね」ケジャリーが答えた。「きみと同じくらい、ひどい有様だったよ。きみたちはどちらも、大変な一週間を過ごしたようだ」

モリガンは不意に心配になって、唇《くちびる》を噛《か》んだ。「その……ジュピターもミス・チェリーと話をしたの？　それとも……？」

「いいや。きみがいいときに帰ってきてくれてよかった。きみの行方がわからなくなったことを、彼《かれ》に言わなくてはならないのかと思ったよ。屋上から放り出されるところだった」

モリガンはほっとして、ふううううっとため息をついた。少し安心したところで、キッチンに通じている廊下《ろうか》に目を向けた。「わかった。ちょっとその前に――」

ケジャリーが二通めのメモを差し出した。

食べるものを用意してある

「帰ってきたね！」書斎《しょさい》のドアが開くと、モリガンとジュピターは同時に叫《さけ》んだ。ふたりは笑いながら短いハグをし、モリガンは暖炉《だんろ》のそばの小さなテーブルにまっすぐに歩み寄った。おいしそうなトレイが載《の》っている――紅茶《こうちゃ》、牛乳《ぎゅうにゅう》、角砂糖《かくざとう》、バター、厚切りのパン、フライドオニオンとホースラディッシュを添《そ》えた丸々したポークソーセージ、細かく割《わ》った板チョコレート、そしてなによりおいしそうなのが――

「スコーン！」モリガンは革《かわ》の肘掛《ひじか》け椅子《いす》にどさりと座《すわ》りこむと、金色がかった茶色にこんがりと焼けたスコーンのにおいを吸《す》いこんだ。まわりには、クロテッド・クリーム、ハチミツ、レモンカード、二種類のジャムが並《なら》んでいる。片《かた》っ端《ぱし》からたいらげることで手いっぱいになっていなければ、このトレイの奇跡《きせき》をテーマにバラッドを作れるかもしれない。

　暖炉《だんろ》の前の敷物《しきもの》の上には、この部屋の半分くらいもあるフェネストラが寝《ね》そべって、小さくいびきをかいていた。従業員《じゅうぎょういん》の食堂の長いテーブルやキッチンのガスレンジの上にいることも多かったけれど、ジュピターの書斎《しょさい》はフェネストラのお気に入りの昼寝《ひるね》場所のひとつだった。

モリガンはブーツを脱《ぬ》ぎ捨《す》て、濡《ぬ》れた靴下《くつした》に包まれた冷たい足を暖炉《だんろ》にかざした。つかの間、フェンの柔《やわ》らかいふわふわした背中《せなか》の上に足を乗せたいという強烈《きょうれつ》な誘惑《ゆうわく》にかられたけれど、フェンは人の心が読めるみたいに、琥《こ》珀色《はくいろ》の大きな目を片方《かたほう》開けてモリガンをにらみつけた。

「変なことを考えるんじゃないよ」フェンはうなるように言うと、伸《の》びをし、敷物《しきもの》に爪《つめ》を立て、それからまたごろりと横になって眠りについた。歯のあいだからピンク色の舌の先端が見えている。

「それで？」ジュピターはもうひとつの肘掛《ひじか》け椅子《いす》に腰《こし》をおろした。「最初の週はどうだった？」

「ひどかった」モリガンはスコーンの半分にブラックベリーのジャムをたっぷりと塗《ぬ》りながら答えた。手の横に垂《た》れてきたジャムをぺろりとなめた。とにかくお腹《なか》が空いていたから、マナーなど考えてはいられない。「本当にひどかった。あなたはどこにいたの？」

「ごめんよ、モグ。遠征隊《えんせいたい》を率いていたんだ」ジュピターはため息をつくと、両手で顔をこすった。申し訳《わけ》ないと思っているようだ。それに疲《つか》れて見えた。「遠征《えんせい》は失敗だった。こんなに長くかかるはずじゃなかったんだ。だが……とにかく、すまなかった」

「なんの遠征《えんせい》？」

「それは極秘《ごくひ》だ」

モリガンは眉間《みけん》にしわを寄せたが、口いっぱいにスコーンが詰《つ》まっていたので、文句を言うことはできなかった。

「そのひどい一週間に、ぼくがここにいられればよかったんだが」ジュピターが話題を変えようとしていることはわかっていたが、モリガンは聞き流した。

「どういうふうにひどかったかは訊《き》かないの？」

「もっともだ」ジュピターは紅茶《こうちゃ》を注いだ。「それで、どのくらいひどかったんだい？　教えてくれないか？」

「とぼぼさあく」モリガンはもうひと口、スコーンを頬張《ほおば》りながら言い、口のなかのものを飲みこんでから言い直した。「最悪だった。なにもかもが」

「話してごらん」

波止場で恐《おそ》ろしい思いをしたことを話すのなら、いまだ。けれど……話したいことはほかにたくさんあったし、ジュピターが帰ってきてくれて本当にうれしかったから、彼《かれ》の信頼《しんらい》を裏切《うらぎ》ったことを話して、この幸せな時間を台無しにしたくはなかった。

「ええと」モリガンはうしろめたさを振《ふ》り払《はら》って、言葉を継《つ》いだ。「ユニットのほかのみんなは素晴らしい時間を過ごして、素晴らしいことを学んでいるのに、あたしはそうじゃなかったから。案内人が立ててくれた授業の計画を、スカラー・ミストレスが認《みと》めてくれなかったから。あたしのたっ、いっ、いっ、たひとつの授業のたっ、いっ、いっ、たひとりの先生は、世界で一番退屈《たいくつ》な人間で、意地悪で——」

「ちょっと待って、いまなんて言った？」ジュピターは急に深刻《しんこく》そうな顔になった。ティーカップを口に運んでいた手が途中《とちゅう》で止まった。

モリガンはため息をついた。「先生を退屈《たいくつ》なんて言っちゃいけないのはわかっているけど、でも本当なの。あなたも彼《かれ》に会ったら——」

「いや、そこじゃない——スカラー・ミストレスのくだりだ」ジュピターの眉間《みけん》のしわが深くなった。「きみの時間割《じかんわり》を認《みと》めなかったって？」

「そうなの。ミズ・ディアボーンはあたしを嫌《きら》っていて、ミス・チェリーがあたしを大量破壊《はかい》兵器にしようとしているって考えているの」モリガンは天を仰《あお》ぐと、ポークソーセージをパンで巻《ま》いて、胡椒《こしょう》が効いたホースラディッシュをたっぷり塗《ぬ》りつけた。「あたしが受けられる授業はひとつだけで、〝ワンダーによる凶悪《きょうあく》な行為《こうい》の歴史〟っていうの。先生はオンストールド教授なんだけれど、〈ワンダー細工師《さいくし》〉はどれほど邪悪《じゃあく》かっていうことについて先生が書いたばかみたいな本を、あたしに読ませるだけ。宿題もたっぷり出されるけど、それも本を読むことなの。あたしは――」

「なんていう本だい？」

モリガンは題名を思い出そうとした。パンで巻《ま》いたソーセージにかぶりつくと、ホースラディッシュがとても辛《から》かったので涙《なみだ》が出てきた。口のなかを落ち着かせているあいだに、記憶《きおく》を探《さぐ》った。「**過失、失態**……**えーと、大失敗**……なんとか……**そして破滅《はめつ》。ワンダーによる行為《こうい》領域《りょういき》の要約歴史**。そうだ！　怪異《かいい》」

「ふむ」ジュピターは顔をしかめた。「あまり楽しい題名じゃないな」

「去年あなたは……」モリガンは急に自信がなくなって口ごもった。「〈ワンダー細工師《さいくし》〉はいい人間だったって言った。願いをかなえてくれる人だって……」

「ん？」

「考えていたんだけど」どう遠回しに言えばいいのかわからなかったので、はっきり尋《たず》ねることにした。「それって間違《まちが》いない？」

ジュピターは微笑《ほほえ》んだ。「間違《まちが》いないよ」

「本当に？　だって一二章までその本を読んだけど、みんな恐《おそ》ろしい人ばっかりなんだもの」

ジュピターはしばらくモリガンの顔を見つめていた。「オンストールドの本に出てくるほかの〈ワンダー細工師《さいくし》〉のことを話してくれるかい？」

モリガンは天井を見あげ、思い出そうとした。

「ええと、マシルド・ラチャンス」モリガンは指を折りながら、並《なら》べていった。「ラスタバン・タラジッド。グレイシャス・ゴールドベリー。デシマ・ココロ――」

「その名前は聞いたことがある。ココロのことを教えて」

「ええと……彼女《かのじょ》はものを作るのが好きだったんだけど、どれも失敗したの。正直に言って、少し頭がおかしかったんだと思う」ジュピターは片方《かたほう》の眉《まゆ》を吊《つ》りあげたけれど、なにも言わなかった。「なに？　本当だってば！　丸一章かけて、水から建物を作ろうとした彼女《かのじょ》のことを書いてあった。水だよ、水！　もちろんそれは大失敗に分類されて――」

「あんたたちふたりが、大失敗だよ」フェネストラは体を伸《の》ばし、ふさふさした大きなうしろ足で耳のうしろをかいた。「あたしが寝《ね》ようとしているのがわからないのかい？」

「そうだね、きみがここで散々寝《ね》ていたことはよくわかっているよ」ジュピターは腹立《はらだ》たしげにフェネストラを見た。「敷物《しきもの》よりも猫《ねこ》の毛のほうが多いくらいだ」

「マニフィキャットの毛がどれほど価値《かち》があるか、わかっているのかい？」フェンが床《ゆか》に頭をこすりつけると、さらにまた毛が抜《ぬ》けた。「貴族《きぞく》に売ってごらん。ひと財産作れるよ」

「価値《かち》があるのは、その毛がきみの皮膚《ひふ》にくっついているときだけだよ、フェネストラ。きみが皮をはがれるのが好きだとは思えないけれどね。それに、彼《かれ》らが欲《ほ》しがるのはマニフィキャットの子供《こども》の毛皮だ。きみは年を取りすぎているし、毛はごわごわしているからね」フェネストラは眠《ねむ》たそうな目を片方《かたほう》開けると、ジュピターに向かってシューッと息を吐《は》いた。ジュピターはにやりと笑ったが、すぐにその顔が曇《くも》った。「そういえば、なにか聞いているかい？」

フェネストラはため息をついた。「まだなにも。情報は流したんだけどね。それらしいところを探《さが》して、怪《あや》しいやつらに探《さぐ》りを入れた。あの子が、いい隠《かく》れ場所を見つけられるくらい頭のいい子だといいんだけどね」

モリガンはさっと背筋《せすじ》を伸《の》ばした。「ドクター・ブランブルが飼っていた、いなくなったマニフィカブのこと？　毛皮が目的でさらわれたと思うの？　ひどい話」

「ただ逃《に》げただけかもしれないよ」フェンは眠《ねむ》たそうにごろりと横になった。「いいことだと思うね。ブランブルはつまらない人間みたいだし」

「ドクター・ブランブルはあの子がいなくなってうろたえていたって、ミス・チェリーが言っていた」あの日、階段《かいだん》教室で見た、仲のよさそうな様子を思い出しながらモリガンは言った。「すごくかわいがっているみたいだった。あの子を素敵《すてき》なバスケットに入れて――」

「素敵《すてき》なバスケット？」フェンは軽蔑《けいべつ》のまなざしをモリガンに向けた。「マニフィキャットは飼い猫《ねこ》じゃないんだよ」

モリガンはなにも言わず、フェネストラと敷物《しきもの》、そして暖炉《だんろ》を当てつけがましく眺《なが》めた。飼い猫《ねこ》でないにしては、フェンは居心地よく暮《く》らすすべを知っている。

ジュピターはティーカップをまわし、暖炉《だんろ》を見つめながらひと口飲んだ。「だがネバームーアの道路は、子猫《こねこ》にふさわしいようなところじゃないぞ、フェン」

「あたしが知らないとでも思っているのかい？」フェンが辛辣《しんらつ》な口調で言い返した。「あたしの仲間たちが情報を仕入れている。ちゃんと見つけるよ。それだけさ」

「あなたの仲間？」モリガンが尋《たず》ねた。「だれなの？」

フェンはモリガンをにらむと、ごろりと向きを変えて会話を終わらせた。モリガンはフェンの大きな背中《せなか》を見つめながら、フェネストラの世界の奥深《おくぶか》さを知ることはあるだろうかと考えた。去年、彼女《かのじょ》が〈フリー・ステートの究極の格闘技選手権《かくとうぎせんしゅけん》〉のかつての優勝者《ゆうしょうしゃ》だったことを知ったときの驚《おどろ》きを、いまもまだ忘《わす》れてはいなかった。

それ以上フェンに訊《き》くのはあきらめて、モリガンはジュピターに向き直った。「ほかにも行方がわからなくなっている人がいるの。パキシマス・ラック。知っていた？」

「ふむ」ジュピターが用心深い表情になったので、彼《かれ》が話せない――あるいは話したくない――ことがあるのだとモリガンは悟《さと》った。

「そうか！　それだったのね？」モリガンは椅子《いす》の上で飛び跳《は》ねた。「そうなんだ。そうでしょう？　パキシマス・ラックを探《さが》していたのね？」

ジュピターはどう答えるべきか、長いあいだ考えていた。「いいや。ぼくはカシエルを探《さが》していた。パックスのことは今日、長老から聞いたばかりだ」

「それじゃあ、あなたも捜索《そうさく》を手伝うの？」

「その話はできないんだよ、モグ。長老の信頼《しんらい》を裏切《うらぎ》ることになる」

「でも、それって関係があるのかな。どう思う？」モリガンはさらに尋《たず》ねた。

「どうだろう。正直言って、よくわからないんだ」ジュピターは咳払《せきばら》いをした。「それで――水でできたココロの建物の話だ。興味をそそられるね」

「ああ、あれね」モリガンは苦々しい顔をした。

「だれが彼女《かのじょ》を大失敗に分類したんだい？」

「えーと、〈ワンダーによる行為《こうい》の分類のための委員会〉」ため息と共に答えた。「〈ワンダー細工師《さいくし》〉がなにか悪いことをしたのか――**過失か失態**ね――、ひどいことをしたのか――**大失敗か怪異**《かいい》――、それとも最悪のことをしたのか――**破滅**《はめつ》――を、その人たちが決めるの。滝《たき》の塔《とう》は、**破滅**《はめつ》ぎりぎりの**怪異**《かいい》に分類された。だって、玄関《げんかん》を入ろうとした人はみんな水に押《お》し流されるか、全身びしょ濡《ぬ》れになるかだったし、すごくじっとりしてるから、建物のなかにはなにひとつ置いておけなかったんだもの。だから……」モリガンは肩《かた》をすくめた。「ココロはばかだったってこと」

「でも邪悪《じゃあく》じゃない？」

モリガンは、もう半分のスコーンにバターを塗《ぬ》りながら考えた。「邪悪《じゃあく》じゃないかもしれないけど、でも頭が悪いのは確かだよね」

「ほかには？」ジュピターは片方《かたほう》の肘《ひじ》をついて、笑みの浮《う》かんだ顔を手で隠《かく》した。

「オドゥブイ・ジェミティはアドベンチャー・パークを作った」

ジュピターはうながすようにうなずいた。「続けて」

「でも、あれは間違いなく**大失敗**だった」モリガンは目をぐるりとまわした。「開園の日には、大勢の人や記者たちがなかに入れるのをいまかいまかと待ち構えていたの。ゲートの隙間《すきま》から、ジェットコースターやウォータースライダーが見えていて、みんなわくわくしていた。でもジェミティが現われることはなかった。ゲートは結局開かないままで、だれも入れなかったの」

オンストールド教授の意見に賛成したくはなかったけれど、考えただけで腹《はら》が立ってたまらなかった。なかに入れないアドベンチャー・パーク！　モリガンはアドベンチャー・パークに行ったことはないけれど、そこがどれほど楽しいところなのかは想像できた。わくわくするような乗り物やアトラクションが見えているのに、楽しむことができないなんて、どれほどいらだつことだろう。「だからジェミティはどう考えても、頭がおかしいし、身勝手で――なに？」

ジュピターはぐっと奥歯《おくば》を嚙《か》みしめていた。言いたいことがあるのに、それをこらえているのがよくわかった。「ぼくが思うに……」なにか言いかけて、口をつぐんだ。「ぼくには、証明できるだけのものがない。だが、オンストールド教授は――」ジュピターはふさわしい言葉を探《さが》した。「〈ワンダー細工師《さいくし》〉の歴史について、偏《かたよ》ったことをきみに教えていると思う。そのことと……きみの時間割《じかんわり》について、スカラー・ミストレスと話をしないといけないな」

「でも〈ワンダー細工師《さいくし》〉の歴史の本を書いたのは、オンストールド教授なんだよ――表紙に名前があったもの！　教授以上に〈ワンダー細工師《さいくし》〉について知っている人がいる？　あなたはだれかに会ったことがあるの？」

ジュピターは首のうしろをこすった。「いや、ない。だが〈ワンダー細工師《さいくし》〉の歴史は何百年、何千年もさかのぼるんだ。その全員が邪悪《じゃあく》なわけがない。そうだろう？　ずっとそうだったはずがない」

モリガンはいらだちのあまり眉間《みけん》にしわを寄せ、ぐったりと椅子《いす》の背《せ》にもたれた。「それって、ただ推測《すいそく》しているだけだよね」

「いいかい」ジュピターはため息をつき、赤くて長い髪《かみ》をもじゃもじゃとかきあげた。「確かに信用できない〈ワンダー細工師《さいくし》〉はいたよ、モグ。それは認《みと》める。エズラ・スコールはその代表だ。〈ワンダー細工師《さいくし》〉の歴史は失われているものが多い。残っているもの——人々がもっともよく覚えているもの——は、たいていが最悪の部分なんだ。はっきりわからないことがたくさんあるんだよ。オンストールド教授は、〈ワンダー細工師《さいくし》〉がいた時代がどういうものかを記憶《きおく》している数少ない人間のひとりだということは知っているし、彼《かれ》の授業方法を非難《ひなん》するつもりはないが——彼《かれ》は〈結社《ワンソック》〉の尊敬《そんけい》すべきメンバーだからね——彼《かれ》がすべてを知っているとは思えない。はっきり白黒をつけられるようなことじゃないんだ」

「でも、あなたに断言はできない」

「オンストールドだってそうさ！　なにもかも見ていたわけじゃないんだから」ジュピターの声には切羽詰《せっぱつ》まった響《ひび》きが混じっていた。自分の言葉が届《とど》いていないことがわかっている人間の口調だった。「ネバームーアは長い時間をかけて、〈ワンダー細工師《さいくし》〉たちによって作られてきたんだ。その全員が邪悪《じゃあく》だったり、役立たずだったりしたなんてぼくは信じない。ネバームーアはいまもこうして存在《そんざい》しているんだから。いまでも〈名前なき王国〉で最大の町だ。この町を一から築いてきた代々の〈ワンダー細工師《さいくし》〉たちのなかには、いい人間もいたはずだ」

モリガンはすっかりしょげ返った。いたはずだ。暖炉《だんろ》で薪《まき》がはぜる音とフェンのかすかないびきを聞きながら、曖昧《あいまい》なその言葉の意味をしばらく考えてみた。ティーカップ越《ご》しに、ジュピターが自分を見つめているのが感じられた。

「それじゃあ」やがてモリガンは口を開いた。「あなたが去年、かつての〈ワンダー細工師《さいくし》〉は邪悪《じゃあく》ではなくて……尊敬《そんけい》されていたって言ったのは――ほかにも言っていたことは――」モリガンは視線《しせん》を足元に落として首を振《ふ》った。「――確信があったわけじゃないんだ」

「モグ、よく聞くんだ。〈ワンダー細工師《さいくし》〉が善人《ぜんにん》になれることはわかっている」ジュピターは身を乗り出し、探《さぐ》るようなまなざしをモリガンに向けた。「そう言えるのは、きみを知っているからだ。きみは〈ワンダー細工師《さいくし》〉だ。そして善人《ぜんにん》だ。それ以上の証拠《しょうこ》は必要ないんだよ」

モリガンは紅茶《こうちゃ》を飲みながら、そんなふうに思えればいいのにと考えていた。

翌朝《よくあさ》、ジュピターはまた行ってしまった。

「今度はだれに呼《よ》ばれたの、ケッジ？」モリガンはコンシェルジュに訊《き》いた。彼《かれ》が届《とど》けたメッセージを見て、ジュピターはあわててまた出かけていったのだ。

「〈探検者同盟《たんけんしゃどうめい》〉の鼻もちならない成りあがりたちだ」ケジャリーが答えた。「いまは彼《かれ》をそっとしておいてはくれないようだ。おっと――机《つくえ》に触《さわ》らないでおくれ。磨《みが》いたところなんだから」

「ごめんなさい」モリガンは、つやつやした大理石でできたコンシェルジュの机《つくえ》にしかめ面の顔文字を描《えが》いていた手を止め、ため息をつきながら肩《かた》を落としてその場を離《はな》れた。

ジュピターが行方のわからなくなっている人たちを探《さが》しているのだとしたら、文句を言うのはわがままだ。それでも、不満を感じてしまうのはどうしようもなかった。ジュピターがやっと帰ってきたというのに、話したいことをひとつも話せなかったのだ。謎《なぞ》のドアや九一九駅や素敵《すてき》なミス・チェリーのことを話していなかったし、ジュピターが〈俗世《ぞくせ》の技能の学校〉だったのか〈不可解な技能の学校〉だったのか（不可解なほうだろうと思っていた）を訊《き》きたかったし、どうしてモリガンが〈俗世《ぞくせ》の技能の学校〉なのか、彼《かれ》の考えを聞きたかったし、〈ワンダー細工師《さいくし》〉でいることのどのへんがありふれているのかを教えてもらいたかった。

モリガンはロビーのあわただしさのなかで、ピンクのベルベット張りのふたりがけのソファに座《すわ》り、大仰《おおぎょう》な仕草で黒い鳥のシャンデリアを見あげた。不意に、濃《こ》いひげときらきら光る琥《こ》珀色《はくいろ》の巨大《きょだい》な目の毛むくじゃらの顔が視界《しかい》を遮《さえぎ》った。

「フェン！」モリガンは胸《むね》を押《お》さえて悲鳴をあげ、背筋《せすじ》を伸《の》ばした。「やめてよ。心臓《しんぞう》が止まりそうになったんだから」

「それはよかった」大きな灰色猫《はいいろねこ》はモリガンをにらみつけた。「あんたがびっくりして死んでくれれば、あたしは変わり者の経営者の気まぐれでメッセンジャーの真似をさせられることもなくなるわけだからね」

モリガンは首を振《ふ》った。「いったいなんのこと――」

「あんたに伝えてくれって言われたのさ。証拠《しょうこ》を見つけるって言っていた。彼《かれ》にはそんなもの必要ないけれど、あんたには必要らしいからって。だから、どれほど時間がかかっても、きっと見つけるってさ」

フェンはそのあとの言葉を伝えたくないみたいに、しばし口をつぐんでいた。やがて大きくため息をつくと、ぐるりと目をまわしながら言い添《そ》えた。「**小指の約束**をしていったよ。おえっ。むかむかするね」

フェンはその場を離《はな》れていき――口を洗《あら》いに行ったのかもしれない――モリガンはまたクッションにもたれかかった。頭上ではシャンデリアが、その場にとどまったまま音もなく翼《つばさ》をはばたかせ、床《ゆか》に光を投げかけている。モリガンの気持ちは、ほんの少しだけ明るくなった。

第八章
生きている地図

「あなたの後援者《こうえんしゃ》はなかなかのものね」

月曜日の朝、モリガンがホームトレインに乗りこむと、ミス・チェリーは満面に笑みを浮《う》かべていた。時間割《じかんわり》をうれしそうに振《ふ》っている。

モリガンは時間割《じかんわり》を受け取って、ホーソーンの隣《となり》の古いソファに座《すわ》った。オンストールド教授の毎日の恐《おそ》ろしい授業に加えて、月曜日と水曜日と金曜日の午後に新しい授業を受けることになっていた。

「〝ネバームーアを解読する：フリー・ステートのもっとも危険《きけん》でおかしな町をうまく移動する方法〟」モリガンは声に出して読んだ。

ホーソーンがモリガンの時間割《じかんわり》をのぞきこんだ。「ぼくも同じのがあるよ！　ヘンリー・ミルドメイの〝ネバームーアを解読する〟。地下三階、実務科学部の地図室だ。いいね」

「わたしも」車両の向こうでアナがつぶやいた。ホーソーンほどうれしそうではない。ほかの生徒たちがさがさと時間割《じかんわり》を広げる音が聞こえた。

「そうよ、あなたたちはみんなでネバームーアを解読するの」ミス・チェリーはうれしそうに手を叩《たた》いた。「あなたたちみんなが〝役に立つ人間〟になるためには――」ミス・チェリーは一瞬《いっしゅん》、天を仰《あお》いだ。「――九人全員がこの町を移動する方法を覚える必要があると思うって、今朝、ミズ・ディアボーンが言ったのよ。そういうわけで、ついにあなたたちはユニットとして全員で同じ授業を受けることになったの。素晴らしいと思わない？」

ほかの生徒たちの顔を見れば、素晴らしいと思っていないのはよくわかった。フランシスとマヒアはじっと床《ゆか》を見つめているし、サディアは見るからにおののいている。アナ――九一九駅への行き帰り、いつもモリガンから一番離《はな》れた席に座《すわ》っている――は、恐《おそ》ろしい〈ワンダー細工師《さいくし》〉とこれまで以上の時間を同じ空間で過ごすことを考えて、すっかり怯《おび》えているようだった。

けれど、モリガンの浮《う》き立った気持ちが削《そ》がれることはなかった。ようやく、〈ワンダー細《さい》工師《くし》〉がどれほど邪悪《じゃあく》かを教わる以外の授業を受けることができるのだ。それもホーソーンと一緒《いっしょ》に。これからだ。

プラウドフット・ハウスに到着《とうちゃく》すると、モリガンは一番最後にホームトレインを降《お》りた。「ありがとう」時間割《じかんわり》を示しながら、ミス・チェリーにお礼を言った。「本当にありがとう」

ミス・チェリーはウィンクをした。「ひげのあの人にお礼を言うのね。ノース大佐がどうやってスカラー・ミストレスを説得したのかは知らないけれど、全部《ぜんぶ》彼《かれ》のおかげだっていうことは確かね」

その日の午後、ユニット九一九で一番暇《いちばんひま》なメンバーであるモリガンは、地図室に一番乗りした。磨《みが》きあげた重たい木のドアを開けて、ドーム型の天井がある広々とした円形の教室に入ると、胸《むね》が高鳴った。まさにふさわしい名前だ――あらゆるところが地図になっている。ドームは夜空の濃《こ》い青に塗《ぬ》られていて、きらめく星座《せいざ》とその名前が記されていた。**踊《おど》り子のアルタフ、小さいグリタ、クレイグ、眠《ねむ》れないゴヤスレイ……**

モリガンは、曲線を描《えが》く壁《かべ》の上の地図に指を這《は》わせていった。ハイランドのでこぼこした地形、ジーヴの森のごわごわした小さな木々、黒い崖《がけ》の海岸線にゆるやかに打ち寄せる波。思いがけない感触《かんしょく》に、思わず手を引っこめた――地図の上の海が濡《ぬ》れている。指をなめてみた。しょっぱい。

けれど、それらはどれも序章にすぎなかった。広い部屋の中央には、小さなドールハウスのようなものがびっしりと並《なら》んだ不規則な形の建造物があって、それを見おろすように高くなったガラス製の通路がぐるりと囲んでいる。モリガンは三段《だん》の階段《かいだん》をあがり、手すりの向こうに広がる見たこともないほど素晴らしい地図に息を呑《の》んだ。

ネバームーアだ。ネバームーアの町全体が、精巧《せいこう》なミニチュアになっていた。本物そっくりの店や家のあいだを細いくねくねした道路が走り、そこここに緑地があり、ジュロ川が町の中央を流れている。

　モリガンはガラスの手すりに身を乗り出した。通りにいる小さな人間が動いている。三センチもないくらいの超《ちょう》リアルな人間が公園で自転車に乗っていたり、買い物袋《ぶくろ》をさげてグランド・ブールバードを歩いていたり、〈ブロリー・レール〉に手を振《ふ》っていたりしていた。波止場には米粒《こめつぶ》のようなカモメの群れがいて、小さな船がジュロ川をくだっている。町の南の上空には大きな黒い雲が広がっていて、その下の通りに雨を降《ふ》らせている。小さな地図人間たちが傘《かさ》を広げ、雨宿りできる場所を探《さが》しているのが見えた。

　ネバームーアの完璧《かんぺき》な再現だった。ただの模型《もけい》やドールハウスの町ではなく……生きていて、息をしている三次元の町だ。

「どんな具合だい？　まだ雨は降《ふ》っている？」

　モリガンは跳《と》びあがった。振《ふ》り返ると、目をキラキラさせたピンク色の頬《ほお》の若《わか》い男性が地図室に駆《か》けこんできたところだった。シャツを半分、ズボンからはみ出させたまま、持っていた鞄《かばん》を床《ゆか》に放り、通路へと駆《か》けあがってきた。モリガンの隣《となり》でガラスの手すりにもたれ、ミニチュアの町を熱心に見つめている。目の上に落ちてきた金色がかった茶色の髪《かみ》を手ではらった。

「美しいだろう？　こんなものを見たことはある？」彼《かれ》が尋《たず》ねた。

「ありません」モリガンは応じた。

「ヘンリーだ」若《わか》い男性はモリガンと握手《あくしゅ》を交わした。「ミスター・ミルドメイってことになるんだろうな。ちぇっ、変だろう？　〝ミルドメイ〟だけにしたほうがいいかもしれないな。うん、そのほうがいい。気取ってないし。そうだろう？　こいつは、ぼくの初めての授業なんだ」モリガンの戸惑《とまど》ったような表情に気づいて、彼《かれ》は説明した。「新米なんだよ。去年、シニアを卒業したばかりだ。だから、手加減してほしいな」

モリガンは笑顔になった。「あたしも初めての授業です。えーと――ふたつめの」

「素晴らしい。ぼくたちはなんとか切り抜《ぬ》けられそうだね」モリガンは、彼《かれ》の親しげで温かい口調が上流階級のアクセントを隠しているところが気に入った。「きみは……ミス・クロウだね？」

「はい」モリガンは用心深く答えた。あたしが何者なのかを知っているんだろうか？　知っていたとしても、彼《かれ》はそんな素振《そぶ》りを見せなかった。

「素晴らしい」ミルドメイは繰《く》り返した。「きみたちの名前と顔はもう全部覚えているんだ。ほかの子たちは来るのかな？」彼《かれ》は書類に目を通した。「ユニット全員がこの授業を受けるって書いてあるんだけど。もう無断欠席《AWOL》っていうわけじゃないだろうね？」彼《かれ》は訳知《わけし》り顔でにやりとした。「恐《おそ》ろしいマーガトロイドにすくみあがったとか」

モリガンはなにも言えずにいた。こんなに……教師らしくない教師に会ったのは初めてだ。

ドアがまた勢いよく開き、サディアがすたすたと入ってきた。すぐあとからアナが駆《か》けてくる。

「いいからちょっと見せてってば、サディア」濡《ぬ》らした布でサディアの顔をしきりに拭《ふ》こうとしている。「それって、ひどいから。感染《かんせん》したくないでしょう？」

「何回言えばわかるの」赤毛の少女はぐっと奥歯《おくば》を噛《か》みしめた。「あたしは平気。哀《あわ》れっぽい声を出すのはやめて」

「ばか言わないでよ」アナは巻《ま》き毛の頭を振《ふ》った。「血が出てるじゃないの。ミス・チェリーは絶対に――」

「だれも頼《たの》んでないよ」サディアはぴしゃりと言ったが、額《ひたい》のかなり深く見える切り傷《きず》から出血しているのは事実だった。

「こんにちは、きみたち」ミルドメイは額《ひたい》にぐっとしわを寄せた。いかめしい表情を作ろうとしているらしいが、少しも似合っていなかった。「どうかしたのかい？」

「なんでもないです、サー」サディアは挑《いど》むように顎《あご》を突《つ》き出し、まっすぐに彼《かれ》の顔を見つめた。

その頑固《がんこ》そうな表情を笑うまいとしているのか、ミルドメイは口をきゅっと結んで、咳払《せきばら》いをした。「いいだろう。ほかの子たちは？」

モリガンは驚《おどろ》いた。ミルドメイは、サディアの額《ひたい》の傷《きず》を無視《むし》するつもり？　アナの言うとおり、傷《きず》は深そうだ――サディアの顔の横をだらだらと血が流れている。

「ランベスは感覚遮断《しゃだん》水中瞑想《めいそう》室にいます」記憶《きおく》に印刷されたリストを読みあげているかのように、天井を見あげながらアナが答えた。モリガンのほうに目を向けることはなかったし、近づこうともしなかった。「フランシスは菜園で、希少なハーブの見分け方を勉強しています。ホーソーンは消火の実演をしていて、アーチは病院です。左手の指を骨折《こっせつ》したんで、驚《おどろ》くべき器用さを取り戻《もど》すために整復しているところです。マヒアは――」

再びドアが開き、ホーソーンが大声で話しながら入ってきた。笑顔のマヒアが続き、そのうしろからフランシス、カデンス、数歩遅《おく》れて最後にランベスが姿《すがた》を見せた。ランベスはたまたま地図室にやってきてしまったとでもいうように、どこかぼーっとしている。

「ふむ、いいね」ミルドメイは両手をぱちんと合わせた。「揃《そろ》ったようだね、だいたいは」モリガンは顔をしかめた。もちろん、揃ってはいない。アーチ——と彼《かれ》の折れた指——がまだ来ていない。けれどミルドメイはいささかも気にしていないようだ。

〈輝かしき結社《ワンダラス・ソサエティ》〉の大人たちについてミズ・ディアボーンが言ったことは、大げさでもなんでもなかったのだとモリガンは気づきはじめていた。**だれもあなたたちの小さな手を引いてくれたり、洟《はな》を拭《ふ》いてくれたりはしません。**彼女《かのじょ》たちの小さな手を折ることに躊躇《ちゅうちょ》はしないようだけれど。

「みんな通路にあがって。急いで」ミルドメイが言った。「あそこを見て、なにが見えたかを教えてほしい」

「ネバームーアだ！　ぼくの家が見える」モリガンと並《なら》んで手すりの前に立つと、ホーソーンはすぐに声をあげた。地図にじっと目を凝《こ》らしながら手すりから大きく身を乗りだしたので、小さな人たちの上に頭から転げ落ちないように、モリガンがシャツのうしろをつかまなくてはならなかった。「待って——あれは母さんだ！　見てよ、モリガン、あの巻《ま》き毛、胸《むね》に虹《にじ》の模《も》様《よう》がある紫《むらさき》のセーター。今朝、あれを着ていたよ！　これって——」

「ライブだよ。ネバームーアの町とその住人を、ほぼ一〇〇パーセント忠実《ちゅうじつ》に再現している」

ミルドメイが説明した。「いや、ライブに近いと言ったほうがいいかな。いくつかの地域《ちいき》では数秒の遅《おく》れがあるから。この地図はかなり古いから、どうしてもところどころ狂《くる》いが出るんだ。さてと、もう少し深く調べようじゃないか。よく見てごらん。なにがあるか、わかるかい？」

　ユニット九一九の生徒たちは戸惑《とまど》ったように顔を見合わせたが、目の前のミニチュアの町に意識を集中させた。

「迷路ですか、教授？」フランシスは、からみあった通りや路地に目を丸くしていた。

「そのとおり！　たいしたものだ、ミスター・フィッツウィリアム。だが、頼《たの》むからぼくのことはただのミルドメイと呼《よ》んでくれないかな。ぼくは教授じゃない――〈結社《ワンソック》〉には教授はほんのわずかしかいないんだよ。だれもちゃんとした資格を得られるまで、じっとしていることができないものでね。もちろん、辛抱強《しんぼうづよ》い人たちも何人かはいる――ケンプシー教授、ドレッサー教授（彼女《かのじょ》は〝モリー〟って呼《よ》ばれたがるけれどね）、そしてオンストールド教授だ。あとはみんな、自分の専門《せんもん》知識をだれかに伝えたいと思っている、熱心な素人の教育者にすぎない。ぼく自身は〈奇妙《きみょう》な地理の研究団〉のメンバーだ」彼《かれ》は胸《むね》を張り、目にかかった髪《かみ》をふうっと吹《ふ》いてはらった。「長老たちが、この一風変わった美しい町の移動方法を教える人間を探《さが》していると聞いて、自分の知識を見せびらかすチャンスに飛びついたっていうわけだ。さてと、ほかには？　言ってごらん。間違《まちが》いなんてないんだから。ミス・アマラ、聞いている？」

　ランベスはあらぬ方向――頭上のきらめく星座《せいざ》を見ていた。

「ちょっと！」サディアが怒鳴《どな》り、ランベスの顔の前で手を振《ふ》った。ランベスはぎくりとし、非難《ひなん》めいた冷ややかなまなざしをサディアに向けた。サディアはいくらかおじけづいたみたいに、声を落とした。「あそこを見ることになっているんだよ。天井じゃなくて」そう言って、ネバームーアの三次元の地図を指さした。

ランベスは眉間《みけん》にしわを寄せ、無言で地図を見つめた。

「それで?」ミルドメイがうながした。「どう思う?」

ランベスの視線《しせん》は通りや区画の上を流れ、やがてベゴニア・ヒルズで止まったかと思うと、人や車が多く行きかうある交差点を指さした。「交通事故」

ミルドメイは目をぱちくりさせた。「そうじゃなくて、これをどう思ったか――」

小さなタイヤのきしむ音とけたたましいクラクションに、彼《かれ》はそのあとの言葉を呑《の》みこんだ。二台の車が衝突《しょうとつ》したのだ。ふたりの小さな運転手が車から飛びだし、小さなこぶしを振《ふ》りまわしながら怒鳴《どな》りあっているせいで、車の流れが止まった。ランベスは再び星に視線《しせん》を戻《もど》した。

確かにそちらのほうがずっとストレスは少なそうだ。

「なるほど。確かに。そうか。ほかには?」

「ゲーム――ううん、パズル」アナは期待に満ちたまなざしでミルドメイを見つめた。彼《かれ》を喜ばせたくてたまらないようだ。「わたしたちがそれを解くんだわ」

「素晴らしい!」ミルドメイは輝《かがや》くような笑みをアナに向けた。アナも笑顔を返した。「きみが解く努力をしてくれることを願うよ、ミス・カーロ。だがネバームーアの歴史のなかでそれができた者はひとりもいないから、ぼくがあまり期待していないことがわかってもがっかりしないでほしいな。でもきみはきっと、外科医としての正確さでその問題に取り組むんだろうね」アナは顔を赤く染《そ》めて、くすくす笑った。「ほかになにが見える？」

「道路、建物、広場、聖堂《せいどう》」サディアはどこか退屈《たいくつ》そうに答えた。それとも頭がぼうっとしているのかもしれない。

「活気に満ちた大都市」マヒアが叫《さけ》んだ。

「活気に満ちた混乱《こんらん》」カデンスがつぶやいた。

「よろしい。ネバームーアを見るとき、ぼくがなにを見ているかを教えよう」ミルドメイは抑《おさ》えきれない喜びに目を輝《かがや》かせながら、にぎやかな小さな町を見おろした。「ぼくには怪物《かいぶつ》が見える。物語と歴史と命をぼくたちに与《あた》えてくれ、その見返りとして同じものが与《あた》えられるのを待っている美しくも恐《おそ》ろしい怪物《かいぶつ》。長い歳月《さいげつ》のあいだに、だまされやすい者や脆弱《ぜいじゃく》な者や気づかない者たちを餌《えさ》にして成長してきた怪物《かいぶつ》。彼《かれ》らはかみ砕《くだ》かれ、飲みこまれ、二度と戻《もど》ってくることはない」彼《かれ》は指を一本立て、地図からモリガンたちに視線《しせん》を移した。「だが……その習性や弱点や危険《きけん》性を知っていれば、飼い慣らすことができる怪物《かいぶつ》だ。ぼくはこの怪物《かいぶつ》のような町を飼い慣らすことに人生を捧《ささ》げてきたし、全身全霊《ぜんしんぜんれい》でこの町を愛している。きみたちもネバームーアで生き残り、成功しようとするなら、同じことをしなくてはだめだ」

　これほどとっぴで……ばかげた町を飼い慣らすことなんて本当にできるものだろうかとモリガンは考えた。おおいに疑《うたが》わしい。

　ミルドメイは両手でぴしゃりと手すりを叩《たた》いた。「だがまずは、簡単《かんたん》なことからはじめよう」彼《かれ》は通路の端《はし》のテーブルを示した。紙きれがいっぱいに入った小さな木のボウルがふたつ置かれている。「それぞれのボウルから紙を一枚《まい》ずつ取ってほしい。一枚《まい》めの紙に書かれているのが出発点で、二枚めが終点だ」通路のもう一方の端《はし》へと歩いていき、鎖《くさり》を引っ張った。出てきた黒板には、ネバームーアのランドマークとなる建造物のリストがふたつ書かれていた。

「A地点からB地点へのもっとも簡単《かんたん》なルートを見つけて、それをくわしく書き出してほしい。ただし条件がある。このふたつのリストが見えるね？」彼《かれ》は黒板を指さした。「ひとつめのリストは、必ずそこを通らなければならないランドマーク。ふたつめは、通ってはいけないところだ。それから、これは地上の旅だからね。ワンダー地下鉄を使うインチキはなしだ」ミルドメイはにやりと笑った。「簡単《かんたん》に聞こえるだろうが、思った以上にややこしいことがわかると思う。制限時間は一時間だ。はじめ！」

モリガンの一枚めの紙には〝タンブルダウン・ロード、ビターン・アンド・バスタード〟と書かれていた。二枚《まい》めは〝グロウス・ストリート、サウジー・アポン・ジュロ〟だ。

ややこしいどころではなかった――気が狂《くる》いそうだったし、ガラスの通路と歩道橋の上を幾《いく》度《ど》となく行ったり来たりしなくてはならなかった。ルートを見つけたと思うたびに、ドレッドマリス刑務所《けいむしょ》やネバームーア王立劇場《げきじょう》やそのほかの禁止リストに載《の》っているランドマークを通っていることに気づいて、またべつの道を探《さが》さなくてはならなかった。

うめき声や、いらだったようなため息や、ときには悪態まで聞こえてきた。一時間が終わるころには、ほぼあきらめている者もいた。

「こんなの無理」サディアはネバームーアの地図から離《はな》れて丸い壁《かべ》にもたれかかったが、すぐに不快そうな声をあげながら、体を引いた。そこがフォース・ポケットのアルバータイン海と気づいたときには手遅《ておく》れで、セーターの背中《せなか》はびしょ濡《ぬ》れになっていた。「ネバームーアって本当にばかげてる」

けれどモリガンは、〈結社《ワンソック》〉に来てから初めてと言っていいくらい、この作業を楽しんでいた。見つけたルートがだめだったことに気づいて、ほかの生徒たちが簡単《かんたん》にやる気を失っていくなか、モリガンは妙《みょう》なことにべつのルートを考えるのが楽しくてたまらなかった。

「時間だ！」一時間がたち、ミルドメイが宣言《せんげん》した。「みんな、よくやった。きみたちの作業の成果は、つぎの授業で見てみることにしよう。ミス・クロウ、きみは残ってくれないか」彼《かれ》は生徒たちから集めた紙を見つめながら言った。ホーソーンはしばらくドア付近をうろうろしていた。「きみは帰っていいよ、ミスター・スウィフト」

モリガンはゆっくりとミルドメイの机《つくえ》に近づいた。「なんですか？」

「心配しなくていいよ、叱《しか》るわけじゃないから。その反対だ。感心したって伝えたかったんだ。今日のきみの取り組みは素晴らしかった」彼《かれ》はモリガンの書いたものを手に取り、驚《おどろ》いたように首を振《ふ》った。「これは完璧だ」

モリガンは顔が熱くなるのを感じながら微笑《ほほえ》んだ。「ありがとうございます」

「授業は楽しかった？」

「すごく！」モリガンは心から答えた。「こんな授業は初めてです」

「そう思ってくれる人がいてよかった」ミルドメイはほっとしたように、目にかかった髪《かみ》をはらった。「きみはネバームーアのことをものすごくよく知っているね。ここは変わった場所なのに、きみは直感でわかっているみたいだ。もちろんここで育ったんだろう?」

モリガンはためらった。「あたしは……その、そういうわけじゃ……」

去年、モリガンを共和国からの密入国者《みつにゅうこくしゃ》だと確信していた(それは事実だった)ネバームーア警察《けいさつ》のフリントロック警視《けいし》から国外追放されそうになったとき、どこから来たのかは秘密《ひみつ》にしておいたほうがいいとジュピターに言われていた。

けれどそれは去年の話だ。あのときはまだ〈輝かしき結社《ワンダラス・ソサエティ》〉のメンバーではなかったし、いま襟元《えりもと》で輝《かがや》いている小さなWのバッジに守られてはいなかった。ネバームーアでもっとも権威《けんい》あるグループの正式なメンバーになったいまなら、ウィンターシー共和国の中心部にあるジャッカルファックスで、フリー・ステートの敵《てき》に囲まれて育ったという事実を打ち明けてもいいものだろうか? ジュピターと会うまでは、ネバームーアを知りもしなかったことを? フリー・ステートのセブン・ポケットは国境の法律《ほうりつ》を厳《きび》しく定めていて、それ以上に守秘《しゅひ》義務には厳《きび》しかった。ジュピターは彼女《かのじょ》を密入国《みつにゅうこく》させるために、すべてを賭《か》けた。いま本当のことを話したら、彼《かれ》を危険《きけん》にさらすことになるのだろうか?

モリガンにはわからなかった。ジュピターに尋《たず》ねることと、心のなかでメモを取った。

「そういうわけじゃ?」ミルドメイが訊《き》き返した。

「あたしはネバームーアじゃないところで育ったんです」モリガンはそれだけ言うにとどめた。

「去年、〈輝かしき結社《ワンダラス・ソサエティ》〉の審査《しんさ》を受けるために、移ってきたんです」ミルドメイはおおいに感心したらしかった。「驚《おどろ》いたね。ここに来て、一年しかたっていないの？　なのに、きみとネバームーアはひとつになっているように見える。まるで、きみだけのために作られたみたいに」

体の奥《おく》のほうから幸福感が湧《わ》きあがってくるのを感じて、モリガンは顔いっぱいに笑みを浮《う》かべた。まさにそれこそが、ネバームーアに対して感じていることだった。まるでここが、あたしのものみたいに。まったくの第三者がそう言うのを聞いて、モリガンは――恥《は》ずかしくなるくらい――感動した。

「もしきみが授業以外でも生きている地図を見たければ、いつでも来てくれてかまわない」ミルドメイが言った。「ぼくは見たいんだ。生徒だったころからそうだった」彼《かれ》はミニチュアのネバームーアを愛おしそうに眺《なが》めた。「きみくらいの年のとき、ぼくはひとりぼっちだった。ぼくのユニットのメンバーたちは、地図製作は退屈《たいくつ》な天賦《てんぷ》の才だと考えていたんだ。白袖《しろそで》たちの多くは――そう、ぼくのユニットには魔術師《まじゅつし》が何人かいた。ティルダ・グリーンは火の巫女《みこ》だったし、スーザン・キーリーは水と話ができて――」

モリガンの眉《まゆ》が吊《つ》りあがった。「水と話すの？」

「――彼女《かのじょ》たちは、ぼくを本当には仲間だと認《みと》めていなかった。ぼくは時々ここに来て、小さな列車が小さな人々を小さな家に運ぶのを何時間もただ眺《なが》めていた。夜が来て、町中に明かりが灯《とも》っていくところを」彼《かれ》は決まり悪そうに笑った。「哀《あわ》れだよね。でも、楽しかったんだ」

「あたしのユニットのみんなも、あんまりあたしのことが好きじゃないと思う」モリガンは自分の言葉に驚《おどろ》いた。そんなことを言うつもりはこれっぽっちもなかったのに、ただ……口から勝手にこぼれていた。「ホーソーン以外は」

「どうしてだい？　きみの天賦《てんぷ》の才も退屈《たいくつ》なの？」ミルドメイは悲しそうに尋《たず》ね、とたんに顔を真っ赤に染《そ》めた。「あ、その……すまなかった。詮索《せんさく》するつもりはなかったんだ。きみに訊《き》いちゃいけないことはわかっている。ただの冗談《じょうだん》だ」

モリガンは思い切って事実を打ち明け、自分は〈ワンダー細工師《さいくし》〉であることをミルドメイに話してしまおうかと、つかの間考えた。おそらく――そう、おそらく――彼《かれ》なら恐怖《きょうふ》や憎《にく》しみのこもった目であたしを見ることはないだろう。

クイン長老の警告《けいこく》が頭のなかに響《ひび》いた。もしもだれかが――だれであっても――わたくしたちの信頼《しんらい》を裏切《うらぎ》ったことがわかったら………あなたたち九人全員が〈輝かしき結社《ワンダラス・ソサエティ》〉から除名《じょめい》されることになります。永遠に。

だれであっても。たとえモリガン自身であっても。

危険《きけん》を冒《おか》すわけにはいかなかった。

「はい」短く答えた。「とても退屈《たいくつ》です」

ミルドメイは笑顔になった。「退屈《たいくつ》な天賦《てんぷ》の才は時々、なによりも役立つものに変わることがある。ぼくが〈探検者同盟《たんけんしゃどうめい》〉に加わったとき、ユニットの仲間たちは笑わなかったよ」

モリガンはぱっと顔を輝《かがや》かせた。「あたしの後援者《こうえんしゃ》は〈探検者同盟《たんけんしゃどうめい》〉に入っているの！」

「ジュピター・ノースだね、知っているよ」ミルドメイは力強くうなずいた。「彼《かれ》はぼくを奮《ふる》い立たせてくれる。いつかぼくも、世界を股《また》にかけた探検《たんけん》に出かけるんだ。同盟《どうめい》で大佐になる。ノースみたいに」

「そうなんですか？」

「わからないのかい、ミス・クロウ？」ミルドメイは希望に満ちた顔でくすりと笑った。「ぼくたちは〈輝かしき結社《ワンダラス・ソサエティ》〉のメンバーだ。なんにだって、なりたいものになれるんだよ！」

銅鑼《どら》の音が地図室に響《ひび》き渡《わた》り、そのあまりのけたたましさにモリガンとミルドメイは思わず耳を押《お》さえた。天井の隅《すみ》に取りつけられた角《つの》の形の真鍮《しんちゅう》のスピーカーから、押《お》しつけがましい声が聞こえてきた。

「えへん。長老の方々、メンバーおよび生徒のみなさん。お伝えしたいことがあります。教員のひとりであるパキシマス・ラックが、一週間近く前から行方がわからなくなっています。ミスター・ラックの人気の授業〝忍《しの》び、回避《かいひ》、隠蔽《いんぺい》〟を取っている生徒は、彼《かれ》が姿《すがた》を見せないのは単に……えへん……〝授業計画〟のひとつだと考えて、授業に出席を続けているようですが」モリガンは、声の主の女性が天を仰《あお》いだのが見える気がした。「そうではありません。わたしたちは現在、ミスター・ラックの行方を探《さが》しているところです。なにか知っていることがある人は、すぐに長老評議会に連絡《れんらく》してください。ミスター・ラックがいないにもかかわらず、彼《かれ》の授業に出席を続けている生徒は……やめてください。以上です」

アナウンスの最後はキーンという機械音で締《し》めくくられ、モリガンとミルドメイは揃《そろ》って顔をしかめた。

「おかしいですよね」ジュピターの調査はどうなっているのだろうとぼんやり考えながら、モリガンは言った。「この行方不明騒《さわ》ぎ。パキシマス、ドクター・ブランブルのマニフィカブ、そして――」

ミルドメイはくすくす笑った。「でも、それがパキシマス・ラックなんじゃないかい？」

「どういうことですか？　前にもこんなことがあったんですか？」

「ああ、そうだ、というか……これが彼《かれ》の天賦《てんぷ》の才だからね。姿《すがた》を消す。再び現われる。自分の才能を証明するための、手のこんだいたずらだよ。じきに拍手喝采《はくしゅかっさい》を期待しながら、戻《もど》ってくるよ」

モリガンは険《けわ》しい顔になった。自分の本当の天賦《てんぷ》の才は、〈ワンダー細工師《さいくし》〉であることじゃないかもしれないと思うことが時々ある。最悪を想定する能力がそうなのかもしれない。もちろんそれは、自分は呪《のろ》われていると信じて育ってきたせいだろうし、いまもモリガンの一部となって染《し》みついているのだろう。悪いことばかり考えるなとモリガンに言うのは、ドラゴンのことで興奮《こうふん》するなとホーソーンに言ったり、赤毛はやめろとジュピターに言ったりするようなものだ。

地図室から出ていきながら、モリガンは以前にネバームーアで奇妙《きみょう》な出来事が起こりはじめたときのことと、その背後《はいご》にいた男のことを考えた。

去年、〈クモの糸〉――目に見えず、触《ふ》れることもできないエネルギーの網《あみ》のようなもので、生きている者も死んでいる者も含《ふく》めてあらゆるものをつないでいる——に乱《みだ》れがあるという報告が相次いだ。エズラ・スコールは一〇〇年以上前にネバームーアを追放され、それ以来、警《けい》察《さつ》、軍隊、あらゆる魔術師《まじゅつし》、そしてなによりネバームーアの強力な魔法《まほう》が、彼《かれ》の侵入《しんにゅう》を阻止《そし》してきた。けれど彼《かれ》は〈クモの糸線〉を使って、気づかれることなく王国内に入る方法を見つけていた。それはとても危険《きけん》な極秘《ごくひ》の移動方法で、肉体を共和国に残したまま、魂《たましい》だけでネバームーアのあらゆる場所を自由に訪《おとず》れることができるのだ。

彼《かれ》が〈クモの糸線〉を使うことを阻止《そし》するのは不可能だった。なぜなら、〈クモの糸線〉は厳密《げんみつ》に言えば存在《そんざい》していないから。少なくとも、現実の世界には。

モリガンは身震《みぶる》いし、スコールはいまどこにいて、なにをしているのだろう、〈クモの糸〉を使って、また彼女《かのじょ》に会いに来ることはあるのだろうかと考えた。

第九章
チャールトン・ファイブ

「**ネヘラン・デュナス・フロール**」

アーチはビーフ・シチューがスプーンからぽたぽた滴《したた》っていることにも気づかず、眉間《みけん》にしわを寄せて繰《く》り返した。「ネヘラン・ドゥーナズ――」

「**ネヘルルルラン**」マヒアが巻《ま》き舌《じた》を強調しながら言った。「**ネヘラン・デュナス・フロール**」

「**ネヘルルラン・デュナス・フロールル**」マヒアの流暢《りゅうちょう》な発音を真似しようとしたモリガンだったが、まるで泥《どろ》でうがいをしているような音になった。食堂のテーブルを囲んだユニットのほかのメンバーも、それぞれにRの発音を試みた。サディアが一番近いとモリガンは思った。

「**ネヘルラン・デュナス・フロールル**」

「いいね」マヒアはロールパンに手を伸《の》ばしながら、モリガンに向かってうなずいた。「っていうか、そんなにいいわけじゃないけど、アーチよりはいい」アーチを含《ふく》め、全員が笑った。

数週間がたつうちに、ユニット九一九はモリガンに打ち解け始めていた。少なくとも、毎朝プラットホームで会うときに、あからさまな恐怖《きょうふ》の表情を浮《う》かべる者はいなくなっている。ホームトレインでモリガンが近くに座《すわ》っても、アナはもう怯《おび》えた声をあげなかったし、フランシスはストロベリー・タルトの試食をしてほしいとモリガンに頼《たの》んだ——モリガンは喜んで応じた。ひと口かじると、去年の夏のほろ苦い郷《きょうしゅう》愁がこみあげてきて、それを聞いたフランシスは即座《そくざ》に調理室に戻《もど》っていった。彼《かれ》が実際に作りたかったのは、真夏の音楽祭の気ままな奔放《ほんぽう》さだったからだ。

気難《きむずか》しいサディアですら、プラウドフット・ハウスの外階段《そとかいだん》でモリガンのことを〝能無し〟と嘲《あざけ》った年上の少年のむこうずねを蹴飛《けと》ばしてくれた。理由に関係なく、だれかのむこうずねを蹴飛《けと》ばしたかっただけかもしれないという気はしたものの、それでも……。モリガンは、八人の兄弟姉妹ではないにしろ、とりあえず八人の友だちができたのかもしれないと思いはじめていた。

セレンド語に興味があるとモリガンがぽつりと言ったのを聞いて、ランチのあいだに重要な語句を教えるとマヒアが言い出した。

「**ネヘラン・デュナス・フロール！**」ホーソーンは、通りすがりの年上の生徒に手を振《ふ》りながら呼《よ》びかけた。その少女はまごついたような顔をしただけだった。

「いいね」マヒアはにやりと笑った。「完璧《かんぺき》だ」

ホーソーンは満足しきった表情で、牛乳《ぎゅうにゅう》をごくりと飲んだ。「どういう意味なんだい？」

マヒアはいたずらっぽい顔でモリガンを見ながら笑って答えた。「あんたの顔はケツみたいだっていう意味さ」

ホーソーンは思わず吹《ふ》き出し、牛乳《ぎゅうにゅう》が顎《あご》から滴《したた》った。全員がどっと笑った。「本当に？」

マヒアは肩《かた》をすくめた。「これはぼくのお気に入りのロマンス語なんだ」

ユニットの関係が打ち解けてきたことで、モリガンの〈結社《ワンソック》〉での毎日は格段《かくだん》にましになった。ミス・チェリーが時間割《じかんわり》に新しい授業を加えようとするたびに、ミズ・ディアボーンがことごとく退《しりぞ》けるという事実に変わりはなかったものの、少なくとも、月曜日と水曜日と金曜日には〝ネバームーアを解読する〟の授業があって、それを楽しみにすることができた。自分が優秀《ゆうしゅう》だということがわかったのでなおさらだった。ほぼ毎回、ミルドメイはモリガンを天才だと言ってほめたたえた。最初のうちはいかにも嘲《あざけ》っているようだったほかの生徒たちの表情が……不本意ながらも尊敬《そんけい》の混じったものに変わってきているような気がしていた。ただの想像かもしれないけれど、授業中に手伝ってほしいと頼《たの》まれることが増えてきて、モリガンはこれまで経験したことのない感情を味わった。ようやく、得意なもの、自分は特別だと感じさせてくれるものを見つけたのだと思えた――呪《のろ》われていることや、〈ワンダー細工師《さいくし》〉であることとはまったく関係のないところで。

あれやこれやで、すべてはモリガンが想像していたよりもうまくまわり始めていた。

その手紙が届《とど》けられた朝までは。

「長老たちのところに持っていかないと」

「これが読めないの？　ここには――」

「なんて書いてあるかはわかってる。それでもやっぱり――」

「長老たちには話さない」

「だれがあんたをこのユニットの王さまだって決めたわけ？」

モリガンが自分の部屋の不思議なドアから九一九駅へと入っていったとき、ほかの生徒たちは小さな輪を作って、一枚《まい》の紙をのぞきこんでいた――ランベスだけは、いつもどおり少し離《はな》れたところに立っていた。

「ぼくたちがユニットだってことを、ようやく覚えてくれたみたいでうれしいよ、サディア」ホーソーンの声だ。彼《かれ》はマヒアの手から、その紙を奪《うば》い取った。「ぼくがそんなことをさせるとでも――」

「なにごと？」モリガンが尋《たず》ねた。

八人が一斉《いっせい》にモリガンに顔を向けた。眉間《みけん》にしわを寄せた不安そうな顔から煮《に》えたぎるような怒《いか》りまで、その表情は様々だ。ホーソーンはただ険《けわ》しい顔をしているだけで、黙《だま》って近づいてくると、その手紙をモリガンに手渡《てわた》した。

モリガンは読み始めた。


わたしたちはユニット九一九の恐《おそ》ろしい真実を知っている。

いくつか要求したいことがある。
秘密《ひみつ》を秘密《ひみつ》のままにしておいてほしければ、
今後の指示を待て。

だれにも話してはいけない。

話せば、わたしたちにはわかる。

〈結社《ワンソック》〉すべてに秘密《ひみつ》を話す。


「恐《おそ》ろしい真実って……？」モリガンは苦々しい顔を順に眺《なが》めた。とりわけランベスが動揺《どうよう》しているようだ。それがこの手紙のせいなのか、それともなにか悪いことが起きると予測したせいなのかはわからなかった。「それってどういう――」

「わかりきったことだよね？」サディアがぴしゃりと言った。「あんたのことだよ。あんたが〈ワンダー細工師《さいくし》〉だっていう真実。あたしたちは脅迫《きょうはく》されてるんだ。あんたのせいで」

「黙《だま》れよ、サディア」ホーソーンがたしなめた。

「いったいだれから？」モリガンが訊《き》いた。「だれがこれを見つけたの？」

「プラットホームに置いてあったんだ」ホーソーンが答えた。「アナが見つけた」

アナは震《ふる》えていた。「サディアの言うとおりよ。長老たちに話さなきゃいけない。それともミス・チェリーに！　彼女《かのじょ》ならどうすればいいか、知っているわ」

「でも、だれがあたしたちのプラットホームに手紙を置けるの？」モリガンは難《むずか》しい顔になった。「あたしたちのホームトレインしかここには来られないんだと思っていたけど」

「どうやって手紙を置いたかなんてどうでもいいだろう？」フランシスは淡《あわ》い茶色の肌《はだ》をうっすらと汗《あせ》で光らせながら、プラットホームを行ったり来たりしている。「そいつらは、どうやってきみのことを知ったんだ？　〈結社《ワンソック》〉のほかの人間にきみのことを知られたら、ぼくたちは放校になる。覚えているだろう？　放校になったりしたら、ぼくは伯母《おば》さんに殺されるよ。ぼくの家族はみんなが〈結社《ワンソック》〉のメンバーなんだ。父さんのほうも母さんのほうも！　父さんのほうは四代、母さんのほうは七代ずっとだ」

「落ち着いて、フランシス」ホーソーンが声をかけた。

「きみにはわからないよ！　ぼくのひいお祖母さんは、オモウンミ・アキンフェンワなんだぞ。フィッツウィリアム家とアキンフェンワ家は、〈輝かしき結社《ワンダラス・ソサエティ》〉をほとんど崇拝しているんだから」

サディアが首を振《ふ》った。「ほかのだれかが話したのなら、あたしたちが放り出されることはないよ。それは心配しなくていい、フランシス。それがだれであれ、その人たちに責任を取ってもらうから。その人たちが勝手に話せばいいんだ。放校になるのは、その人たちだよ」

「でも、そのことを知っているのはぼくたちだけっていうことになっている」マヒアが指摘《してき》した。「秘密《ひみつ》が漏《も》れたら、非難《ひなん》されるのは僕《ぼく》たちかもしれない」

モリガンは線路の向こう側の壁《かべ》を見つめていた。放校になることを考えていたわけではない。

〈結社《ワンソック》〉の人たちみんなに自分が〈ワンダー細工師《さいくし》〉であることを知られたら、どうなるだろう。いまはみんなが彼女《かのじょ》に興味を抱《いだ》いている。いくらかいぶかしくは思っているかもしれない。けれど真実を知ったら……また呪《のろ》われるようなものだ。みんながあたしを憎《にく》む。みんながあたしを怖《こわ》がる。ジャッカルファックスにいたときと、まったく同じだ。

まるで冬眠《とうみん》から目覚めた熊みたいに、昔ながらのパニックが胃《い》のあたりに広がっていくのを感じた。胸《むね》がかっと熱くなった。

サディアがホーソーンの手から手紙を奪《うば》い取った。「あたしたちのせいじゃないってことを、この手紙が証明してくれる。あたしがこれを長老たちのところに持っていくから。あんたがなにを言おうと――あ！」

サディアの手のなかで手紙はあっと言う間に燃えあがり、灰《はい》になってはらはらと地面に落ちた。

「どうやって――どうやってこんなことを？」サディアは火傷《やけど》した指を口にくわえ、魔法《まほう》で手紙を燃やした人間を探《さが》して、駅のあちらこちらへと視線《しせん》を向けた。だれもいない。

モリガンはごくりと唾《つば》を飲んだ。喉《のど》の奥《おく》で灰《はい》の味がした気がした。

「これで……問題は解決だね」ホーソーンは落ち着かない様子で言った。

サディアは彼《かれ》をにらみつけた。「手紙がなくても――」

「ぼくたちはモリガンを犠牲《ぎせい》にしたりしない」

「あんたはそう言うだろうね。彼女《かのじょ》の友だちなんだから」

ホーソーンは怒《いか》りのこもった、押《お》し殺した声で言った。「ぼくたちはみんなが、友だちのはずじゃないか！　ぼくたちはユニットだ。兄弟姉妹なんだ。そうだろう？　家族にならなきゃいけないんだ」

「家族に〈ワンダー細工師《さいくし》〉がいてほしいなんて頼《たの》んだ覚えはないよ！」サディアが怒鳴《どな》った。

「やめて」うしろのほうから落ち着いた低い声がした。全員が驚《おどろ》いてカデンスを振《ふ》り返った。今回もまた、彼女《かのじょ》がそこにいることに気づいていなかったのかもしれない。「長老たちには話さない。いまはわたしたちだけの秘密《ひみつ》にしておく。今後どうなるのか、様子を見る」

「催眠術《さいみんじゅつ》をかけるのはやめて！」サディアの声にはどこかうろたえたような響《ひび》きがあった。

カデンスは鼻で笑った。「ばかね、あんたたちに催眠術《さいみんじゅつ》なんてかけてないよ。どうすべきか言っただけ――全然違《ちが》う。催眠術《さいみんじゅつ》をかけたなら、あんたたちは気づかないもの。あのくだらない授業で、なんにも学んでないんだね」遠くから列車の音が聞こえた。プラットホームがごくわずかに揺《ゆ》れ、トンネルからの光がホームトレインの到着《とうちゃく》を告げた。「手紙を書いた人たちがなにをしたいのかもまだわからない。つぎの手紙を待とうよ。それからどうするかを決める。いい？」

ひとり、またひとりと生徒たちはうなずいた――サディアでさえも。譲歩《じょうほ》を意味する簡単《かんたん》な仕草が拷問《ごうもん》みたいに感じられているようだったけれど。

列車がきしみながら止まり、ミス・チェリーが顔をのぞかせて生徒たちを手招きした。モリガンはすぐには歩きださなかった。

「えーと」カデンスに話しかけたものの、急に気まずくなった。「ありがとう」

カデンスは肩《かた》をすくめた。「お礼を言うのは早いわよ。つぎの手紙を待っているだけだもの」

ほかの生徒たちがプラウドフット駅を出て最初の授業に向かったあとも、モリガンはしばらくその場に残って、プラットホームを行き来する朝の列車を眺《なが》めていた。手紙のことを考えた。あたしが〈ワンダー細工師《さいくし》〉であることを知っているのはだれだろう？　九一九のだれかが、もう裏切《うらぎ》ったの？　それとも後援者のだれか？　モリガンの頭にすぐに浮《う》かんだのは、モリガンを〈結社《ワンソック》〉に入れることに断固として反対したバズ・チャールトンとフランシスの伯母《おば》のヘスターだった。ふたりのうちのどちらかが秘密《ひみつ》を洩《も》らしたか、それとも……あの手紙を書いたんだろうか？

ありえないとモリガンは思った。バズ・チャールトンは鼻もちならない男だけれど、ばかではない。要求がなんであれ、ジュニアの生徒たちに言うことを聞かせるために、〈輝かしき結社《ワンダラス・ソサエティ》〉から追い出されるような危険《きけん》を冒《おか》すだろうか？　バズとヘスターはモリガンを脅迫《きょうはく》したかったわけではない――彼女《かのじょ》を追い出したかったのだ。

モリガンは深呼吸《しんこきゅう》をしてから駅を出ると、プラウドフット・ハウスに向かって森のなかの道を歩き始めた。〝凶悪《きょうあく》な歴史〟の授業がはじまるまであと一時間あったから（オンストールド教授は、教室にたどり着くのにほかの教師たちよりはるかに長い時間が必要だった）、地下三階で生きている地図を見ていてもいいかもしれないと考えた。ぐっと気分が上向いたので、足取りも軽くなった。

「おい、おまえ！　能無し！　戻《もど》ってこい！」

足を止めて振《ふ》り返ったときには、モリガンの上向きかけた気分はすっかりぺしゃんこになっていた。数人の年上の生徒たちが彼女《かのじょ》のあとを追ってきている。少年が三人と少女がふたり。

「あたしのことですか？」

「あたしのことですか？」少女のひとりがモリガンの真似をした。背《せ》の高い少女で、長くてくたっとした髪《かみ》を、ひどくへたくそな人間に緑色に染《そ》めてもらったらしい。まるで頭が苔《こけ》に覆《おお》われているみたいに見えた。彼女《かのじょ》は友人たちをすぐうしろに従《したが》えて、モリガンに近づいてきた。

「そうに決まってるでしょ、間抜《まぬ》け。ほかに天賦《てんぷ》の才のない人間がいると思うの？」

「天賦《てんぷ》の才はあるから」モリガンが言った。「ただ――」

「機密扱《きみつあつか》い、そうだろう？」ひとりの少年がモリガンを見おろすように立った。四年めか五年めに違《ちが》いないとモリガンは思った。ものすごく大きくて肩幅《かたはば》も広いので、日よけになってくれそうだ。「知っているさ。おれたちの案内人から、そのことを訊《き》いちゃいけないって言われている。だから訊《き》かない。おまえが自分で話すんだ」

モリガンはけげんな顔で彼《かれ》を見た。「でも話すわけにはいかない。機密扱いだから。機密《きみつ》っていうのは――」

「どういう意味かくらいわかってるわよ」緑の髪《かみ》の少女が言った。「あんたが不法入国者だってこともね。共和国から密入国《みつにゅうこく》してきたくせに」

モリガンは身構《みがま》えた。「そうじゃない。あたしは――」

「言っておくけど、ここでは嘘《うそ》つきは嫌《きら》われるの」少女は吐《は》き捨《す》てるように言った。「秘密《ひみつ》も。生徒たちのあいだに秘密《ひみつ》はない。わたしたちは協力し合うことになっているもの。そうでしょう？　だからあんたの天賦《てんぷ》の才を見せてよ。いますぐに。それとも、先にわたしのが見たい？」少女の口が意地の悪そうな笑みを作った。ポケットから手裏剣《しゅりけん》を五つ取り出し、銀色に光るかぎ爪《づめ》のように指のあいだにはさんだ。

「えーと、いいえ、遠慮《えんりょ》しておく」モリガンはくるりと向きを変え、プラウドフット・ハウスに向かっていっそう足を速めて歩きだした。

もうひとりの少女――背《せ》が低くて、やつれた顔をしていて、ほかの四人の灰色袖《はいいろそで》とは違《ちが》い、不可解な技能の白いシャツを着ていた――が、笑いながらモリガンの前に立ちはだかった。

「見せてあげてよ、ヘロイーズ」

モリガンは、肩幅《かたはば》の広い少年と驚《おどろ》くほど力が強い白袖《しろそで》の少女に両側から腕《うで》をつかまれて持ちあげられ、通路の脇《わき》にある木に押《お》しつけられた。振《ふ》り払《はら》おうとして暴れたけれど、どうにもならなかった。

「離《はな》して！」モリガンは叫《さけ》んだ。

「離《はな》さなかったらどうする？　助けてって大声で案内人を呼《よ》ぶ？」ヘロイーズは大げさに口をとがらした。「呼《よ》べば？　あんたがそんなに赤ちゃんなら、大声出して――」

「ミス・チェリー！」案内人に助けを求めることを恥《は》ずかしいともなんとも思っていなかったから、モリガンは叫《さけ》んだ。彼《かれ》らになんと思われようとかまわない。「助けて――」けれど、汗《あせ》ばんだ手に口を押《お》さえられた。ヘロイーズは手裏剣《しゅりけん》を立てて人差し指の上でバランスを取りながら、見せつけるようにその手を持ちあげた。「じっとしていたほうがいいと思うよ」

彼女《かのじょ》の友人たちが声をあげて笑った。モリガンはぎゅっと目をつぶった。ヒュッと空気を切る音がした――感じた――かと思うと、ズンという鈍《にぶ》い音と共に手裏剣《しゅりけん》が顔のすぐ脇《わき》に刺《さ》さった。

少しだけ目を開けてみると、顔からほんの数センチのところに刺《さ》さった銀色に光るものと、つぎの手裏剣《しゅりけん》を構えるヘロイーズが見えた。モリガンの息が荒《あら》くなった。心臓《しんぞう》が早鐘《はやがね》のように打っている。

「わたしのアルフィーは、あんたは変身能力者だろうって言うの」ヘロイーズは肩幅《かたはば》の広い少年にうっとりしたまなざしを向けた。「でもわたしは違《ちが》うと思う。九一五のアリス・フランケンリヒターは変身能力者だけど、それが秘密《ひみつ》だったことはないもの」ヒュッ、ズン。二本めの手裏剣《しゅりけん》が右耳ぎりぎりに刺《さ》さり、モリガンはすくみあがった。「でも彼《かれ》の言うとおりかもしれない。知る方法はひとつしかないよね」ヒュッ、ズン。三本目の手裏剣《しゅりけん》はモリガンのコートの袖《そで》を木の幹に縫《ぬ》いつけた。「さあ、あんたが変身能力者なら変身したら」

「変身能力者じゃないよ」ひ弱そうなもうひとりの少年が言った。唇《くちびる》の上に、ほわほわした生えかけのひげが情けなさそうにへばりついている。「きっと魔女《まじょ》だ」

「ばか言わないでよ」へロイーズは四本目の手裏剣《しゅりけん》を宙《ちゅう》に放りあげ、その先端《せんたん》を受け止めた。

「あんたのユニットに魔女《まじょ》がふたりいるでしょう？　天賦《てんぷ》の才が機《き》密扱《みつあつか》いになっている？」

「そうか」少年はしゅんとした。

「黙《だま》れよ、カール」大男のアルフィーが言った。「ヘロイーズ、さっさと投げてくれよ。おれは行かないと――」ヒュッ、ズン。「おい！　気をつけろ。もう少しでおれ《ヽヽ》に当たるところだったぞ」

「わざとよ、アルフィー」へロイーズはこびるように彼《かれ》に笑いかけると、五本めにして最後の手裏剣《しゅりけん》の先端《せんたん》を指でなぞりながら、モリガンに向かってうなるように言った。「いいかげんにしてよ。さっさとなにかしなさいよ。あんたの天賦《てんぷ》の才を見せなさいってば」シュッ――

刺《さ》さる音は聞こえなかった。

固く目を閉《と》じていたモリガンは、頭に血がのぼるのを感じていた。血だけではなく、切羽詰《せっぱつ》まった、怒《いか》りをたたえたなにかで頭がかっと熱くなった。まるで一気に潮《しお》が引いて、焼けつくような熱さと共にそこにどっと水が押《お》し寄せてきたみたいだ。あふれかけたダムのようだ。いまにも決壊《けっかい》しようとしている。

モリガンは目を開けた。

五本の手裏剣《しゅりけん》が宙《ちゅう》に浮《う》いていた。五人の生徒は体を凍《こお》りつかせている。

モリガンは、これから起きようとしている恐《おそ》ろしい事態の予感にあたりの空気が重みを増し、恐怖《きょうふ》と怒《いか》りがグラスにへばりつく水滴《すいてき》のように自分のまわりに溜《た》まっていくのを感じていた。

自分ではどうすることもできないみたいに、五人の生徒たちの片方《かたほう》の腕《うで》がぎくしゃくと伸《の》びた。あやつり人形のように不自然でぎこちない動きだ。それぞれの手が宙《ちゅう》に浮《う》かんでいる手裏剣《しゅりけん》をつかみ、自分に向けた。ぎらりと光る銀色のとがった先が、恐怖《きょうふ》と困惑《こんわく》にゆがんだ顔にじりじりと近づいていく。

「だめ」動くこともできずに、モリガンはつぶやいた。「だめ！　おろして。やめて！　やめて」

掃除機《そうじき》で吸《す》いあげられたかのように五人の体が宙《ちゅう》に浮《う》きあがったかと思うと、一斉《いっせい》に地面に落ちた。ぬいぐるみみたいにぐったりしている。手裏剣《しゅりけん》が彼《かれ》らのかたわらに、カランと音を立てて落ちた。

「モリガン！」駅のほうから叫《さけ》び声がした。ミス・チェリーが森の道を駆《か》けてくる。そのすぐうしろを追いかけてきたふたりの案内人は、ヘロイーズと友人たちにまっすぐに近づき、地面から助け起こした。

「なにがあったんだ？」ふたりの案内人のうちのひとりが、問いただすようにモリガンをにらみつけた。けれどモリガンは答えられなかった。茫然《ぼうぜん》と口を開けて、首を振《ふ》るばかりだ。

「大丈夫《だいじょうぶ》？」ミス・チェリーが静かに訊《き》いた。

「こ、この子に訊《き》くのか？　地面に倒《たお》れているのはこの子じゃないんだぞ、マリーナ！」

「ちょっと待ってよ」ミス・チェリーは憤然《ふんぜん》として言った。「なにがあったのかもわからないのに、わたしの生徒を非難《ひなん》したりしないで。あたりに落ちているものはなんなの、トビー？　手裏剣使《しゅりけんづか》いはあなたの生徒よね？　武器を使う天賦《てんぷ》の才の持ち主は、教室のなかだけでしか武器を使っちゃいけないことになっているはずよ」

トビーはミス・チェリーをにらみつけると、渋々尋《しぶしぶたず》ねた。「ヘロイーズ、どうして手裏剣《しゅりけん》が出ているんだ？」

ヘロイーズはなにも答えなかった。まだひどくうろたえているようだ。

「行きましょう、モリガン」ミス・チェリーはモリガンの腕《うで》を取り、歩きだした。「ホームトレインに」

モリガンはぼーっとしながら彼女《かのじょ》と並《なら》んで歩いた。犯罪現場のように思えるあの場所を振《ふ》り返るまいとした。

「なにがあったの？」ミス・チェリーが心配そうに尋《たず》ねた。

「あの人たち、あたしを木に押《お》さえつけて、頭に向かって手裏剣《しゅりけん》を投げて、天賦《てんぷ》の才を言わせようとしたの」モリガンの声は犬にしか聞こえないくらい甲高《かんだか》いものになったけれど、ミス・チェリーはちゃんと聞き取っていて、下唇《したくちびる》を強く噛《か》んだ。「そのあとは……そのあとは、なにがあったのかわからない。なにかが……集まってくるような感じがした」

年上の生徒たちがそれぞれ手裏剣《しゅりけん》をつかみ、目に見えない力に操《あやつ》られているかのように自分に向けたことを、モリガンは必死になって説明した。「でもあたしはそんなことをしたわけじゃ……わざとやったわけじゃないの。本当に」ようやくホームトレインに乗りこんだところでモリガンは話し終え、大きく息を吸《す》った。両手が震《ふる》えている。

「わかっているわ」ミス・チェリーの声は落ち着いていたけれど、彼女《かのじょ》も不安がっているのがわかった。

「どうしてわかるの？」喉《のど》に声がからまった。「ほんの数週間前に会ったばかりなのに」ジュピターのことが脳裏《のうり》に浮《う》かんだ。彼女《かのじょ》をだれよりもよく知っている人。ジュピターがまた留守にしていて、家に帰っても話ができないことを思い出すと、胸《むね》がちくりと痛《いた》んだ。ミス・チェリーは素敵《すてき》な人だけれど、でも同じじゃない。

「いい人間は見ればわかるの」ミス・チェリーは微笑《ほほえ》んだ。

モリガンは笑みを返さなかった。つかの間、すべてを打ち明けたくなった――プラットホームに置いてあった手紙のこと、それがサディアの手のなかでどんなふうに燃えあがったのか、自分の胸《むね》もどんなふうに熱くなって、喉《のど》の奥《おく》でどんな灰《はい》の味を感じたのか。ヘロイーズの手裏剣《しゅりけん》が持ち主に向かっていく直前に感じた、激《はげ》しい怒《いか》り。その瞬間《しゅんかん》、自分のなかを駆《か》けぬけた、ぞくぞくするような力の感覚。いまもまだ残る、どこか快《こころよ》いその余波《よは》。

言えなかった。言葉が出てこなかった。

モリガンはごくりと唾《つば》を飲み、自分の靴《くつ》を眺《なが》めた。あたしは本当にいい人間なんだろうか？　わざとやったわけじゃないにしろ……あたしの一部は楽しんでいたのかもしれない。

だけど、それって普通《ふつう》じゃない？　襲《おそ》われて、とがったものを投げつけられたら、だれだって、そんなふうに感じるものじゃない？

それとも、邪悪《じゃあく》な〈ワンダー細工師《さいくし》〉の性質が表面に現われたんだろうか？

「それに、悪い人間もわかる」ミス・チェリーはさらに言った。「チャールトン・ファイブ――あの子たちは悪党《あくとう》よ」

モリガンは顔をあげた。「いまなんて？」

ミス・チェリーは天を仰《あお》いだ。「あの子たちはそう名乗っているのよ。みんな、バズ・チャールトンの生徒なの。彼《かれ》はもう何年も候補者《こうほしゃ》を集めているから、だいたいどのユニットにも最低ひとりは彼《かれ》の生徒がいる。トビーのユニットにはふたりいるわ」

チャールトン・ファイブ。それで筋《すじ》が通る――ヘロイーズはなんて言った？ **あんたが不法入国者だってこともね。共和国から密入国《みつにゅうこく》してきたくせに。**バズが話したに違《ちが》いない。彼《かれ》はモリガンが〈ワンダー細工師《さいくし》〉であることに腹《はら》を立てているだけでなく、彼女《かのじょ》が〈輝《ワンダラス・ソサエテ》かしき結社《イ》〉の一員となったために手が出せなくなったことに、いまもまだ憤慨《ふんがい》していた。彼《かれ》のほかの候補者《こうほしゃ》たちがモリガンのせいで審査《しんさ》に不合格になったと信じこんでいたから、なおさらだった。

「ジュニアの学校だけで五人……あら」ミス・チェリーは考えこみながら言葉を継《つ》いだ。「いまは六人ね。カデンスを入れて。あの子たちがカデンスを誘《さそ》いこんだりしないといいんだけれど。意地も素行も悪い子たちよ。自分たちのユニットよりも、そっちに忠実《ちゅうじつ》かもしれないと思うときがあるわ。近づかないようにカデンスに注意しておかないといけないわね。あなたも――関わらないようにするのよ。いいわね？」

モリガンはうなずいた。ヘロイーズにも、彼女《かのじょ》の仲間にも、彼女《かのじょ》の手裏剣《しゅりけん》にも二度と近づきたくはない。

けれどもちろん、カデンスにはなにも言えない。だれもカデンスには言えない。カデンスは決して他人の支配を受けることはない。変わっていて、なにを考えているかわからなくて、予測できない。

彼女《かのじょ》がチャールトン・ファイブをチャールトン・シックスにしようと考えたなら、ミス・チェリーでも説得できないだろうという気がした。

第一〇章
要求とドラゴン　二の夏

初夏の暖《あたた》かさがネバームーアにやって来るころには、〈輝かしき結社《ワンダラス・ソサエティ》〉の塀《へい》の内側ではすでに、ぎらぎらする陽射《ひざ》しとうだるような暑さの長い一日が続いていた。

ユニット九一九は、〈結社《ワンソック》〉のどこか不安定なリズムの暮《く》らしに慣れてきていた。プラウドフット・ハウスの深さと広さにおののくこともなくなって、地下の廊下《ろうか》を自信に満ちた足取りで歩いていたし、スカラー・ミストレスの二面性や、週ごとに変わる予測できない時間割《じかんわり》に対応することも学んでいた。もちろん、モリガンの時間割《じかんわり》だけは相変わらず空白だらけだったけれど。

モリガンの時間割《じかんわり》なら、屋外でたっぷりの時間を過ごし、〈結社《ワンソック》〉の素晴らしい天気を楽しむことができたはずだが、実際はチャールトン・ファイブがどこかにいるのではないかと、きょろきょろとあたりを見まわしてばかりいた。手裏剣《しゅりけん》の話を聞いたホーソーンは激怒《げきど》した。翌朝《よくあさ》彼《かれ》は、一〇の項目《こうもく》がある復讐《ふくしゅう》リストを持ってホームトレインに乗りこんできて、モリガン

とミス・チェリーはようやくのことで彼《かれ》を思いとどまらせたのだった（実を言えばモリガンは、ヘロイーズのホームトレインをトイレット・ペーパーでぐるぐる巻《ま》きにするというリストの六番には、かなり心が動いた）。

この件はジュピターには黙《だま》っていることにした。彼《かれ》が留守にする期間は短くはなったけれど、その分頻繁《ひんぱん》だった。どこからか戻《もど》ってきて一日か二日すると、また〈結社《ワンソック》〉や〈探検者同盟《たんけんしゃどうめい》〉や、ときには〈天空観測グループ〉のようなモリガンが聞いたこともない組織からのメッセージが届《とど》き、カシエルかパキシマス・ラックかマニフィカブの手がかりを追うために、再び出かけていくのだ。それぞれの事件に関係はないといまもジュピターは主張していたけれど、だんだん確信がなくなっているようだった。行きづまった調査から戻《もど》ってくるたびに落胆《らくたん》が大きくなっているのがわかったから、モリガンは学校でのいじめや謎《なぞ》めいた脅迫《きょうはく》の手紙のことを打ち明けて、それ以上、彼《かれ》の心配事を増やしたくなかった。

そんなとき、最初の要求が届《とど》いた。

「これはなに？」ある日の午後、ミス・チェリーがモリガンたちを九一九駅でおろしたあとのことだった。サディアは、青色の折りたたんだ紙が留めてある自分のドアを見つめてつぶやいた。

モリガンは自分のドアの前で足を止め、ため息をついた。草で覆《おお》われたオンストールドのじっとりした教室で、〝鳥の時代の〈ワンダー細工師《さいくし》〉の失態と空の旅に与《あた》えたその影響《えいきょう》〟という題名の作文を書かされ、長く惨《みじ》めな一日を過ごしたのだ。この黒いドアを通って、自分のべッドに倒《たお》れこみたいというのが、いまの一番の望みだった。

手紙を読んだサディアの顔がゆがんだ。「いやだ。ありえない」ぶんぶんと首を振《ふ》った。

「絶対、ありえない」

カデンスが手紙を手に取り、モリガンたちはそのまわりに集まって彼女《かのじょ》の肩越《かたご》しに手紙を読んだ。

サディア・ミリセント・マクリード
明日の午後の戦闘《せんとう》クラブでだれかと戦い、
八百長で負けるように。
負けなかったときは
ユニット九一九の秘密《ひみつ》を暴露《ばくろ》する。
忘《わす》れるな
だれにも話してはいけない。
もし話せば、わたしたちも話す。

「あたしは生まれてこのかた、一度も喧嘩《けんか》に負けたことはないんだよ」サディアは胸《むね》の前で腕《うで》を組んだ。「いまさら負けるつもりなんてないから」

「わたしたちみんなが、〈結社《ワンソック》〉から放り出されることになっても？」カデンスが辛辣《しんらつ》な口調で言った。

サディアは黙《だま》りこんだ。

モリガンはもう一度手紙を読んだ。どうしてサディアに八百長を――そうだ！　唐突《とうとつ》に思いついたことがあった。「サディア、だれと戦う予定なの？」

「なんで？」

「だって」モリガンはいらだちが声に出ないようにしながら言葉を継《つ》いだ。「それがだれかがわかったら、これを書いた人間を突《つ》き止められるかもしれない。あなたが戦うことになっている人間が――」

「決まってないよ」サディアは淡々《たんたん》と答えた。「リングに出ていく直前に、名前を書いた紙を帽子《ぼうし》から引いて相手が決まる。どの戦闘《せんとう》クラスかも、どのユニットかも、だれなのかもわからない」その表情はどんどん険《けわ》しくなっていく。「だれであろうと、そいつに勝たせたいわけじゃないんだよ。あたしを負けさせたいだけなんだ。でも、あたしは負けないから」

「放校になるわけにはいかない」フランシスは泣きそうな顔をしている。「サディア、頼《たの》むよ。だめなんだ。伯母《おば》さんが――」

「伯母《おば》さんが、伯母《おば》さんが」サディアはばかにしたように繰《く》り返した。「いいかげん、伯母《おば》さんの話はやめてくれる？　あたしの父さんはどうなるの？　あたしがわざと負けたことを知ったら、恥《は》ずかしくて死んじゃうかもしれない。信条の問題なんだ！　マクリード家の人間は八百長なんてしないんだよ」

ホーソーンが彼女《かのじょ》をにらみつけた。「ユニットに忠実《ちゅうじつ》だっていう信条は――」

「うるさいよ、スウィフト」

「**もういい**」カデンスが叫《さけ》んだ。「多数決を取ろう。手紙は無視《むし》して、だれだかわからないこの相手が秘密《ひみつ》を暴露《ばくろ》するというのなら、勝手にさせるという人は？」

サディアがまっすぐにカデンスを見つめながら、手をあげた。アナ、そしてマヒアがそれに続いた。アーチの手もそろそろとあがったが、少なくとも彼《かれ》には恥《は》ずかしそうな顔をするだけの慎《つつし》みがあった。

「仲間であるユニットのメンバーを裏切《うらぎ》り、この〈結社《ワンソック》〉の最大の基盤《きばん》であるモラルと信条を軽視《けいし》するような、目に余る行動を取ることに反対する人は？」ホーソーンがサディアをにらみつけながら、手をあげた。カデンスとフランシスとランベスも手をあげたが、ランベスが本当にいまの話を聞いていたのかどうか、モリガンにはよくわからなかった。

「モリガン」ホーソーンが意味ありげに彼女《かのじょ》を見ながら、声をかけた。

「あ、うん」

モリガンは手をあげた。

サディアが壁《かべ》を蹴飛《けと》ばした。

「いいぞ、スウィフト、つぎは引いて！　落ち着いて――彼《かれ》は急降下《きゅうこうか》したがっているが、させちゃだめだ。引いて。バランスを確かめるんだ。きみが指揮《しき》していることを忘《わす》れちゃいけない。そのまま、そのまま。そう――いいぞ。顎《あご》をあげて、頭を引いて。きみの頭だ、スウィフト。ドラゴンのじゃない。つぎに左肩《ひだりかた》をさげるときは、もう少し鋭《するど》くやるんだ」

火曜日の朝のホーソーンのドラゴン乗りのコーチは、プロのドラゴン乗りとしての四〇年のキャリアのあいだに、指を五本（右手の指を二本、左手の指を三本）失っているフィンガーズ・マギーという男性だった。

ほかにすることもなかったから、モリガンは空いている時間の多くを――空いている時間はいやになるほどあった――地下五階のドラゴン用アリーナでホーソーンの訓練を眺《なが》めて過ごした。

複雑だった。友人が本領を発揮《はっき》しているところを見ていると、心底わくわくするのは確かだ。ドラゴンに乗ったホーソーンは、モリガンがめったに見ることのない一面を見せる。その変化は驚《おどろ》くほどだった。ひとつのことに長く集中していられない、興奮《こうふん》しやすい腕白小僧《わんぱくこぞう》はどこかに消えて、目の前の課題に集中し、コーチの話に耳を傾《かたむ》け、自分の技術を磨《みが》こうとしている真面目で有能な少年が現われるのだ。

そしてドラゴンは……ただただすごかった。この古代の爬虫類《はちゅうるい》と同じ場所にいるというだけで、モリガンは自分が恵《めぐ》まれていると思った。このうえなく美しくて、同時に恐《おそ》ろしいくらい力強くて、知性があって、まるで本物の魔法《まほう》の存在《そんざい》を目の当《ま》たりにしているようだった。

けれど一方で、ここにいることは自ら拷問《ごうもん》を受けているようなものでもあった。

これこそが、モリガンが想像していた〈結社《ワンソック》〉だ。ユニット九一九のほかのメンバーと同じく、ホーソーンの授業スケジュールはどれも心躍《おど》る、妥協《だきょう》のないものだ。今日はアリーナでの訓練のあと、午後から〈不平の森〉でオリエンテーリングの授業がある。明日は、午前中が〝敵意《てきい》ある生き物の世話をする〟で、午後からが〝不滅《ふめつ》の命を得る：それは可能か？〟というタイトルの講義になっていた。

モリガンは嫉妬《しっと》という狼《おおかみ》を手なずけようとしていた。本当だ。今日の狼《おおかみ》は静かだった。だがそれは、昨日、駅で起きたことが頭から離《はな》れなかったからにすぎない。

がらんとしたアリーナの天井を見あげた。視線《しせん》は小さく宙返《ちゅうがえ》りをしているホーソーンとドラゴン（フィンガーズ・マギーが、よしと声をかけた）を追っていたが、見えてはいなかった。モリガンが見ていたのはサディアの苦々しい顔だ。放校になるかもしれないと、泣きそうになっていたフランシス。モリガンの秘密《ひみつ》を暴露《ばくろ》するほうに、申し訳《わけ》なさそうにおずおずと手をあげたアーチ。

すぐそこにあった。ほんのすぐそこだったのに。あのばかげた手紙を送ってきた何者かは、モリガンの心に芽生え始めた、〈結社《ワンソック》〉で幸せに過ごせるかもしれないという希望を完全に粉砕《ふんさい》したことに気づいているのだろうか？　彼《かれ》らを脅迫《きょうはく》している人間はものすごくモリガンを憎《にく》んでいて、だからこそモリガンのユニットを分断する最もいい方法を考えついたのかもしれない。

でもいったいだれが？　彼女《かのじょ》のいわゆる天賦《てんぷ》の才をどうやって知ったの？　今朝はずっとこのふたつの疑問《ぎもん》を考え続けていた。

「よろしい、ゆっくりとおりてくるんだ」フィンガーズがホーソーンに声をかけた。「そっとおりるんだぞ。カンガルーみたいに跳《は》ねるのはなしだ。そうだ、いいぞ。ゆっくり」

今日のホーソーンは、〈まだら模様《もよう》の提灯《ちょうちん》うろこ〉種のドラゴンに乗っていた。青緑色のうろこが水に映る提灯《ちょうちん》の明かりのようにちらちらと揺《ゆ》らめく、中くらいの大きさのドラゴンだ。ホーソーンが静かに着地させると、筋肉質《きんにくしつ》のうしろ足から伝わった衝撃《しょうげき》でその全身に光の波が立った。

休憩《きゅうけい》に入り、ほかのドラゴン乗りがアリーナを使い始めると、ホーソーンは一段飛《だん》ばしで階《かい》段《だん》を駆《か》けあがってきて、モリガンの隣《となり》の座席《ざせき》にどさりと座《すわ》った。顔は真っ赤で、汗《あせ》だくで、疲《つか》れている――けれどそれは、大好きなことに必死で取り組んだあとの心地よい疲労《ひろう》だった。

「最後にやったあの宙返《ちゅうがえ》り」モリガンは水筒《すいとう》を彼《かれ》に渡《わた》しながら言った。「すごくよかった。どうやったら、鞍《くら》から落ちずにいられるの？」

「ありがとう」ホーソーンは顔に貼《は》りついた、癖《くせ》のある茶色い髪《かみ》をはらいのけた。「右脚《みぎあし》の筋《きん》肉《にく》をぎゅっと引き締《し》めて、ドラゴンがばかなことをしないように祈《いの》るのさ。でも、彼《かれ》は優秀《ゆうしゅう》だよ。信頼《しんらい》できる」

「名前はなんだっけ？」

ホーソーンは水を飲みながら、目をぐるりとまわした。「だれに訊《き》くかによるね。トーナメントに登録してある正式な名前は『ラードを切り分ける熱いナイフのような滑空《かっくう》』っていうんだ。ぼくはポールって呼《よ》んでるけど」

「ふーん」モリガンは上の空で言った。

「あの手紙のことを考えているの？」ホーソーンは前の座席《ざせき》の背《せ》に足を乗せ、すね当ての紐《ひも》をほどき始めた。「だれが送ってきたんだと思う？」

「うん……考えていたの。ヘロイーズと仲間たちとか？　チャールトン・ファイブ？」

ホーソーンは眉間《みけん》にしわを寄せた。「そうだね、彼女《かのじょ》ならやりそうだ。でもどうやってきみが――」ホーソーンはあたりを見まわし、近くにだれもいないことを確かめてから言った。

「――〈ワンダー細工師《さいくし》〉だってことを知ったんだ？　バズが話したんだろうか？」

「わからない」モリガンは正直に答えた。ふたりは黙《だま》りこみ、ホーソーンは手首のサポーターのストラップをいじり始めた。奇妙《きみょう》な罪悪感が、モリガンのなかで毒のように泡立《あわだ》っていた。

「サディアはきっとあたしを許してくれない」

「きみを許す？　なにに対して？　きみのせいじゃないよ！」

「彼女《かのじょ》が守っているのはあたしの秘密《ひみつ》だもの」

「そうじゃない、ぼくたちの秘密《ひみつ》だ」ホーソーンは譲《ゆず》らなかった。「あの手紙を送ってきた人間がだれであれ、ぼくたちみんなを脅迫《きょうはく》しているんだ――ぼくたちみんなが関わっているんだよ」

フィンガーズに名前を呼《よ》ばれ、ホーソーンははずした用具を手に取った。「いいかい。相手がだれだかもわからないのに、あれこれ心配してなにになる？　つぎの手紙が届《とど》くのを待つしかないさ」

けれどモリガンは、アリーナへと階段《かいだん》をおりていくホーソーンを見送りながら、決意を新たにしていた。この要求は、ユニットのメンバー全員を彼女《かのじょ》と対立させるのが目的かもしれないと思いながら、ただつぎの手紙を待っていることなどできない。

解決する方法がきっとある。あるはずだ。見つけようと決めた。

いつはじめればいいのかはわかっていた。

地下五階の一番大きな道場で、サディアはすでにリングにあがっていた。戦闘《せんとう》クラブというのは、〈結社《ワンソック》〉のあらゆる戦闘領域《せんとうりょういき》の人間が集まって一対一の決闘《けっとう》を行う毎週のイベントだった。まったくもって不公平で秩序《ちつじょ》も年齢《ねんれい》制限もない、なんでもありの決闘《けっとう》で、裸足《はだし》のキックボクサーが鎖帷子《くさりかたびら》に身を包んだ刀鍛冶《かたなかじ》と戦うこともあった。サディアはこの決闘《けっとう》をなによりも楽しみにしていて、毎週、ユニットのメンバーに自分の戦いの様子をこと細かく語って聞かせた。参加者のなかで一番若《わか》いにもかかわらず、サディアは全勝のチャンピオンだった。

今日までは。

「さて、今日のマクリードの相手は？」ごわごわした灰色《はいいろ》の巻《ま》き毛のたくましい女性が、宙《ちゅう》に帽子《ぼうし》を掲《かか》げた。名前の書かれた紙を取り出し、笑いながら読みあげた。「ウィル・ゴーディ！

リングにあがって。おやまあ、あっという間に終わりそうだね」彼女《かのじょ》は小声で言い添《そ》え、観衆《かんしゅう》はやじと不満の入り混じった笑い声をあげた。ブルーティラス・ブラウンは前足で顔を覆《おお》った。ウィル・ゴーディはユニット九一六のおしゃべりな少年で、自分が町で一番タフで乱暴《らんぼう》なヒーローであるかのような——汗《あせ》ひとつかくことなく、いじめっ子たちを叩《たた》きのめしたといったものが多かった——ばかげた話をするのが好きだった。彼に戦闘《せんとう》能力はなかったから、それがありえないことはだれもがわかっていた。ゴーディの天賦《てんぷ》の才は戦いとは一切関係のないもの——才能ある作曲家——だったにもかかわらず、彼《かれ》は戦闘《せんとう》の授業を受けることにこだわった。そうすれば〈結社《ワンソック》〉以外のところで、自分は本物のボクサーだと自慢《じまん》できるからだ。サディアが一番嫌《きら》いなタイプだ。

彼《かれ》がリングにあがるのを眺《なが》めながら、サディアは顔をゆがませた。これだけの参加者がいながら、よりによって初めて負ける相手が大口を叩《たた》くだけのウィル・ゴーディだとは……これほどの屈辱《くつじょく》はない。この戦いに勝ったウィルは、いつまでもそのことを言い続けるだろう。

仕組まれていたんだろうかとモリガンはいぶかった。脅迫者《きょうはくしゃ》たちは、あの帽子《ぼうし》からウィルの名前が出てくるように仕組んでいたの？　それが可能なのは、名前を引いたあのたくましい女性が脅迫者《きょうはくしゃ》だったときだけだけれど、そうは思えなかった。

もちろん、ウィルが仕組んだことではない。虚勢《きょせい》を張ってはいても、サディアとの戦いを目前にした彼《かれ》は、見るからに落ち着かない様子だった。

モリガンはとても見ていられないと思った。サディアの気が変わって、八百長はしないかもしれないと頭のどこかで考えていた。そうすべきだという思いもあった。

けれどサディアはそうしなかった。最初のラウンド――最初の一分――で、ウィルのへたくそなフットワークとへなへなのジャブにあえてやられたふりをした。もっともらしく見せようともしなかった。ウィルのこぶしが顔をとらえた一発めで（サディアが顔を差し出したようなものだった）ダウンし、そのままカウントを聞いた。

だれもが信じられなかった。モリガンも信じられずにいた。こうなることがわかっていたはずなのに。

けれどその思いは振《ふ》り払《はら》う必要があった。この瞬間《しゅんかん》のためにここに来たのだから。脅迫者《きょうはくしゃ》がサディアに負けさせたかったのだとしたら、きっとここにいてこの戦いを見ていたはずだ。モリガンは集まった観衆《かんしゅう》の顔をひとつひとつ眺《なが》め、なにか……それらしい表情を浮《う》かべている人間を探した。

けれど得意そうな顔や満足そうな顔はひとつもなかった。だれもが、ウィルのありえない勝利に大きなショックを受けている。脅迫者《きょうはくしゃ》がここにいるとしたら、世界でもっとも優《すぐ》れた俳優《はいゆう》だということだ。

ウィルが歓声《かんせい》と喝采《かっさい》を受けているあいだに、サディアはリングをおり、モリガンの脇《わき》を重い足取りで通り過ぎていった。

「サディア」モリガンは声をかけた。「待って。あたし――」

「ひとりにして」サディアが怒《ど》鳴《な》った。

「あたしはただお礼を――」

「やめて」

モリガンは最悪の気分で彼女《かのじょ》を見送った。

ふたつめの要求は、その週の金曜日の午後、九一九駅のフランシスのつややかな青いドアに留められていた。フランシスは、かすかに震《ふる》える手で手紙を開いた。目を細くして読んでいく。

「要求は……ケ、ー、キ、だ」

「ケーキ?」ホーソーンが繰《く》り返した。

「そう書いてある」

モリガンは戸惑《とまど》ったように顔をしかめた。「ただの……ケーキ?」

「い、い、ただのケーキだって?」フランシスは手紙から顔をあげて、モリガンをにらんだ。「ただの、ケーキじゃないさ。読んでみろよ」

フランシス・ジョン・フィッツウィリアム

明日の朝六時までに

グランド・カレドニアン・コロネーション・クレストを作り、

九一九プラットホームに置いて、

すぐに家に帰るように。
言われたとおりにしなければ、
ユニット九一九の秘密《ひみつ》を暴露《ばくろ》する。

忘《わす》れるな
だれにも話してはいけない。
もし話せば、わたしたちも話す。

「グランド・カレドニアン・コロネーション・クレストってなに？」モリガンは手紙を見つめながら、尋《たず》ねた。

「最高に難《むずか》しくて複雑なケーキだっていうだけさ」フランシスは不機嫌《ふきげん》そうに答えた。「どれも違《ちが》った味の三段重《だんがさ》ねで、金の葉がついた何百もの砂糖《さとう》の花の飾《かざ》りがあって、カラメルの渦《うず》で全面覆《おお》われていて、一番上にはレースみたいな砂糖《さとう》の王冠《おうかん》が載《の》っているんだ」

ホーソーンは目を丸くした。「それ、もうひとつ作れる？」

「ひと晩《ばん》かかるんだぞ！」フランシスはホーソーンの言葉を無視《むし》し、モリガンの手から手紙を奪《うば》い返した。「そのうえ明日の朝は、ナイフさばきの練習が四時間ある。徹夜《てつや》のあとでやるわけにはいかないよ！　指を切り落とすかもしれない！」

「明日は土曜日だよ」ホーソーンが言った。

「わかってるさ、それくらい」フランシスはホーソーンをにらみつけた。「ヘスター伯母《おば》さんはぼくのナイフさばきをまだ満足できるレベルじゃないと思っていて、週末に特別授業を受けさせられているんだ」

ホーソーンは息を呑《の》んだ。モリガンは、週末に特別授業があることにこれほど腹《はら》を立てているホーソンを見て驚いた。つかの間、言葉を失っているようだ。

「こんなのばかげている」モリガンは手紙を示しながら言った。「どうしてあなたにケーキを作らせようとするの？」

フランシスは気を悪くしたようだ。「ぼくにケーキを作らせない理由があるとでも？　きみはぼくのケーキを食べたことがあるの？」

「すごくおいしいよ、フランシス」ホーソーンがうなずいた。「もしぼくがきみを脅迫《きょうはく》するのなら、絶対にケーキを作ってもらうね。前に作ってくれた、カスタードが入ったペストリーでもいいな。それから——」

「黙《だま》って、ホーソーン」モリガンはホーソーンを遮《さえぎ》った。「あたしが言いたいのは……この要求は……なんていうか、ばかげているっていうこと」モリガンは自分の寝室《しんしつ》に通じる黒いドアをちらりと見た。今夜は音楽室で過ごすのを（鼻で音楽を奏《かな》でる新しいショーをフランクが予約してくれていた）楽しみにしていたのだ。けれど、彼女《かのじょ》の秘密《ひみつ》を守るためにフランシスが徹《てつ》夜《や》でケーキを作っていると思うと、罪悪感にさいなまれることはわかっていた。ため息混じりに言った。「あたしも手伝うね。助手になる。そうしたら、全部ひとりでやらなくてもすむでしょう？　それとも――そうだ、ホテル・デュカリオンのキッチンを使えばいい！　きっと料理人が……グランド・クラスティ・カレドニアなんとかを作るのを手伝ってくれるよ」

間違《まちが》ったことを言ったらしかった。「揚《あ》げ物しかできない、ホテルの二流の料理人の手伝いなんていらないよ！」

そう言い残してフランシスは帰っていき、モリガンの顔の前で青いドアをバタンと閉《し》めた。

モリガンは信じられないというように首を振《ふ》った。「揚《あ》げ物しかできない料理人？　ハニーカットは〈翼《つばさ》のようなフライ返し賞〉を三回も取っているのに」ホーソーンに手を振《ふ》り、黒いドアをくぐったときも、モリガンはまだぶつぶつとつぶやいていた。「揚《あ》げ物しかできない料理人」

世界で一番好きな部屋のドアを開けたときには、ほっとしてため息が出た。ようやく金曜日が来たことを祝っているみたいに、ベッドは大きな鳥の巣に変わっている。様々な色合いをした緑色の柔《やわ》らかい生地が敷《し》きつめられて、真ん中には大きな卵《たまご》の形の枕《まくら》が三個載《の》っていた。モリガンは鳥のように両手を広げてうしろ向きに倒《たお》れこみ、満足そうに息をつきながら柔《やわ》らかいベッドに気持ちよく包まれた。

仰向《あおむ》けになったまま、しばらく前から星がきらめく藍色《あいいろ》の空になっている天井を見つめた。〈結社《ワンソック》〉の地図室を思い出したから、ずっとこのままだといいのにと思った。

サディアのことを考えずにはいられなかった。道場を出ていくときの彼女《かのじょ》の表情、そのあとの辛《つら》そうな沈黙《ちんもく》。ひどく心が痛《いた》んだ。サディアは戦闘《せんとう》クラブで負け知らずだったことを、とても誇《ほこ》りにしていた。当然だろう。それがよりによって、ウィル・ゴーディに負けたのだ。サディアが約束を守り、彼女《かのじょ》にとってあれほど大切なものを犠牲《ぎせい》にしたことに、モリガンは驚《おどろ》くと同時に勇気づけられていた。すべてはユニットのためだ。

そう考えて、モリガンは奮《ふる》い立った。戦闘《せんとう》クラブは失敗だった。だれが脅迫者《きょうはくしゃ》なのかを見分けられなかった。けれどあきらめるつもりはない。サディアがウィル・ゴーディにわざと負け、フランシスが徹夜《てつや》で世界でもっともばかげたケーキを作るのなら、あたしは、すべての背後《はいご》にだれがいるのかを突《つ》き止めてみせる。

ほかにできることがあるわけではなかったけれど。

第一一章
隠密《おんみつ》

「あの男には心配ごとがある」

「なにを心配しているの？」

「多分……お金だ」

ジャックとモリガンはらせん階段《かいだん》の手すりにもたれ、デュカリオンのロビーで繰《く》り広げられている土曜の夜のショーを眺《なが》めていた。広々としたロビー全体がサンゴ礁《しょう》に仕立てられ、金メッキを施《ほどこ》したいつものベルベットの家具や鉢植《はちう》えの植物の代わりに、小さなゴンドラやカヌーが置かれている。船には、フランクの招待状に記されているとおりに海に関連した装《よそお》いをした、騒々《そうぞう》しくも華《はな》やかな人々が乗っている。衣装《いしょう》はどれも手がこんでいて、モリガンが見ただけでも七人の人魚、四人の半魚人、船乗りと海賊《かいぞく》が大勢、ヒトデと牡蠣《かき》と全身スパンコールだらけの紫色《むらさきいろ》のタコがそれぞれひとりずついた。

「どうしてわかるの？」

ジャックは両目を細くした。眼帯は（珍《めずら》しいことに）こめかみにずらしてある。「指が緑色だ。緑の指はお金を手に入れたくてうずうずしているっていうことなんだ。もしくは、お金をなくしたばかりなのか」

モリガンは、ジャックが眺《なが》めている男性に視線《しせん》を向けた。提督《ていとく》の扮装《ふんそう》をした、自信たっぷりのハンサムな男だ。ゴンドラの先頭に立ち、このホテルもここにいる人間も全部自分のもののようなまなざしでロビーを見渡《みわた》している。「お金持ちみたいだけど。奥《おく》さんが首につけている宝石《ほうせき》を見てよ」

「金持ちだってお金のことは心配するよ。ときには、貧しい人以上にね。それにあれは彼《かれ》の奥《おく》さんじゃない、愛人だ」

モリガンは息を呑《の》んだ。あきれたし、わくわくもした。お気に入りのゲームになりそうだ。

ここしばらく、デュカリオンの週末は普段《ふだん》より活気に満ちたものになっていた。フランクが、近くに新しくできたホテル・オーリアナのパーティー企画係《きかくがかり》ふたりと争っていたからだ。毎週土曜日の夜、フランクはテーマのあるパーティーやダンスや仮面舞踏会《ぶとうかい》を開催《かいさい》した。建物の一部を完全に閉鎖《へいさ》することもあれば、遠くからでもその様子が見聞きできるように屋上を使うこともあった。そして日曜日の朝は、『ネバームーア・センティネル』紙と『ザ・モーニング・ポスト』紙と『ルッキング・グラス』紙が配達されるのを、ロビーをうろつきながら待ち、配達されるやいなや社会欄《しゃかいらん》を開く。どちらのホテルがコラムの多くを占《し》めたかによって、ロビーには勝利の笑い声か怒《いか》りの咆哮《ほうこう》のどちらかが轟《とどろ》くことになるというわけだ。フランクが勝つことのほうが多かったが（彼《かれ》のパーティーは伝説になっていたし、有名人や貴族《きぞく》やときには王家の人々が大勢出席した）、たまに負けることがあって、デュカリオンの人々はいつもびくびくしていた。敗北を喫《きっ》した日から数日、フランクはひどく落ちこみ、その後はつぎの土曜日のお祭り騒《さわ》ぎを〝いままでで最高のもの〟にするべく、再《ふたた》び熱狂《ねっきょう》の日々がはじまるのだった。

そういうわけで、土曜の夜のデュカリオンは人間を観察するまたとない機会だったし、ジャックは〈目撃者《もくげきしゃ》〉としての能力に自信をつけてきていたから、こうやって眺《なが》めているのはとても面白かった。

水が大嫌《だいきら》いなフェネストラは、今夜のテーマを決めたフランクに激怒《げきど》していて、a）〈カメムシ〉を呼《よ》ぶ、b）フランクの寝室《しんしつ》をニンニクだらけにする、c）ホテルに火をつける、と脅《おど》していた。もちろんそのどれも本当にしたわけではないけれど、いまは人々を威嚇《いかく》するように黒いシャンデリアにぶらさがり、近づいてくる客にはうなりながらだれかれとなく爪《つめ》を向けていた。

「あの人たちは？」モリガンは鮮《あざ》やかなトロピカルフィッシュの格好をした若《わか》い女性のグループを指さした。フリンジと羽根とビーズで飾《かざ》られた、ものすごくモダンで、とてつもなく下品なドレスだ。ピンクシャンパンをラッパ飲みしながら、危《あぶ》なっかしく船を漕《こ》いでいて、小さな砂《すな》の島で小型グランドピアノを弾《ひ》いているピアニストのウィルバーに〝もっと陽気な〟曲を弾《ひ》いてと、うるさくせがんでいる。

ジャックはじっと集中しながら、一分ほど彼女《かのじょ》たちを見つめていた。「クマノミみたいなドレスを着ているあのにぎやかな子は、家にいたいと思っている。とにかく、ここじゃないどこかほかのところに。糸……みたいなものがある。銀の糸。正面玄関《げんかん》から彼女《かのじょ》を引っ張り出そうとしているんだ」

ジュピターの甥《おい》は週末をここで過ごすために、今日の午後、チェロのレッスンが終わったあと戻《もど》ってきていた。彼《かれ》が帰ってきたことで、今日という日がぐっといいものに感じられるようになったことにモリガンは驚《おどろ》いていた。うんざりするようなはじまりかたをしていたから、なおさらだ。

九一九駅にフランシスのケーキを取りに来た人間を見つけて、脅迫者《きょうはくしゃ》を現行犯で取り押《お》さえるために、モリガンは六時五分前に目覚ましをセットした。不思議なドアを静かに開けて、〈結社《ワンソック》〉の衣装《いしょう》部屋を通り抜《ぬ》け……計画が失敗だったことを悟《さと》った。駅へのドアが開かなかったからだ。向こう側でなにかが邪魔《じゃま》をしている——脅迫者《きょうはくしゃ》は腹立《はらだ》たしいほど、頭がよかった。ようやく開いたときには、もう遅《おそ》かった。ケーキはなくなっていて、プラットホームにはだれもいなかった。

ケーキはうまく作れたのか、脅迫者《きょうはくしゃ》の正体についてなにか手がかりになるようなものを見つけなかったかどうかを尋《たず》ねたくて、モリガンはフランシスのドアをノックした。けれどフランシスはモリガンをにらみつけただけで——小麦粉とアイシングとべたべたするカラメルにまみれていた——また、彼女《かのじょ》の顔の前でドアを閉《し》めた。

ジュピターが再び出かけたことを知り、フランクがその夜のパーティーのためにロビーを一日中立ち入り禁止にしたことを聞かされて、モリガンの気分はさらに落ちこんだ。

そんなこんなで、ジャックの顔を見たモリガンはとてもうれしかったので、〈聡明《そうめい》な若者《わかもの》のためのグレイスマーク・スクール〉の気取った制服をからかいたくなるのを我慢《がまん》していたし、それができる自分をたいしたものだと感じていた。

「彼女《かのじょ》は？」モリガンはシュモクザメの帽子《ぼうし》をかぶった女性を示した。

「家の財産を弟が相続したことに激怒《げきど》している」

モリガンは驚《おどろ》きのまなざしを彼《かれ》に向けた。「ずいぶん細かいね」

「うん……合っていると思う。彼女《かのじょ》は複雑なんだ。緑の指――お金の問題だ。心臓《しんぞう》のあたりに黒い十字架《じゅうじか》が見えるのは、最近、親しい人が死んだということだ。小さなふたつめの影《かげ》があるから、妹か弟と問題があるのがわかる。弟だろうってぼくは推測《すいそく》した。全身が濃《こ》いワインレッドに光っているのは、激《はげ》しい怒《いか》りだ。彼女《かのじょ》は悲しんでいるけど、同時に怒《いか》り狂《くる》ってもいる」

モリガンはその女性を眺《なが》めた。〈緑のサンゴ〉カクテルをあおり、同じカヌーに乗っているかわいらしい金髪《きんぱつ》のヒトデと楽しげに語らっているにもかかわらず、悲しみが伝わってくるような気がした。

「じゃあ、あの男の人は？」モリガンは、肩《かた》に鮮《あざ》やかな色の大きなオウムを乗せた、海賊《かいぞく》の装《よそお》いのヒヒもどきの男性を頭で示した。

ジャックは鼻を鳴らした。「鳥のことをだれかに尋《たず》ねてほしくてたまらないらしい。だれも興味を示さないので、いらついている」

「ねえ、これでいっぱいお金が稼《かせ》げるよ！　あなたは透視《とうし》能力者だってことにするの。あたしの取り分は、二〇パーセントでいいよ」

　ジャックは薄《うす》ら笑いを浮《う》かべ、天を仰《あお》いだ。ジャックがあまり眼帯をはずしたがらないことをモリガンは知っていた。ジャックとは一度もその話をしたことはなかったけれど、〝狂気《きょうき》に意味を持たせる〟――層《そう》と糸を理解し、大切なことをふるい分け、それ以外を無視《むし》する――ことができるようになるまで、何年もの訓練が必要だったということは〈目撃者《もくげきしゃ》〉であるジュピターから聞いていた。ジャックはまだその域《いき》に達していないということも。ジャックの眼帯はフィルターのような役目を果たしていて、それのおかげで常にそういったものを見なくてもすむから、正気を失わずにいられるらしい。

「それで、きみは？」ジャックはモリガンに顔を向け、唐突《とうとつ》に尋《たず》ねた。まぶしい陽射《ひざ》しを遮《さえぎ》るみたいに片手《かたて》で目の上にひさしを作り、いまもモリガンのまわりに集まっているに違《ちが》いないワンダーの光を透《す》かすように目を細くして彼女《かのじょ》を眺《なが》めている。モリガンは顔が熱くなるのを感じた。それは、ジュピターが時々することだった。まるで、モリガン自身が知らないことを知っているような目で、彼女《かのじょ》を眺《なが》めるのだ。彼女が知らないたくさんのことを知っているみたいに。相手がジュピターでもいらだたしいのに、ジャックにそんなふうに見られると、彼《かれ》の目をつつき出したくなった。

　モリガンは顔をしかめた。「あたしがなに？」

「黒い雲」ジャックはモリガンの左の肩《かた》を示した。「きみのまわりについてきている。学校でなにかあった？」

モリガンは少しためらったあとで、答えた。「そんなところ」

「なにがあったの？」

どこからはじめればいいだろう？　モリガンは考えた。脅迫《きょうはく》のことを話してもいい？　彼女《かのじょ》が〈ワンダー細工師《さいくし》〉であることをジャックはすでに知っているから、長老たちとの約束を破ることにはならない。

モリガンは深呼吸《しんこきゅう》をすると、思い切ってすべてを打ち明けた。これまでに受け取った三通の手紙のこと、ユニットで行った多数決のこと、少なくともその半分がモリガンに腹《はら》を立てていること。一度話し始めると、もう止まらなかった。オンストールド教授と、〝ワンダーによる行為領域《こういりょういき》の要約歴史〟のこと。ヘロイーズとチャールトン・ファイブのこと。ジュピターがいつ終わるともしれない極秘《ごくひ》任務についていて、それは行方不明になっている人たちに関係しているんじゃないかと考えていること。とりとめもなく、延々《えんえん》と話し続け、ジャックはなにも尋《たず》ねることなく黙《だま》って聞いていた。浮《う》かんできたことをすべて吐《は》き出すと、なぜか……気持ちが軽くなった気がした。

「雲は消えた？」なにも見えないことがわかっていながら、モリガンは自分の左肩《ひだりかた》の上を眺《なが》めながら訊《き》いた。

ジャックは肩《かた》をすくめた。「小さくなった」

「よかった」

ジャックはうなずき、それ以上なにも尋《たず》ねようとはしなかった。ジャックのいいところだ。彼《かれ》は人から詮索《せんさく》されるのが嫌《きら》いだから、自分も他人のことに首を突《つ》っこんだりはしない。

「脅迫《ブラックメール》といえば」ジャックはコートの裏《うら》の隠《かく》しポケットに手を入れた。「これをきみに渡《わた》そうと思っていたんだ」そう言って、四角く折りたたんだ紙を差し出した。銀色がかった黒で、枯《か》れ葉のように薄《うす》いけれど、柔《やわ》らかくてしなやかな紙だった。「ぼくに用があるときは――本当の緊急時《きんきゅうじ》だよ、くだらない用じゃなくて――なにかトラブルに巻《ま》きこまれて助けが欲《ほ》しいときは、これに住所か目印を書くんだ。どこかぼくがきみを見つけられる場所を。それからぼくのフルネーム――ジョン・アルジュナ・コラパティ――を三回言って、この紙を燃やす。これはぼくとつながっているから、きみがどこにいようとぼくの手に現われる」

モリガンは眉《まゆ》を吊《つ》りあげた。信じていいものかどうかわからない。「どうなってるの？」

「ぼくにもさっぱりわからない。テストでカンニングができるように、友だちのトミーが作ったシステムなんだ。こんなものを作れるくらい頭がいいのに、どうしてカンニングなんかしなきゃいけなかったのか、まったく理解できないんだけどね」ジャックは肩《かた》をすくめた。「彼《かれ》の母親が魔女《まじょ》だから、きっと手伝ってもらったんだと思う。ともあれ、ブラック・メールってぼくたちは呼《よ》んでいる。この黒い紙が少なくなるまで、消灯後にほかの宿舎にメッセージを送るときに使ってたんだ。トミーはカンニングが見つかって停学になったんで、作ることを禁止されたんだよ。ばかだよな。ぼくもあと数枚《すうまい》しか持ってないんだけれど、ジュピターがしょっちゅう留守にしているみたいだし、いろいろ考えると……。ぼくに連絡《れんらく》が取れるようにしておくのが一番いいと思うんだ。それだけだよ」ジャックは妙《みょう》な表情で言った。

「わかった」モリガンは笑顔になり、その紙をポケットにしまった。「えーと、ありがとう」

「本当の緊急時《きんきゅうじ》だけだよ」ジャックは繰《く》り返し、また階段《かいだん》の手すりにもたれた。

「わかってるって」モリガンも手すりに肘《ひじ》を乗せ、つぎはだれにしようかとロビーを見まわした。「つぎは……あの人は？」

　モリガンが指さしたのはたったいま入ってきたばかりの男性で、池のなかの踏《ふ》み石みたいにボートからカヌー、そしてゴンドラへと飛び移りながらロビーを移動していた。客たちは彼《かれ》に挨拶《あいさつ》をし、拍手《はくしゅ》を送り、彼《かれ》が大型船をもう少しで転覆《てんぷく》させそうになると、笑いながら甲高《かんだか》い声をあげた。彼自身《かれじしん》は憂鬱《ゆううつ》そうな顔をしたまま、癖《くせ》のある赤毛をかきあげた。

「ジュピター！」モリガンが呼《よ》びかけた。彼《かれ》は顔をあげ、階段《かいだん》に立つモリガンとジャックに気づくと、小さく手を振《ふ》りながら固い笑みを浮《う》かべた。指を二本立て、声に出さずに「二分」と言うと、半分水に沈《しず》んだコンシェルジュの机《つくえ》にようやくたどり着き、その上に腰《こし》をおろして、ケジャリーから渡《わた》されたメッセージの分厚い束をめくり始めた。

　ジャックの目が叔父《おじ》の周辺を探《さぐ》った。「なにか探《さが》している。だからずっと出かけているんだ。でもそれがなににしろ、見つけられずにいる」

「どんなふうに見えているの？」

「頭のまわりに灰色《はいいろ》の霧《きり》がかかっているんだ」ジャックが答えた。「手の届《とど》かないところに、ぼんやりした光がいくつも揺《ゆ》らめいている」

巨大《きょだい》な影《かげ》のせいで不意にあたりが暗くなり、背後《はいご》から低い辛辣《しんらつ》な声が聞こえてくるまで、いやがらせのようにシャンデリアを揺《ゆ》らしていたフェネストラがそこに来ていたことに、ふたりは気づかなかった。「あいつらはここでなにをしているんだい？」

モリガンは胸《むね》を押《お》さえて飛びあがり、マニフィキャットの恐《おそ》ろしい顔を見あげた。「鈴《すず》かなにかつけてくれない？」心臓《しんぞう》がばくばくしている。「だれがここでなにをしているって？」

「〈カメムシ〉だよ」フェンは、コンシェルジュの机《つくえ》に向かって占領《せんりょう》したボートを漕《こ》いでいる、黒いコートを着た男女のグループを前足で示した。

モリガンは驚《おどろ》きに目を見開いた。「フェン！　まさか本当にフランクのことで警察《けいさつ》を呼《よ》んだわけじゃないでしょうね？　なんてひどいことを――」

「あたしがそんなことをすると思うのかい？」フェンがうなった。「もちろんあたしは呼《よ》んでいないよ。裏切者《うらぎりもの》は叩《たた》かれるからね」

「それならどうして――」

「彼《かれ》らは〈カメムシ〉じゃない」ジャックが押《お》し殺した声で言った。敬意《けいい》と恐怖《きょうふ》が入り混じったような表情だ。「あれは〈隠密《おんみつ》〉だ」

「なに？」

「〈輝かしき結社捜査部《ワンダラス・ソサエティそうさぶ》〉だよ」ジャックが答えた。「秘密警察《ひみつけいさつ》だ。こんなふうに姿《すがた》を見せることはめったにないんだ。普段《ふだん》はもっと……ほら、人目につかないようにするから」

「どうしてわかるの？」

「制服を見てごらん。黒い革《かわ》のコート、磨《みが》きあげた編みあげブーツ──胸《むね》のポケットが見えるかい？」

モリガンは一番近くにいる男性に目を凝《こ》らした。右の胸《むね》ポケットに、瞳《ひとみ》の内側にWの文字がある小さな金色の目が刺繍《ししゅう》されているのが見えた。

「間違《まちが》いなく〈隠密《おんみつ》〉だ。前に一度、ジョーヴ叔父《おじ》さんの助けを借りに来たことがあるんだ。何年か前、犯罪捜査《そうさ》に叔父《おじ》さんの手助けが必要だったんだよ。でもあれは……あのときは殺人事件だった」ジャックは声を潜《ひそ》めた。「有名な魔術師《まじゅつし》だった。弟子に殺されたんだけれど、ジュピターがその解決に手を貸したんだ。〈隠密《おんみつ》〉は本当に重大な犯罪のときにしか出てこない。それも〈輝かしき結社《ワンダラス・ソサエティ》〉のメンバーが関わっているときだけだ」

「行方不明になっている人たちを調べているのね」モリガンが言った。

ジャックは黒いコートの一団を見つめながら、首を振《ふ》った。「なにか、あるいはだれかを探《さが》しているのは確かだ。でもそれは何週間も前のものじゃない。ごく最近だ。ジュピターと同じような霧《きり》が彼《かれ》らのまわりにもあるけれど、もっと濃《こ》いし、それに……。どう説明していいかわからないけれど、なんていうかキラキラしているんだ──雷雨《らいう》みたいに。新しいんだよ」

ふたりは言葉を交わしている黒いコートの一団とジュピターを眺《なが》めた。ぺしゃんこになった髪《かみ》をかきあげているジュピターは、動揺《どうよう》しているようだったし、ひどく疲《つか》れて見えた。モリガンは手すりから体を離《はな》した。「下に行って、なにが起きているのか──痛《いた》い！」突然《とつぜん》、一本の大きなかぎ爪《づめ》が肩《かた》に食いこんだので、悲鳴をあげて足を止めた。「フェン！」

「もしあれが〈隠密《おんみつ》〉なら、あんたは近づいちゃいけない」マニフィキャットがうなるような声で言った。「なにが起きているのかあんたに知らせたいとジュピターが思ったなら、彼《かれ》から話すだろう。いまは、もうお帰り――寝《ね》る時間が過ぎているはずだよ」

「寝《ね》る時間なんて決まってない」モリガンは顔をしかめた。

「いいや、決まっているね」

「あなたには――」

「いいから」

「でも――」

「寝《ね》るんだ」

モリガンはジュピターと目を合わせたくて、彼《かれ》のほうを振《ふ》り返った。けれどジュピターはすでに〈隠密《おんみつ》〉たちに囲まれて小さなボートに乗り、正面玄関《げんかん》に向かって移動していた。

コートすら脱《ぬ》いではいなかった。

第一二章
地《じ》獄《ごく》の袋小路《ふくろこうじ》

　まただれかがいなくなったという話を、耳にしている者はいなかった。ケジャリーもフェネストラもデイム・チャンダーも――日曜日、モリガンはそれぞれにうるさく質問を浴びせた――知らなかった。ミス・チェリーも――モリガンの家に〈隠密《おんみつ》〉がやってきたことを月曜日のホームトレインで聞かされて、ひどく驚《おどろ》いた（そしていくらか心配そうな）様子だった――知らなかった。オンストールド教授も――午前の授業中に、〈輝かしき結社《ワンダラス・ソサエティ》〉の法執行《ほうしっこう》機関の内部構造についてしつこく尋《たず》ねたモリガンを、〝不作法〟で、〝生意気〟で、〝不適切〟だと決めつけた――知らなかった。

　オンストールドはその後の授業で、礼儀《れいぎ》や慎《つつし》みについてぜいぜい言いながら長々とお説教をした……『ワンダーによる行為領域《こういりょういき》の要約歴史』の新たな一節を書き写すよりは、ずっとましだった。

　午後のミルドメイとの授業は、それよりはるかに面白かった。

「〈ペテン通り〉。〈悪ふざけの道〉。〈影《かげ》の通路〉。〈幽霊《ゆうれい》の時間〉」ミルドメイは、黒板に書いたリストを読みあげた。「これがなにか、わかる人はいる？

全員がぽかんとした顔で彼《かれ》を見つめ返した。

「だれもいないの？」ミルドメイは驚《おどろ》いたようだ。「きみたちは運がいいね」

「それはなんですか、サー？」マヒアが訊《き》いた。

「〈ペテン通り〉は、昔、追いはぎや悪党《あくとう》たちが使っていた道具だ。その道を歩いていくとまったくべつの場所に出るという、単純《たんじゅん》な地理的ペテンだよ。ときにはそこは何キロも離《はな》れたところで、待ち構えていたごろつきどもが身ぐるみをはぐっていう寸法《すんぽう》だ。いまでは、ほとんどの〈ペテン通り〉は封鎖《ふうさ》されているか、標識が立っている。だが盗賊《とうぞく》の時代には、フリー・ステート中にあったんだ。

一方で、〈悪ふざけの道〉はいかにもネバームーアらしいばかげたものだと言っていい」ミルドメイはくつろいだ様子で、机《つくえ》に腰《こし》かけて両脚《りょうあし》をぶらぶらさせ始めた。本当に興味のある事柄《ことがら》について話すとき、彼《かれ》がこういう仕草をすることにモリガンは気づいていた。「いたって迷惑《めいわく》だし、恐《おそ》ろしいこともときにはあるが、たいていの場合は無害だ。自分がなにをしているのかが、わかっていればね。〝悪ふざけの道〟というのは、そこに足を踏《ふ》み入れたとき、なんらかの形で変換《へんかん》されてしまうネバームーアの小道や通路の総称《そうしょう》なんだ」

「変換《へんかん》ってどういう意味ですか？」モリガンが尋《たず》ねた。

「うん、たとえば半分まで歩いたところで、向きを変えたわけでもないのに、いつのまにか元来た方向に向かっていることに気づいたり、進んでいくうちに道がどんどん狭《せま》くなったりとかだ。引き返さなければ、押《お》しつぶされてしまうだろうね」

「げっ」アーチが身震《みぶる》いした。

「確かに、お勧《すす》めしないよ。ぼくは一度、進んでいくほどに重力が少なくなる〈悪ふざけの道〉を見つけたことがある。ふわふわと体が浮《う》いて、最後は壁《かべ》につかまりながら元の場所まで戻《もど》らなきゃならなかった」

「あ！」モリガンは、〈春の前日〉にジュピターと出かけたときのことを思い出した。「それ、見たことがある！」

モリガンはオールド・デルフィアン音楽堂にエンジェル・イスラフェルに会いに行くときに通った、奇妙《きみょう》な路地のことをミルドメイに語った（もちろん、彼《かれ》に会いに行った理由は省いた）。

「ボヘミアだって？　わお、それは知らなかったな。素晴らしいよ、ミス・クロウ。そう、町中に〈悪ふざけの道〉は点在している。ほとんどは地図に載《の》っていて、〈ペテン通り〉と同じように封鎖《ふうさ》されているか、もしくはそこがなんなのかを知らせる警告《けいこく》の標識が立っている。だが残念なことに、なかにはさすらう癖《くせ》を持っているものがあるんだ――その場所から消えて、まったくべつの場所に現われるんだよ。だから実のところ、ネバームーア議会が発行している公式の〈悪ふざけの道〉の地図は、あまり役に立たない。当然ながら、ぼくは〈生きている地図〉のほうがいいね。完璧《かんぺき》ではないにしろ、自分で更新《こうしん》してくれる」ミルドメイはかたわらの机《つくえ》に置かれていた地図の束を手に取ると、アナに渡《わた》した。「ともあれ、これはネバームーア議会が記録できないものを記録しようとした努力の結晶《けっしょう》だ。一冊《さつ》取って、隣《となり》にまわして」

ホーソーンから最後の一冊《さつ》を受け取ったモリガンは地図を開き、曲がりくねった細い道をしげしげと眺《なが》めた。ピンクや赤や黒の小さな旗が町じゅうに何十本も立っていて、それぞれが、いまのところ判明している〈悪ふざけの道〉の場所を示していた。

ミルドメイはパチンと手を叩《たた》いた。「さてと、ついておいで」地図室のドアへと向かいながら言った。「冒険《ぼうけん》に出かけるぞ！」

オールド・タウンは暖《あたた》かくて日が照っている完璧《かんぺき》な夏の日で、ユニット九一九は興奮《こうふん》にざわついていた。本来、一年めの生徒は登校日に〈結社《ワンソック》〉の外に出ることを許されていないのだが、ミルドメイは初めての実習授業に生徒たちを連れ出す許可をスカラー・ミストレスから取っていた。万一だれかが――ミルドメイを含《ふく》めて――〈結社《ワンソック》〉に恥《はじ》をかかせたら、全員をラッシュアワーのプラウドフット駅で線路に縛《しば》りつけるという条件つきだったけれど。

目的地はテンプル・クローズだということがわかった。〈輝かしき結社《ワンダラス・ソサエティ》〉からさほど遠くない細い脇道《わきみち》で、たいていの人がそこにあることにも気づかず通り過ぎるような、暗くて薄汚《うすぎたな》い路地だ。

ミルドメイは壁《かべ》にかかっている薄汚《うすよご》れた小さな標識を指さした。

テンプル・クローズ
注意！
〈奇妙《きみょう》な地理の研究団〉とネバームーア議会によって
この通りは
ピンクレベルの悪ふざけの道に
指定されています
（かなりの不都合を被《こうむ》る不愉快《ふゆかい》レベルの悪ふざけ）
入るときには自己《じこ》責任で

「もちろん」ミルドメイが口を開いた。「一番安全なのは、〈悪ふざけの道〉に入ったりしないことだ。だが、万一気づかずに足を踏《ふ》み入れてしまった場合の行動計画を立てておくことは大事だ。いいかい、三段階《だんかい》の簡単《かんたん》で明快な計画はこうだ。ステップ一‥落ち着くこと。突然《とつぜん》自分が宙《ちゅう》に浮《う》いているのがわかったら、たいていパニックを起こす。パニックを起こすと、冷静にものが考えられなくなる。

簡単《かんたん》なことをふたつ、覚えておいてほしい。息を吸《す》って──」ミルドメイは数秒かけて息を吸《す》った。「──そして吐《は》く」一定の速さでゆっくりと吐《は》き出した。ふうっ。「ぼくと一緒《いっしょ》にやるんだ。いいね？　息を吸《す》って」生徒たちは深々と息を吸《す》った。「そして吐《は》く」ふうっ。「よろしい。恐《おそ》ろしい状況《じょうきょう》に陥《おちい》ったとき、息をすることを覚えていれば驚《おどろ》くほど役に立つからね」

カデンスはモリガンに顔を向け、ぐるりと目をまわした。

「素晴らしいね。彼《かれ》に教えてもらわなかったら、この無意識の基本的な身体機能を忘《わす》れていたかも。メモを取っておかないと」カデンスは間抜《まぬ》けな顔を作り、空想上のペンで宙《ちゅう》に文字を書くふりをした。

「シーッ」モリガンは笑いをこらえながら、カデンスを黙《だま》らせた。

「ステップ二：退却《たいきゃく》」ミルドメイが言った。「〈悪ふざけの道〉がどういうものなのか、いつもわかっているとはかぎらない。ただの反重力や狭《せま》くなる道だったら運がいい……このふたつはありふれたものだ。だが、もっと危険《きけん》な悪ふざけもある。数年前、肺《はい》のなかの空気をすべて奪《うば》って窒息死《ちっそくし》させる〈悪ふざけの道〉が、サウジー・アポン・ジュロに現われたんだ。それに遠い昔には、人間を文字通り裏表《うらおもて》にひっくり返してしまう道が、ここオールド・タウンにあったという話を読んだことがあるよ。すべての筋肉《きんにく》や内臓《ないぞう》が体の外側に出てしまったんだそうだ」

生徒たちは顔をしかめ、嫌悪《けんお》の声をあげた――「いかしてる」とつぶやいたホーソーンと、興味深そうに顔をあげたアナ以外は。

「怖《こわ》がらなくて大丈夫《だいじょうぶ》だ」ミルドメイは両手をあげて、生徒たちを黙《だま》らせた。「その道はもうない。レンガで囲ってしまったからね」

モリガンは、がっかりしたような顔をしたホーソーンを見て首を振《ふ》った。

「ぼくが言いたいのは、〈悪ふざけの道〉でなにが待っているのかはわからないっていうことだ。だから、抵抗《ていこう》してはいけない。退却《たいきゃく》するんだ。常に退却《たいきゃく》だ。悪ふざけを出し抜《ぬ》けるとか、抑《おさ》えこめるとか、戦って勝てるとかは、絶対に考えてはいけない。きみたちの命は、近道よりも価値《かち》がある」ミルドメイはモリガンが見たこともないほど真剣《しんけん》な表情で、ひとりひとりの顔を順番に眺《なが》めた。

「最後がステップ三‥だれかに話す。どうしてそれが大事だと思う？」

アナがさっと手をあげた。「ほかの人がそこに入らないように？」

「よくできたね。ほかには？」

「まだ地図に載《の》っていないかもしれないから」マヒアが答えた。

「正解だ。ほかには？」

答える者はなかった。

ミルドメイは再び、議会の地図を広げた。「変わっているかもしれないからだ。〈悪ふざけの道〉は気まぐれだ——時間と共に変化したり、進化したりする。地図を見てごらん。ハイウオールにペリンズ・コートという道があるだろう？　ここは宙《ちゅう》づりをするだけのごくありきたりの道だった。ところが先週、そそっかしい四年めの生徒がペリンズ・コートにうっかり迷いこんでしまい、気づいたときには下水を泳いでいた」

一斉《いっせい》に〝おえっ〟や〝げえっ〟という声があがった。

「まったくだ」ミルドメイは言葉を継《つ》いだ。「だが彼《かれ》は、ちゃんと正しいことをした。落ち着いて後退《こうたい》し、案内人に話した。いや、まずシャワーを浴びて、それから案内人に話したんだ。案内人は〈奇妙《きみょう》な地理の研究団〉に連絡《れんらく》し、ぼくたちは議会に報告し、議会は地図を更新《こうしん》した。健康上のリスクを考えて、ペリンズ路地の警戒《けいかい》レベルをピンク（かなりの不都合を被《こうむ》る不愉快《ふゆかい》レベルの悪ふざけ）から赤（危《き》険《けん》度が大きく、ダメージを与《あた》える恐《おそ》れが高い悪ふざけ）にあげて、警告《けいこく》の標識を立てた」

「でも、どうして内臓《ないぞう》が外に出ちゃうところみたいに、レンガで囲わないんですか？」ホーソーンが尋《たず》ねた。

「ペリンズ・コートにはまだ望みがあるからだよ。宙《ちゅう》づりから下水に変わったわけだから……いつかまたただの道路に戻《もど》る可能性がある。レンガで囲うのは、望みのないところだけだ。黒レベルだ」

「黒レベルはどういう意味なんですか？」モリガンは尋《たず》ねた。

「入れば死ぬ」

モリガンは唾《つば》を飲んだ。ネバームーアには、まだ発見されていないそんな道がどれくらいあるんだろう？

「心配しなくていい」ミルドメイは笑顔で言った。「黒レベルはとても珍《めずら》しいし、この聖堂《せいどう》の路地はただのピンクレベルだ。ここにきみたちを連れてきたのは、練習のためだ。きみたちはひとりずつこの道に入り、三段階《だんかい》のうちの最初のふたつのステップをやってもらう。最初はだれがやる？」

予想どおり、サディアとホーソーンが手をあげた。ふたりは先頭に立とうとして互《たが》いを押《お》しのけあっていたが、ミルドメイにはべつの考えがあった。

ミルドメイは気乗りしない様子のフランシスを手招きし、彼《かれ》の肩《かた》に手を添《そ》えてテンプル・クローズの石畳《いしだたみ》の細い道をのぞきこんだ。ほかの生徒たちはそのうしろに集まった。モリガンのところからフランシスの顔は見えなかったけれど、怯《おび》えているのはわかった――見て取れるほど震《ふる》えている。

「いいかい、ミスター・フィッツウィリアム」ミルドメイが言った。「息をして、それから退《たい》却《きゃく》するんだ。そのふたつを覚えていれば、大丈夫《だいじょうぶ》だ」

「だれかほかの人に先に行ってもらうわけにはいきませんか？」フランシスが泣き言を言った。

「はい、ぼく！」ホーソーンが手をあげたが、ミルドメイはその手をつかんでおろした。

サディアはいらだったように息を吐《は》いた。「フランシス、赤ん坊《ぼう》じゃないんだから。ただのピンクレベルじゃないの。まったく」

「サディア、意地の悪いことを言うんじゃない」ミルドメイが言った。「だが彼女《かのじょ》の言うとおりだよ、フランシス。ここはただ、宙《ちゅう》づりにするだけだ。最悪でも、頭に血が集まるだけですむ。さかさまになっているのがわかったら、何歩かあとずさりするんだ。宙《ちゅう》に浮《う》いているわけだが、地面を歩いているときみたいに足を動かせばいい。道はきみが戻《もど》ろうとしているのを悟《さと》って、すぐに元通りにしてくれる」そっとフランシスの背《せ》中《なか》を押《お》した。「さあ、行って。大丈《だいじょう》夫《ぶ》、できるよ」

フランシスは一歩、さらにもう一歩、足を踏《ふ》みだした。

ホーソーンは小さな声で、彼《かれ》を勇気づけるように名前を呼《よ》び始めた。「フランシス、フランシス、フランシス」モリガンとほかの生徒たちも加わり、その声が狭《せま》い路地に反響《はんきょう》した。「フランシス、フランシス、フランシス」

もう一歩、そしてまた一歩。ようやく路地のなかほどまでたどり着くと、フランシスの体はまるで重さがないみたいに、不意にぐるりとさかさまになって宙《ちゅう》に浮《う》いた。フランシスは片足《かたあし》を空に向けてまっすぐに伸《の》ばした格好で宙《ちゅう》づりになり、ほかの三本の手足をばたばたさせた。

「息をして、フランシス」ミルドメイが言った。「落ち着いて」

フランシスは大きく息をし、手足をばたつかせるのをやめた。

「つぎにどうすればいいかはわかっているよね。一歩あとずさって……そしてもう一歩……」

「フランシス、フランシス、フランシス……」

さかさまに宙《ちゅう》づりになりながら、フランシスはこっけいなほど大げさに片足《かたあし》をうしろに引いた。さらにもう一歩、そして、もう一歩――

「そうだ！」フランシスの体勢が元通りになり、よろよろと石畳《いしだたみ》の上におり立つと、ミルドメイは大喜びで叫《さけ》び、こぶしを突《つ》きあげながら飛びあがった。フランシスが振《ふ》り返った。息を切らし、茫然《ぼうぜん》としているけれど、笑みを浮《う》かべている。

生徒たちは順番にテンプル・クローズに入り、宙《ちゅう》づりになったり元通りになったりして、ミルドメイとほかの生徒たちから喝采《かっさい》を受けた。自分の順番が来ると、モリガンはけたたましい笑い声をあげたし、ホーソーンはもう一度やりたいと言い出すくらい大喜びだった。

「もう一度やってもかまわないよ、ミスター・スウィフト」ミルドメイが言った。「みんなもね。地図を持っているね？　三人ずつのグループになって、安全に後退《こうたい》を練習できるオールド・タウンのなかの〈悪ふざけの道〉をひとつ選ぶんだ。北地区からでないこと。ピンクレベルのみだ。忘《わす》れるんじゃないよ、落ち着いて後退《こうたい》する、いいね。〈勇気の広場〉の時計が三時を知らせたら、〈結社《ワンソック》〉のゲートに集合だ」

「フランシス、わたしたちと一緒《いっしょ》に行かない？」モリガンが声をかけた。フランシスは苦々しい顔で背《せ》を向けた。彼《かれ》に声をかけて無視《むし》されたのは、この日四度めだ。むっつりしているサディアはひどいと思っていたけれど、フランシスのほうがもっとひどい。さげすむような目でモリガンを見ているか、彼女《かのじょ》が話しかけたときには耳が聞こえなくなったふりをするかのどちらかだった。

「フランシスは、多数決でどっちに手をあげたのかを忘《わす》れたみたいだね」ホーソーンが言った。

「ぼくだったら、もうあきらめるけどな、モリガン」

フランシスはサディアとアナについていき、マヒアはアーチとランベスを連れて違《ちが》う方向へと消えていった。怒《おこ》ったような気まずい表情のカデンスがひとり残された。だれひとり彼女《かのじょ》のほうを見ようともしなかった。また忘《わす》れられているようだ。

「あたしたちと一緒《いっしょ》に行こう、カデンス」モリガンが声をかけた。カデンスはどうでもいいふうを装《よそお》いながら、ゆっくり近づいてきた。

三人はモリガンの地図を眺《なが》めた。北地区には一一のピンクレベルがある。どこにするかでホーソーンとカデンスの意見が一致《いっち》するまで一〇分かかり、三人がたどり着いたときにはマヒアのグループがすでにそこにいたので、また選び直さなくてはならなかった。

「〈地獄《じごく》の袋小路《ふくろこうじ》〉!」ホーソーンがモリガンの肩越《かたご》しに、地図の一点を指さした。「これ、いかしてる」

「それは西地区よ、ばかね」カデンスが言った。

「だから?」

「北地区から出るなって言われたでしょう?」

「ちょっと西地区に入ってるだけじゃないか――ほんの一ブロックだ」

「それでも――」

「ああ、もういいから行こう」モリガンは地図を丸めながら言った。「でないと、授業が終わっちゃう」

〈地獄《じごく》の袋小路《ふくろこうじ》〉は細くて暗い路地だった。突《つ》き当りが見えないほど暗い。トンネルをのぞいているみたいだ。入口には、ここがピンクレベルの〈悪ふざけの道〉であることを告げる、テンプル・クローズで見たものと同じ小さな標識があった。

「ぼくが一番だ」ホーソーンはそう言うと路地に駆《か》けこもうとしたが、モリガンはシャツの背《せ》中《なか》をつかんで止めた。

「待って! 走っちゃだめ。どんな悪ふざけだかもわからないんだから。よく考えてよ。ゆっくり行くの」

ホーソーンは天を仰《あお》ぐと、「わかったよ、父さん」とつぶやき、渋々足取《しぶしぶあし》りを緩《ゆる》めた。モリガンとカデンスはそれを眺《なが》めながら、ホーソーンが突然《とつぜん》さかさまになるのをいまかいまかと待った。けれど路地を半分ほど進んだところでホーソーンは立ち止まった。小さくその体が揺《ゆ》れている。

「ホーソーン？」モリガンが声をかけた。「どうしたの？　大丈夫《だいじょうぶ》？」

「なんか……具合が悪い」

「気持ち悪いの？」

ホーソーンは一歩前に足を踏《ふ》み出したが、そこで止まった。「おえっ。吐《は》きそうだ」

カデンスが不快そうにうめいた。

モリガンは顔をしかめた。「それが悪ふざけなんだと思う？　それとも、あなたが食べたもののせい？」どちらの可能性が高いだろうとモリガンは考えた。今日のランチにホーソーンは、ローストビーフとグレービーソースのサンドイッチを三切れ、貝のスープを四杯《はい》、ストロベリー・ミルクを一パイントたいらげたのだ。

「多分――おえええええ」ホーソーンは膝《ひざ》に手を当てて前かがみになり、いまにも吐《は》こうとするかのように体を震《ふる》わせた。

「退却《たいきゃく》！」モリガンは叫《さけ》んだ。「ホーソーン、あとずさりして」

「だめだ――無理だよ、ぼくは――」ホーソーンは両手で口を押《お》さえ、またふらついた。

「戻《もど》るのよ、間抜《まぬ》け！」カデンスが怒鳴《どな》りつけた。

ホーソーンは震《ふる》える足でかろうじて一歩うしろにさがり、さらにもう一歩さがった。彼《かれ》の体からすっと力が抜《ぬ》けたのがモリガンにもわかった。ホーソーンはしゃんと背筋《せすじ》を伸《の》ばすと、もう一歩うしろにさがり、それからくるりと向きを変えて走って戻《もど》ってきた。

「ひどかったよ」ホーソーンは汗《あせ》ばんだ青い顔から髪《かみ》をはらいながら言った。まだ少し気分が悪そうだ。「つぎはだれだい？」

「わたしはやめておく」カデンスはすっかりやる気をなくしたようだ。

ホーソーンは彼女《かのじょ》をにらみつけた。「だめだよ。ぼくがやったんだから、きみたちもやらないと」

カデンスは鼻で笑った。「お断り」

「ぼくより遠くまでは行けないだろうな」

「どうでもいい」

「きみは臆病者《チキン》なのさ」ホーソーンは羽のように手をパタパタさせ、鶏《にわとり》の鳴き声を真似た。

モリガンは天を仰《あお》いだ。「もう、いいかげんにしてよ。あたしが行く。ほら、カデンス、地図を持っていて」モリガンは石畳《いしだたみ》の路地を進み、吐《は》き気が襲《おそ》ってきたところで足を止めた。倒《たお》れるのか、気絶するのか、それとも靴《くつ》の上に吐《は》くのか、自分でもわからない。その全部かもしれない。

けれど吐《は》き気を催《もよお》させるもやのなかのなにかが、モリガンを前へと進ませた。自分でも説明できない直感のような、衝動《しょうどう》のようななにか。モリガンは、あの夜ボヘミアで知ったことや、オールド・デルフィアンに通じていた悪臭漂《あくしゅうただよ》う路地のことを考えていた。なにより、この道をどこまで進めるのか、終わりにはなにがあるのかを知りたくてたまらなかった。このまま……進み続けたらどうなる……

さらに数歩進んだところで、動けなくなった。膝《ひざ》に手をついて前かがみになり、どうにもならない吐《は》き気の波が収《おさ》まるのを待った。

「もう戻《もど》ってきていいよ」ホーソーンが背後《はいご》から叫《さけ》んだ。「ぼくより遠くまで行ったし」

これ以上進むことを考えただけでぞっとしたけれど、それでもモリガンはさらにもう一歩足を踏《ふ》み出した。この道はなにかを隠《かく》している。指先がぴりぴりした。それだけじゃない――前方のどこかから声がする。初めのうちははっきりしなかったけれど、やがて――

「……いまいましい〈隠密《おんみつ》〉が跡《あと》を追ってきている。この調子だと、スケジュールどおりには……」

〈隠密《おんみつ》〉。聞き間違《まちが》えじゃなくて？

モリガンは足を止め、吐《は》き気をこらえながら、耳に神経を集中させた。この道の先になにが――だれが――隠《かく》れているのかを突《つ》き止めなくてはいけない。体が震《ふる》えるのもかまわず、背後《はいご》からホーソーンとカデンスが「戻《もど》って！　なにをしているの？」と叫《さけ》んでいるのも無視《むし》して、さらに前進した。そしてついに、いまにもランチに食べたものを石畳《いしだたみ》にぶちまけてしまうと思いながらさらに足を進め、目に見えない壁《かべ》を強引にくぐり抜《ぬ》けると……吐《は》き気が消えた。なんの前触《まえぶ》れもなく。

振《ふ》り返った。ホーソーンとカデンスが消えている。〈地獄《じごく》の袋小路《ふくろこうじ》〉の入口にあった明かりが消えている。路地がひっくり返ったみたいに、前方にあったトンネルのような暗闇《くらやみ》はいまは背後《はいご》に移動していた。

モリガンは路地の入口に立っていて、目の前にはこれまで見たことのない大きな広場があった。地面はでこぼこしていて、ずっと以前に壊《こわ》れたまま修復されていない敷石《しきいし》は、ふさふさした草にすっかり覆《おお》われてしまっている。広場は、キャンバス地の古いテントとテーブルの屋台が不規則に並《なら》ぶ、仮設のマーケットになっていた。イベントが終わったばかりか、もしくはまだはじまっていないかのように、どれも空っぽだ。荒廃《こうはい》した空気が漂《ただよ》っていて、モリガンのうなじがぞくりとした。

「もっと高い値段《ねだん》がつくって」近くのテントから女性のどら声が聞こえた。「あと二、三日置いておいて、いい買い手が――」

「おれはいい、いますぐ売りたいんだ」男が切羽詰《せっぱつ》まった口調で遮《さえぎ》った。「あれは確かに珍《めずら》しいが、これ以上置いておくのは無理だ。凶暴《きょうぼう》なんだよ。なにをされたか見てみろ――感染《かんせん》してなかったら幸運だよ」

人気《ひとけ》のない広場に立っているのは無防備な気がして、モリガンは路地の陰《かげ》に身を潜《ひそ》めた。胃《い》のあたりに、〈悪ふざけの道〉で感じた吐《は》き気とはまたべつの、妙《みょう》な気持ち悪さを感じた。

「言ったじゃないか」女性が言った。「我慢《がまん》するんだよ。あんたが言うとおりの珍《めずら》しい種類なら――」

「そのとおりさ」

「――つぎの競売でいい値段《ねだん》がつくし、あんたの評判だってあがる。秋の分で、また出せるのならの話だけどね」

モリガンは額《ひたい》にぽとりとなにかが落ちてきたのを感じて、思わず手で拭《ぬぐ》った。インクのような黒いものが指についた。上を見ると、大きな木のアーチがあった。片手《かたて》にペンキ用のはけ、もう一方の手に黒いペンキの缶《かん》を持った男が高い梯子《はしご》の上にいて、アーチに字を書いている。

不気味なマー

男はふと視線《しせん》を下に向け、モリガンに気づいて目を見開いた。

「おい！」男は持っていた缶《かん》を取り落とし、敷石《しきいし》に黒いペンキが飛び散った。ズボンにかかりそうになって、モリガンは跳《と》びすさった。「おまえはだれだ？　どうやってここに来た？」

モリガンは一瞬《いっしゅん》たりともためらわなかった。男は、モリガンを捕《つか》まえようとあわてるあまりひっくり返りそうになりながら急いで梯子《はしご》をおりたが、モリガンのほうが速かった。きびすを返し、トンネルのような路地に駆《か》けこんで来た道を戻《もど》っていく。途中《とちゅう》の見えない壁《かべ》を抜《ぬ》け、これで一巻《いっかん》の終わりかもしれないと思えるほど不快な感覚のなかを進み、激《はげ》しい嫌悪感《けんおかん》のなかを速度を落とすことなくひたすら走った。前方に明かりが現われ、ホーソーンとカデンスの驚《おどろ》いた顔が見えてきた。モリガンはさらに足を速め、〈地獄《じごく》の袋小路《ふくろこうじ》〉の入り口にたどり着いたところで叫《さけ》んだ。

「逃《に》げて！」

第一三章
火と氷

モリガンは背後《はいご》の足音を聞きながら、先頭を切って走った。ホーソーンとカデンスを連れて暗い路地からオールド・タウンの明るい陽射《ひざ》しのなかへと走り出ると、そのまま速度を落とすことも足を止めることもなく人や乗り物の行きかう通りを抜《ぬ》け、〈結社《ワンソック》〉のゲートにたどり着いた。息は切れていたし、疲《つか》れ切っていたけれど、ここまでくれば安全だ。あの男が〈地獄《じごく》の袋小路《ふくろこうじ》〉からモリガンを追ってきていたとしても、途中《とちゅう》で振《ふ》り切ったはずだ。

「いったいなんだっていうんだ？」ホーソーンは体をふたつ折りにして、脇腹《わきばら》を押《お》さえている。

「ぼくたちはなにから逃《に》げていたの？」

モリガンには答えられなかった。ペンキ用のはけを持っていた男？　あの隠《かく》された広場のなにあれほど不安な気持ちになったのかは説明できないけれど、走ったせいで暑くてたまらないのに、うなじのぞくぞくする感じは消えていなかった。ホーソーンとカデンスに見聞きしたことすべてを話すと、ふたりともモリガンと同じくらい当惑《とうわく》した顔をした。

「不気味なマー？」カデンスが言った。「それって〈不気味なマーケット〉ってこと？」

「そうかもしれない。看板《かんばん》を書いている途中《とちゅう》だったのかも」

カデンスは目を見開いた。「まずいね」

ホーソーンはしかめ面をした。「おいおい、カデンス。まさか、〈不気味なマーケット〉を信じているんじゃないよね？」

「あんたは信じてないの？」

「〈不気味なマーケット〉ってなに？」モリガンが尋《たず》ねた。

「どうかしたのかい？」〈勇気の広場〉の時計が遠くで三時を打つと同時に、ミルドメイが現われた。

「えーと……」モリガンは口ごもった。見たもののことを尋《たず》ねたかったけれど、すぐにふたつのことを思い出した。ひとつめは、行くべきではなかった西地区に行ったこと。そしてふたつめは、〈悪ふざけの道〉に対処《たいしょ》するための三段階《だんかい》のステップを完全に無視《むし》したこと。ステップ二の退却《たいきゃく》を、彼女《かのじょ》自身のステップ二――ルール違反《いはん》だとわかっていながら進み続けて、歓迎《かんげい》されていないところに首をつっこむ――に変えたことを、どう説明する？「なんでもありません」モリガンは力なく言った。

ミルドメイは疑《うたが》わしそうな顔で、ホーソーンからカデンスへと視線《しせん》を移した。「だれかが〈不気味なマーケット〉の話をしていたような気がしたが」

モリガンは青くなった。「いいえ――はい。妙《みょう》な話なんです。実は――」

「はい、そうなんです、兄さんのホーマーによくからかわれていたんです」モリガンがそれ以上なにか言う前に、ホーソーンが素早く割《わ》って入った。ちらりとモリガンの顔を見てから、さらに言った。「〈結社《ワンソック》〉に入ったぼくを、〈不気味なマーケット〉が捕《つか》まえにくるって言うんです。でもホーマーは自分に天賦《てんぷ》の才がないから、焼きもちを焼いているだけなんだ」

ミルドメイの表情が和らいで、面白がっているような顔になった。「昔ながらの伝統が続いているというわけだ。都市伝説が代々伝えられているんだね」彼《かれ》はホーソーンのうしろに目を向け、丘《おか》をのぼってくるユニットのほかの生徒たちに声をかけた。「ああ、帰ってきたね！」

ミルドメイが〈結社《ワンソック》〉の入り口の警備員《けいびいん》に合図をすると、ゲートがきしみながら開き、生徒たちはプラウドフット・ハウスに続く長い私道《しどう》を進み始めた。

「都市伝説ってなんですか？」モリガンが聞いた。

モリガンとホーソーンとカデンスは、〈悪ふざけの道〉の探索《たんさく》についてうれしそうに語り合いながら歩いていくほかの生徒たちのうしろを、ミルドメイを囲むようにしてついていった。

「ああ、人から人に伝わるただの噂話《うわさばなし》だよ。何度も繰《く》り返されるうちに、真実として受け入れられるようになったんだ。〈不気味なマーケット〉というのは、若《わか》い〈結社《ワンソック》〉の生徒を怖《こわ》がらせるためのばかげた作り話さ」ミルドメイは興味なさそうに手を振《ふ》った。「ぼくなら気にしないね」

「言っただろう？」ホーソーンがカデンスに言った。「本当じゃないんだ」

「本当だってば」カデンスは言い張った。「母さんは、〈不気味なマーケット〉に大叔母《おおおば》さんを連れていかれたっていう女の人を知っているんだから。二度と姿《すがた》を見ることはなかったって」

ミルドメイは気乗りしなさそうに大きくため息をつき、ズボンのポケットに両手を突《つ》っこんだ。「ずっと昔は、〈不気味なマーケット〉は本当にあったかもしれないな。ブラックマーケットだって言われている。考えられるほぼすべてのものを買うことができた、秘密《ひみつ》の違法《いほう》な取引場所だ。武器、風変りなアンニマルの体の一部、人間の臓器《ぞうき》、禁止された魔法《まほう》の材料……」

「ワニマルも」カデンスが言った。

「ワニマルを買えたの？」モリガンはぞっとした。「ひどい」

「むかつくでしょう？　ワニマルだけじゃない。ケンタウルス、ユニコーン、ドラゴンの卵《たまご》、そんなもの全部よ。もちろん、当局が閉鎖《へいさ》させて――」

「マニフィキャットは？　マニフィキャットはどうなの？」

ミルドメイは妙《みょう》な顔でモリガンを見た。「どうしてだい？」

「どうかなと思って」

もちろんモリガンが考えていたのはドクター・ブランブルのいなくなったマニフィカブのことだったけれど、それだけではなかった。フェネストラが脳裏《のうり》に浮《う》かんだ。頑固《がんこ》で、愛想が悪くて、忠実《ちゅうじつ》で、過保護なフェンが売りに出されている――どこかのばかな人間が、マニフィキャットのフェネストラを自分のものにしようとしている――と考えただけで、なにかを蹴飛《けと》ばしたくなった。

以前にもマニフィキャットを見たことがあったから、初めてネバームーアに来てフェンに会ったときは、もじゃもじゃの灰色《はいいろ》の毛皮とその態度にショックを受けた。ニュースで見たマニフィキャットは、まったくの別物だったからだ。ウィンターシー共和国の大統領は、六匹《ぴき》のマニフィキャットに車を引かせていることで知られていた。首輪をつけた、つややかな黒い毛皮の従順《じゅうじゅん》で物静かな生き物だった。

いままで知らなかったことを聞かされて、そもそもあのマニフィキャットたちはどこから来たんだろうとモリガンは考えずにはいられなかった。ブラックマーケットで買われたんだろうか？　なんらかの方法で、フェンのような知性のある自立した生き物を、よく訓練された乗り物に変えたの？

「聞いたことがあるんだけど」カデンスはさっきよりも静かな口調だった。「天賦《てんぷ》の才だって買えるって。〈骨男《ほねおとこ》〉が〈輝かしき結社《ワンダラス・ソサエティ》〉のメンバーをさらって、その天賦《てんぷ》の才を盗《ぬす》んで、〈不気味なマーケット〉で売るんだって」

「〈骨男《ほねおとこ》〉？　それはなに？」モリガンが訊《き》いた。

ミルドメイはくすくす笑い、ぐるりと目を回した。「〈骸骨軍団《がいこつ》〉とも呼《よ》ばれているよ。子《こ》供《ども》をさらっていくブギーマンだな。死体が山ほどある、暗くて人気《ひとけ》のない場所——墓地や戦場や川床《かわどこ》みたいなところだ——で、死人の残り物が勝手に集まって〈骨男《ほねおとこ》〉になると言われているる」

「ホーマーもそう言ってた」ホーソーンは半笑いを浮《う》かべている。「注意していれば、海や腐《くさ》った肉のにおいがするし――」

「骨《ほね》がかたかた鳴る音が聞こえる？」ミルドメイはまた笑った。「子供《こども》のころは、寝《ね》ているあいだに〈骨男《ほねおとこ》〉がさらいに来るぞって互《たが》いを脅《おど》かしあったものさ。あとには骨《ほね》の痕跡《こんせき》以外、なにも残らないんだぞってね。ただの伝説だよ。ベッドの下に怪物《かいぶつ》がいるっていうあれさ。本当じゃないから、なにも怖《こわ》がることはないよ」

けれどモリガンは笑わなかった。階段《かいだん》を踏《ふ》みはずしたみたいに、どこかに落ちていく気がした。

ほかの生徒たちと〈悪ふざけの道〉の授業について話をするため、ミルドメイが前方に駆《か》けていくと、モリガンは足取りを緩《ゆる》め、ホーソーンとカデンスの背中《せなか》をつかんだ。

「〈骨男《ほねおとこ》〉は伝説じゃないと思う」モリガンは静かに切りだした。両腕《りょううで》に鳥肌《とりはだ》が立っている。

「あたし……あたし、見たと思う」

「見たってなにを？」カデンスが訊《き》いた。

「どこで？　いつ？」今度はホーソーンだ。

「しばらく前に波止場で。そのときはなんだかわからなかったけど、ミルドメイが説明してくれたとおりだった」グロテスクな骨《ほね》とがれきの寄せ集めとその邪悪《じゃあく》さを思い出して、モリガンは小さく身震《みぶる》いした。

「もし〈骨男《ほねおとこ》〉が本当にいるのなら……」ホーソーンが眉間《みけん》にしわを寄せた。

「〈不気味なマーケット〉も本当にあるってことになる」モリガンがあとを引き取って言った。

カシエルとパキシマス・ラックとドクター・ブランブルのマニフィカブのことを思った。そのうちのだれかを見つけることができるとしたら、〈不気味なマーケット〉かもしれない。モリガンのその予感が正しければ、もう一度〈地獄《じごく》の袋小路《ふくろこうじ》〉に行かなければならないということだ。

その必要はないにもかかわらず、ミルドメイはユニット九一九をミス・チェリーが待っているプラウドフット駅まで送り届《とど》けた。ミス・チェリーは天蓋《てんがい》の隙間《すきま》から射《さ》す午後の陽射《ひざ》しを受けながらホームトレインのドア口に座《すわ》り、目を閉《と》じて、ティーカップを両手で包むようにして持っていた。

「やあ、マリーナ」ミルドメイが声をかけた。何気なさそうな口ぶりだったけれど、それが見せかけであることにモリガンは気づいていた。ミルドメイは目にかかった髪《かみ》をはらい、いくらかぎこちなく腕《うで》を振《ふ》りながら、爪先立《つまさきだ》って体を揺《ゆ》らした。その頬《ほお》がうっすらと赤くなった気がして、モリガンはにやにやしながらホーソーンをつついた。

「ミルドメイは夢を見ているのさ」ホーソーンが小声で応じた。

ミス・チェリーは片目《かため》を開けた。「こんにちは、ヘンリー。あなたたち、問題はない？　オールド・タウンはどうだった？」立ちあがり、残った紅茶《こうちゃ》を線路に捨《す》てた。「さあ、みんな──」

悲鳴のような、すすり泣きのような恐《おそ》ろしい声に、ミス・チェリーはそのあとの言葉を呑《の》みこんだ。声のしたほうに顔を向けたモリガンは、つぎの瞬間《しゅんかん》、人間の砲弾《ほうだん》のようなものに――感触《かんしょく》も大差なかった――地面に押《お》し倒《たお》されていた。手足を振《ふ》り回し、苔《こけ》のような長い髪《かみ》を振《ふ》り乱《みだ》した砲弾《ほうだん》。

「あんた、彼《かれ》になにをしたの？　なにをしたの？　**答えて！**」

ヘロイーズが顔をひっかこうとしたので、モリガンはたじろいだ。ミルドメイとミス・チェリーが両側からヘロイーズの手をつかんで引き離《はな》したが、ヘロイーズはそれでもモリガンにつかみかかろうとして暴れている。ホーソーンとカデンスが茫然《ぼうぜん》としているモリガンに駆《か》け寄って、助け起こした。

「**やめなさい！**」ミス・チェリーがヘロイーズの手首を離《はな》すまいとしながら叫《さけ》んだ。「この子はなにか知っている。彼《かれ》になにかしたのよ。彼《かれ》はどこ？　アルフィーはどこ？」

「ヘロイーズ、落ち着いて」ミルドメイが言った。「いったいなにを言っているんだ？　アルフィーになにがあったんだ？」

ヘロイーズはしゃくりあげ、ぐっと息を呑《の》みこんだ。「見て――**見てよ！**」

ヘロイーズは手を振《ふ》り払《はら》うと、ミルドメイの鼻先に一枚《まい》の紙を突《つ》きつけた。声に出して読むうちに、ミルドメイの顔に困惑《こんわく》が広がっていく。「〝ぼくはもうこれ以上ここにはいられない。ぼくは〈結社《ワンソック》〉にはふさわしくない。Wのピンを同封《どうふう》する。これをもってぼくは、ユニットを退会《たいかい》する。アルフィー・スワン〟だがヘロイーズ……これとモリガンになんの関係があるんだ？　アルフィーが辞めたかったなら、それは――」

ヘロイーズはすすり泣きの合間に言った。「アルフィーは辞めたくなんてなかったの！　あたしに黙《だま》っていなくなったりしない。彼《かれ》はあたしを愛しているの！　こんなばかげた手紙を書いたりしない」

ミルドメイは気の毒そうに言った。「確かにこれは――」

「アルフィーが書いたんじゃない」ヘロイーズは言い張った。「アルフィーは〝これをもって〟なんて書かない。自分の名前だってまともに書けないんだから。これは彼《かれ》が書いたんじゃない。彼《かれ》じゃない！」

ミス・チェリーはミルドメイから手紙を受け取り、目を通した。「それでも、これとモリガンがどう関係しているかの説明にはなっていないわ」

「この子にはおかしなところがある。みんな知ってる！」ヘロイーズの顔は涙《なみだ》でぐちゃぐちゃだった。モリガンはたじろいだ。プラットホームにいる人間全員がモリガンたちを見つめていた。「彼《かれ》になにかしたのよ。あたしにはわかる。この子はなにか……なんだか知らないけど、人をコントロールできるの。この目で見たんだから。この子が彼《かれ》を追い出したのよ！　彼《かれ》を傷《きず》つけたらどうする？　彼《かれ》が自分《いい》を傷《きず》つけるように仕向けたらどうする⁉　この子はあたしたちを恨《うら》んでいるの。あたしたちがあんなことをしたから――あんなことを……ああ、アルフィー！」ヘロイーズの言葉はすすり泣きに変わった。

「ヘロイーズ」ミス・チェリーが言った。「あなたがひどく動揺《どうよう》しているのはわかったわ。でも――」

「この子の天賦《てんぷ》の才はなんなの？　誰《だれ》も知らない。どうして長老たちは秘密《ひみつ》にしておくの？　危険《きけん》だからよ。この子が〈結社《ワンソック》〉に入ってから、つぎつぎにだれかが行方不明になっているのはどういうわけ？」

人々が一斉《いっせい》にモリガンに顔を向けた。よく知っている、うなじがぞくりとするようなあの感覚が戻《もど》ってきて、こうなることはわかっていたのだとその瞬間《しゅんかん》にモリガンは悟《さと》った。〈結社《ワンソック》〉での最初の日から、パキシマス・ラックが行方不明になった日から、まだモリガンのなかのどこかにいる呪《のろ》われた少女は、こうなることを待っていたのだ。非難《ひなん》されることを。

人々のあいだにざわめきが広がりはじめ、ミス・チェリーは再びヘロイーズの腕《うで》を取った。

「気をつけて」ランベスが静かな口調で告げたが、ミス・チェリーの耳には届《とど》かなかった。

「わたしといっしょに行きましょう、ヘロイーズ」ミス・チェリーはあえて、落ち着いた辛抱《しんぼう》強《づよ》い口調で言った。「さあ、プラウドフット・ハウスに行って、そこで話をしましょう。紅茶《こうちゃ》を飲むといいと思うわ」

ランベスが表情を曇《くも》らせた。「気をつけて」と今度はモリガンを見ながら繰《く》り返した。

モリガンは眉間《みけん》にしわを寄せた。「いったいなにを――」

ヘロイーズは怒《おこ》った猫《ねこ》のような声をあげると、ミス・チェリーの手を振《ふ》りほどいた。「うるさい！　触《さわ》らないで！」

ヘロイーズは腕《うで》を引き、その手に光る銀色のものにモリガンが気づいたときには、すでに手《て》遅《おく》れだった。ミス・チェリーが痛《いた》みに悲鳴をあげた。ヘロイーズの手裏剣《しゅりけん》で切られた顔に、細い血の筋《すじ》ができていた。

プラットホームにいた人々は息を呑《の》み、驚《おどろ》いたような叫《さけ》び声があがった。

モリガンの口が開いた。息がつまるようなショックと怒《いか》りがこみあげてきたけれど、声にならなかった。代わりにあふれてきたのは、これまで感じたことのない怒《いか》りの波だった。それもただの波ではなく、溶岩《ようがん》だ。熱い炎《ほのお》がモリガンの内側で燃えあがった。最初の脅迫《きょうはく》の手紙が届《とど》いたときと同じように、喉《のど》の奥《おく》に灰《はい》の味が広がった。その憤怒《ふんぬ》は怪物《かいぶつ》となって、胸《むね》の奥《おく》から一気に這《は》いのぼってきて喉《のど》を焼き、口から噴《ふ》き出して、あたりの空気を燃え立たせた。

一〇〇匹《ぴき》ものドラゴンの怒《いか》りを感じた。

世界中を燃やし尽《つ》くしてしまいそうだ。

モリガンの口から火の球が飛び出した。

それは燃えながら飛んでいき、シュッという音と共にヘロイーズの肌《はだ》を焼き、猛《もう》スピードで頭上の木の天蓋《てんがい》に突《つ》き刺《さ》さったかと思うと、駅の屋根を燃えあがらせた。

ヘロイーズが悲鳴をあげた。

だれもが悲鳴をあげた。

モリガンはその恐《おそ》ろしい光景を眺《なが》めながら、あえぐようにして深々と息を吸《す》った。怒《いか》りは燃え尽《つ》きていた。

「もうたくさん！」背後《はいご》から響《ひび》く声と共に渦巻《うずま》く水の柱が宙《ちゅう》に伸《の》びて炎《ほのお》に襲《おそ》いかかり、炎《ほのお》は頭上から垂《た》れさがる氷に変わった。プラットホームは沈黙《ちんもく》に包まれ、ヘロイーズのすすり泣く声だけが聞こえていた。全員が振《ふ》り返った。

マーガトロイドが歩道橋の上に立っていた。その瞳《ひとみ》は、モリガンが覚えている以上に鮮《あざ》やかで、冷ややかな白色だ。マラソンを走ったみたいに息を荒《あら》らげ、鼻孔《びこう》から氷のような白い霧《きり》を吐《は》いている。小さな氷のかけらが頬《ほほ》にこびりついていた。節《ふし》くれだった手の先はかぎ爪《づめ》のようだ。

プラットホームの人々は息をつめて、〈不可解な技能のミストレス〉が歩道橋をおりて近づいてくるのを待った。歩いているあいだに、彼女《かのじょ》の丸まった背中《せなか》が伸《の》びていく。真っ白な髪《かみ》は銀色がかった金髪《きんぱつ》に、目は怒《いか》りをたたえた冷ややかな青色に変わった。そして首がぽきぽき、こきりというぞっとするような音を立て、〈不可解な技能のミストレス〉は消えて、〈俗世《ぞくせ》の技能のミストレス〉が現われた。

「あなた」ディアボーンはモリガンを見つめながら、ミス・チェリーを指さした。完全に抑制《よくせい》した、感情のない声だ。

けれど、恐《おそ》ろしかった。

「ミス・クロウを連れて〈長老の間〉にいらっしゃい」

第一四章
長老の間

　モリガンは、そびえ立つアメジストの彫像《ちょうぞう》の影《かげ》のなかに立っていた。その像は邪悪《じゃあく》そうな顔をした人形遣《にんぎょうつか》いで、モリガンのはるか頭上でかぎ爪《づめ》のある手を広げている。そこから延《の》びる糸の先は、モリガンの頭近くにだらりと吊《つ》るされている生気《せいき》のない目をした踊《おど》るあやつり人形につながっていた。

　隣《となり》にはミス・チェリーが立っていた。その横には、白い大理石でできた五メートルほどのふたりの女性の像がある。美しい顔をした結合双生児《そうせいじ》で、飾《かざ》りのあるマスクで目を隠《かく》している。ふたりの体は心臓《しんぞう》のあたりで、木の枝のようにふたつに分かれていた。

　モリガンは去年、長老たちの秘密《ひみつ》のディナーに出席する権利《けんり》をカデンスに奪《うば》われてからずっと、〈長老の間〉に入ってみたいと思っていた。クイン長老とウォン長老とサガ長老の聖域《せいいき》に入ることが許された人間はほとんどいない。〈結社《ワンソック》〉のメンバーにとっても、それはめったにない幸運な名誉《めいよ》だった。

けれどいまのモリガンは、運がいいとも名誉《めいよ》だとも思えなかった。こんなふうに〈長老の間〉に来たくはなかった。こんな理由では。

気を紛《まぎ》らすものが必要だったから、彫像《ちょうぞう》の数を数えた。全部で九つ。どれも威厳《いげん》のあるポーズで、顔は勇敢《ゆうかん》そうだったり、いかめしかったり、優《やさ》しそうだったり、冷淡《れいたん》そうだったりした。目隠《めかく》しをされている男性はトルコ石でできていたし、ローズクォーツの女性は八本の腕《うで》を扇《おうぎ》のように広げている。琥珀《こはく》を彫《ほ》り出した男性は両手にろうそくを持っていて、溶《と》けたろうが腕《うで》に流れていた。

これほど怯《おび》えていなければ、これが〈輝かしき結社《ワンダラス・ソサエティ》〉を見る最後だと確信していなければ、この壮大《そうだい》で謎《なぞ》めいた彫像《ちょうぞう》をうっとりと眺《なが》めていたことだろう。けれど実際は――今日、二度めだった――吐《は》き気をこらえるので精いっぱいだ。

モリガンとミス・チェリーはショックを受けている人々をプラットホームに残し、緊張《きんちょう》にぴりぴりしながら黙《だま》ってプラウドフット・ハウスまで歩いた。いまもミス・チェリーが口には出せない不安に体を震《ふる》わせているのが伝わってくる気がした。

「まだ血が出てる」ようやくミス・チェリーの顔を見る勇気が出てきて、モリガンは言った。セーターの袖《そで》を引っ張って、流れる血を拭《ぬぐ》おうとしたけれど、ミス・チェリーはぎくりとして顔を背《そむ》け……それから申し訳《わけ》なさそうに弱々しくうっすらと笑った。

モリガンは涙《なみだ》がこみあげるのを感じて、ひゅっと息を吸《す》った。

ホールの突《つ》き当りにある木のドアが開いて、ミズ・ディアボーンがつかつかと入ってきた。

広々とした部屋にハイヒールの音が響《ひび》いた。

「あなた」スカラー・ミストレスはミス・チェリーを指さした。「病院。その傷《きず》を診《み》てもらいなさい」

「でも、ミズ・ディアボーン、わたしはここに残って――」

「いますぐに」

ミス・チェリーはためらい、いかにも気が進まないといった顔でモリガンを見たけれど、どうすることもできなかった。モリガンの腕《うで》をそっとつかんでから、部屋を出ていった。

ディアボーンに続いて長老たちが入ってきて、そのあとからろくでなしのバズ・チャールトンが現われた。モリガンの気持ちは沈《しず》んだ。当然だ。ヘロイーズの後援者《こうえんしゃ》なんだから。

バズのうしろからやってきたのは、小さなオンストールド教授だった。平べったい亀《かめ》の足の動きは耐《た》えがたいほどゆっくりで、背中《せなか》の大きなドーム型の甲羅《こうら》のせいでいまにも転びそうに見えた。教授がここでなにをしているんだろうとモリガンはいぶかった。

世界で一番モリガンを憎《にく》んでいる人たちしかここにはいないような気がしたとき、赤毛のだれかがオンストールドを押《お》しのけるようにして急ぎ足でホールに入ってきて、モリガンに歩み寄った。

「ジュピター！」モリガンは彼《かれ》に会えた嬉《うれ》しさを抑《おさ》えきれずに叫《さけ》んだ。

「モリガン！」ジュピターはモリガンの肩《かた》に手を乗せた。「大丈夫《だいじょうぶ》かい？」

モリガンはジュピターを見あげた。彼《かれ》がいる。ジュピターが本当にここにいる。どうやってこんなに早く来ることができたの？　どうでもよかった。ほっとした。あたしはひとりじゃない。ジュピターは鮮《あざ》やかな青い目を心配そうに見開き、じっとモリガンを見つめた。

「モグ？」ジュピターに再度尋《たず》ねられたけれど、喉《のど》になにか塊《かたまり》があって声を出すことができなかった。モリガンはうなずき、ふたりはそれだけで通じ合った。

「彼女が大丈夫《だいじょうぶ》かって？」バズは言葉にするのが間に合わないかのように、唾《つば》を飛ばしながら言った。「その汚《けが》らわしいトラブルメーカーが――こんな騒《さわ》ぎを起こしたのはそいつだぞ？笑わせてくれるね、ノース」

ジュピターは彼《かれ》を無視《むし》した。

「この実験は失敗です」ディアボーンはいらだったようにホールを行ったり来たりしながら言った。片側《かたがわ》に首をぽきりと曲げ、一瞬《いっしゅん》目《め》を閉《と》じた。「長老、去年の〈特技披露審査《とくぎひろうしんさ》〉のあと、わたしの助言を聞いてくださいと頼《たの》んだではないですか。それを無視《むし》したせいで、こんな――

――」

ディアボーンはもう一度首をぽきりと言わせ、肩《かた》を丸めて、深々と息を吸《す》った。モリガンはまたぞくりとするのを感じたし、部屋にいる大人たちも、もうひとりの彼女《かのじょ》に変わっていく〈俗世《ぞくせ》の技能のミストレス〉からあとずさりしたように見えた。それはまるで、花がしぼんでいく様を早回しで見ているみたいだった。節《ふし》くれだった、白い目のマーガトロイドが現われ、茶色い歯をむきだして落ちくぼんだ目でモリガンを見つめた。

「言ったはずだよ」マーガトロイドがしゃがれ声で言った。「この子はわたしの学校に入れるべきだった。愛しいダルシーの言うとおりだ。この実験は失敗だ。ただし、失敗したのはこのけだものの少女じゃない。あんたたちみんながこの子を失敗させたんだ。言ったじゃないか、ダルシー――」

マーガトロイドの顔に冷たく青い光が射《さ》したかと思うと、ごぼごぼという妙《みょう》な音と骨《ほね》の鳴る音がして、ディアボーンが戻《もど》ってきた。モリガンは身震《みぶる》いした。「あなたには関係ないことよ、マリス。引っこんでいて」

再び変化し、マーガトロイドが現われた。「関係あるね」ぞっとするような低い声だった。「この小さなけだものに、〈人でなしの技〉の扱《あつか》い方を教えなきゃいけないって言ったはずだよ。でないと、〈人でなしの技〉がちゃんと制御《せいぎょ》されずに――」

ぱきん。ぽきん。骨《ほね》が折れる音と共にディアボーンが戻《もど》ってきた。全員が顔をしかめたが、モリガンだけはマーガトロイドが口にした言葉に気を取られていた。〈人でなしの技〉。その言葉をどこで聞いたんだった？

「あなたの出る幕《まく》じゃない！」ディアボーンが叫《さけ》んだ。「あなたが同意しようがしまいが、この子は〈俗世《ぞくせ》の技能の学校〉の生徒なの」彼女《かのじょ》はそう言うと、すぐさま長老たちに向き直った。「失礼しました、クイン長老。ですが、とんでもないことになると警告《けいこく》はしたはずです」

クイン長老はため息をつくと、静かな声で言った。「ええ、確かに大変なことになりましたね、ダルシニア。ですが、今後どうするべきかを決めるには役には立ちません」モリガンに向けた顔はひどく疲《つか》れた様子だった。「ミス・クロウ、あなたがそれを聞いて安堵《あんど》するかどうかは知りませんが、ヘロイーズ・レッドチャーチは病院に運ばれて回復しています。後遺症《こういしょう》は残らないでしょう」

モリガンは目を閉《と》じ、長々と震《ふる》える息を吐《は》いた。「ほっとしています。もちろんほっとしています。彼女《かのじょ》を傷《きず》つけるつもりなんてなかったんです、クイン長老。本当です。なにが起きたのか、自分でもわかりません。わたしはただ――」

「アルフィーはどうなんだ？」バズが口をはさんだ。「わたしの生徒のアルフィー・スワンがいなくなったんです。ヘロイーズは彼女《かのじょ》が――」そう言ってモリガンを指さした。「関わっていると考えています」

ある考えがモリガンの心に浮《う》かんだ。モリガンが共和国から来たことをチャールトン・ファイブに教え、彼女《かのじょ》を襲《おそ》うようにそそのかしたのはバズだという確信があったけれど、アルフィーがいなくなったことにも関わっているんだろうか？　またなにかをモリガンのせいにして、〈輝《ワンダラス・ソサエティ》かしき結社〉から追い出そうと画策《かくさく》しているんだろうか？

ユニット九一九を脅迫《きょうはく》していたのもバズ？　そんなことをしてなんの得になるのかはわからない。どうしてそんな危険《きけん》を冒《おか》すの？

クイン長老はいらだたしげに舌《した》を鳴らした。「ああ、スワンね。水中で息ができるんでしたね？　チャールトン、ばかなことを言うのではありません。アルフィーはずっと成績が悪かったですからね。えらでやってこられたのはここまでで、この先は必死に努力しなければならないことに、ようやく気づきはじめたのでしょう」バズを追い払《はら》いたいみたいに手を振《ふ》った。

〈輝かしき結社《ワンダラス・ソサエティ》〉での暮《く》らしがどれほど恵《めぐ》まれていたかに気づいたら、戻《もど》ってきて今後はしっかりやるだけの良識は彼《かれ》にもあるでしょう。ついでに言えば、ヘロイーズが怒《いか》りにまかせて暴力をふるったことについても罰《ばつ》を考えなければいけませんね。わたくしたちはこの……この行方不明になっている人々がいることを秘密《ひみつ》にしておくために、ずっと奮闘《ふんとう》してきました。パニックが起きないように、噂《うわさ》が広まらないようにと。それがどうなったと思いますか？　なにもかも、おしゃべりで大げさな女子生徒のせいで」

バズはなにか言おうとしたが、サガ長老がひづめを踏《ふ》み鳴らした。

「いまはどれも関係ない。問題は、〈ワンダー細工師《さいくし》〉をどうするかということだ」

「安全協定を始動させてください！」バズが言った。

部屋にいる大人たちがひゅっと息を吸《す》った。ディアボーンですら驚《おどろ》いたような顔をしている。モリガンはそこにいる人の顔を次々と見ていった。バズの言葉はどういう意味？　どうしてみんなはこれほど怒《おこ》ったような、信じられないというような顔をしているの？　モリガンは最後にジュピターに視線《しせん》を向け、思わず息を吞《の》んだ。

ジュピターが怒《いか》りに満ちた足取りでバズに近づいていく。両手を体の脇《わき》でぐっと握《にぎ》りしめ、顎《あご》の筋肉《きんにく》は引きつっていた。バズはたじろいであとずさり、手が八本あるローズクォーツの彫像《ちょうぞう》にぴったりと背中《せなか》をつけた。ジュピターが彼《かれ》を殴《なぐ》りつけるのではないかと思ったらしく、長老たち全員が身構《みがま》えた。ジュピターが感情を抑《おさ》えようとしているのがモリガンにはわかっていた。呼吸《こきゅう》を落ち着かせ、握《にぎ》った手から力を抜《ぬ》こうとしている。それでも、ジュピターがバズにぐいっと顔を寄せて、ぞっとするような低い声を発したときは、うなじのあたりがぞくりとした。

「よく考えてものを言え。だらだら生きてるだけじゃなくて、口にする前にその言葉の意味を一度くらいは考えろ」

凍《こお》りついたような沈黙《ちんもく》が広がった。バズは開き直った態度を取ろうとしたけれど、体が縮《ちぢ》んでしまったように見えた。長老たちに向かって言った。「そ、その、そういう意味じゃ……おれはただ……」

ジュピターはバズに視線《しせん》を据《す》えたまま言った。「モリガン、外で待っていなさい」

いやだと言いたかった。この場に残って、自分の運命を知りたかった。これからどうなるのかが決まる瞬間《しゅんかん》に立ち会っていたかったけれど、部屋の張りつめた空気とジュピターの声音はそれを許してくれなかった。

ホーソーンが廊下《ろうか》で待っていた。大理石の胸像《きょうぞう》のうしろに隠《かく》れていたようだ。深刻《しんこく》そうな顔は血の気がなく、目は普段《ふだん》の倍の大きさだった。

「大丈夫《だいじょうぶ》？」声を潜《ひそ》めて彼《かれ》が尋《たず》ねた。

「うん」モリガンも小声で答えた。「たぶん」

「きみは……。モリガン、あんなことができるって知っていたの？　自分が……火を噴けるって、い、い、いってことを？」

不安と混乱《こんらん》にすっぽり包まれてはいたけれど、モリガンはその質問がどれほどばかげたものであるかに気づいていた。そしてそのばかさかげんにいらだちを覚え、それが普段《ふだん》どおりであることに感謝した。こんな状況《じょうきょう》でもホーソーンがばかな質問をできて、自分がそれを腹立《はらだ》たしいと思えることに。「そんなささいなことをわざわざ話すと思うの？」

ふたりはつかの間黙《だま》りこんだ。

「これからどうなるんだろう？」

「シーッ。わからない」モリガンはどっしりしたオーク材のドアに耳を押《お》し当てた。ホーソーンも同じようにした。数分間はぼそぼそいう声が聞こえるだけだったが、やがてまたジュピターが怒《いか》りに声を荒《あら》らげた。

「あの子はほんの小さな女の子なんです」ぎりぎりと食いしばった歯のあいだから絞《しぼ》り出しているような声だった。「あの子を怪物扱《あつか》いするのはやめてください。マーガトロイドの言うとおりだ。あなたたちは——」

「——あの子は……」オンストールドの声はまた聞き取れなくなり、モリガンはドアから顔を離《はな》した。胸《むね》が締《し》めつけられる気がした。灰色《はいいろ》のシャツの裾《すそ》をぐるぐるとねじりながら、あたりを行ったり来たりしはじめた。

あの子を怪物扱《かいぶつあつか》いするのはやめてください。

「きみを追い出したりはしないよね？」ホーソーンが心配そうに小声で尋《たず》ねた。

「わからない」

「だめだよ、そんなこと！」思わず声が高くなったが、ホーソーンはすぐにまた声を潜《ひそ》めた。

「あれはきみのせいじゃない。きみはミス・チェリーをかばっただけじゃないか。追い出されなきゃならないのは、ヘロイーズだ。ぼくがそう言ってやる」

モリガンはなにも言わなかった。あたしは追い出されるんだろうか？　そんなことができるの？　〈結社《ワンソック》〉のメンバーでなくなったら、あたしはネバームーアを出ていかなきゃならなくて、そうしたら……

いいえ。モリガンはきっぱりと首を振《ふ》った。あれは事故だった。事故のせいであたしを追い出したりなんてできない。

バズ・チャールトンの言葉が頭のなかに響《ひび》いた。〝安全協定を始動させてください〟それがどういう意味であれ、いいものでないことは確かだ。モリガンは歩くのをやめ、まっすぐ前を見つめた。両手の動きがぴたりと止まった。不意に気づいた……安全協定　がなんのためのものなのか、あたしはなにも知らない。一度も尋《たず》ねたことがなかった。

い、い、いどうして訊《き》かなかったんだろう？

いくらもたたないうちに、スカラー・ミストレスがドア口に姿《すがた》を見せた。

「スウィフト！　授業に行きなさい！」ディアボーンがホーソーンを追い払《はら》った。ホーソーンはもごもご謝罪の言葉をつぶやくと、心配そうに振《ふ》り返りながら出ていった。スカラー・ミストレスは、いつにもまして謎《なぞ》めいている氷のような表情をモリガンに向けた。「いらっしゃい」

モリガンは彼女《かのじょ》についてホールに入った。ディアボーンが一歩進むあいだに、モリガンは二歩歩かなくてはならなかった。ジュピター、バズ、オンストールド教授、長老たちは部屋の真ん中に立っていた。九つの巨大《きょだい》な石像に囲まれて小さく見えたけれど、それでもモリガンよりははるかに大きい。

　モリガンは両手の震《ふる》えを止めようとして、強く握《にぎ》りしめた。大人たちの顔を見ても、これからもたらされるのがいい知らせなのか悪い知らせなのかはわからなかった。バズ・チャールトンは不機嫌《ふきげん》そうにむすっとしていたけれど、ジュピターもあまりうれしそうには見えない。

「ミス・クロウ」クイン長老がモリガンを手招きした。眉間《みけん》のしわは、そこに刻《きざ》みこまれてしまいそうなほど深い。「サガ長老とウォン長老とわたくしは決定をくだしました。〈輝かしき《ワンダラス・ソサ》結社《エティ》〉で過ごす毎日のプレッシャーがあなたに負担《ふたん》をかけたのだろうと、わたくしたちは考えます。そこで――」

「追い出さないでください！」モリガンはうろたえて叫《さけ》んだ。「あれは事故だったんです。あたしはだれのことも傷《きず》つけるつもりなんてなかったんです。お願いです、クイン長老、信じてください――」

「信じていますよ」クイン長老はモリガンに負けじと声を張りあげた。「静かにしなさい、ミス・クロウ」モリガンは口の横を噛《か》んで、釈明《しゃくめい》したくなるのをこらえた。「あなたの行動が悪意のあるものだとは思っていません。ですが長老評議会は、〈結社《ワンソック》〉の人々全員に対する責任があります。あなたのユニットのメンバーや〈結社《ワンソック》〉のほかの人々の安全を確保する方策《ほうさく》を講じなくてはなりません。長期においてはその方策《ほうさく》がどういうものになるのかはわかりませんが、現段階《げんだんかい》では検討中《けんとうちゅう》だと考えてください」

ジュピターが顔をしかめた。「クイン長老、それは具体的に言うとどういう意味ですか？」

クイン長老は深々と息を吐《は》いた。「実のところ、わたくしにもわかりません。ですがミス・クロウ、当面あなたはほかの生徒たちといっしょに授業を受けることはできません。〈結社《ワンソック》〉にも入れません」

モリガンの心は足元まで沈《しず》んだ。涙《なみだ》がこぼれそうだ。〈結社《ワンソック》〉に入れない？　考えただけで耐《た》えられなかった。

「しばらくは、オンストールド教授に個人授業をしてもらいます。教授がホテル・デュカリオンに赴《おもむ》き、そこで授業を行います。九一九駅に入る資格は一時的に取り消されます。いますぐにキャンパスを出ていってください」


「ここ最近、いっしょにいられなくてごめんよ」

ジュピターは家に帰るのに馬車を使った。乗りこんだとたんに雨が降《ふ》りだしたから、幸運だった（それとも――運がよかっただけじゃなかったの？　雨になることがわかっていたの？　モリガンは尋《たず》ねたかったけれど、喉《のど》の奥《おく》に戻《もど》ってきた塊《かたまり》のせいで声を出すことができずにいた）。

「〈同盟《どうめい》〉での仕事が……言い訳《わけ》はよそう。すまなかった。それだけだ」ジュピターは本当に申し訳《わけ》なさそうだった。それどころか、悲しそうだ。

「いいの」モリガンはようやくのことで、しわがれた声を絞《しぼ》り出した。本当にそう思っていた。確かにジュピターには腹《はら》を立てていたけれど、彼《かれ》の謝罪は心からのものだったし、ひどく疲《つか》れて惨《みじ》めそうに見えたから、これ以上いらだちにしがみついていることはできなかった。どちらにしろ、もう抱《かか》えていられないくらい落胆《らくたん》が大きくなっていたので、手放すことができてほっとした。

ふたりは黙《だま》って座《すわ》っていたが、やがて沈黙《ちんもく》にも耐《た》えられなくなった。

「あたし、火を噴《ふ》いたの」

「うん」

「そんなことができるなんて知らなかった」

「そうだね」ジュピターは考えこみながら言った。「ぼくもだ」

馬車がさらに一ブロック進むあいだ、ふたりはまた黙《だま》りこみ、雨音とひづめの音を聞いていた。

「でも、あたしはいったいどうやって、、、、、火を噴《ふ》いたの？」

「ぼくにもわからないよ、モグ」

「あたしは――」モリガンはごくりと唾《つば》を飲み、半分笑いながら言葉を継《つ》いだ。「――ドラゴンかなにかになるのかな？」

ジュピターは鼻で笑った。「ふむ、考えてみよう。肌《はだ》がうろこに覆《おお》われている？」

「ううん」

「かぎ爪《づめ》が生えてきた？」

モリガンは自分の爪《つめ》を確かめた。「ううん」

「突然《とつぜん》、宝物《たからもの》をためこみたくなったとか？」

しばし考えてみた。「そんなことはないと思う」

「それじゃあ、ドラゴンにはならないと思うね」

「あたしを〈結社《ワンソック》〉に戻《もど》してくれるかな？」モリガンはジュピターの顔を見た。

「長老たちは考え直してくれるよ。考え直してもらう方法を考えよう。約束する。それに――もう夏休みが始まる。頭を冷やして落ち着いて考える時間が六週間あるんだ。学校がはじまるころには、きっと考えが変わっているさ」

「そう思う？」

ジュピターは少し考えた。「ぼくはクイン長老をよく知っている。彼女《かのじょ》は……公正を欠いたことはしない。なにが公平かを見極めるのに、時間が必要なことはあるけれどね」

ふたりはまた口をつぐんだ。モリガンは窓《まど》ガラスを伝う大きな雨粒《あまつぶ》ごしに、交通量の多い通りを眺《なが》めていた。デュカリオンまであと数ブロックというところで、ジュピターが咳払《せきばら》いをした。

「いまは打ち明け話をするような気分じゃないだろうが」彼《かれ》は慎重《しんちょう》に言葉を選びながら言った。

「なにかぼくに話したいことがあるんじゃないかい、モグ？」

モリガンはためらった。

「えっと……〈不気味なマーケット〉って聞いたことはある？」

ジュピターが答えるまで、しばしの間があった。

「ああ。どうしてだい？」

あの日の午後〝ネバームーアを解読する〟の授業で起きたことをモリガンが語っているあいだ、ジュピターは熱心に耳を傾《かたむ》けていた。ミルドメイの〈悪ふざけの道〉のルールを破ったことを怒《おこ》らなかったし、二度としないと約束させることもなかったし、モリガンが見聞きしたことに対して、これっぽっちも疑《うたが》いを見せることはなかった。

「〈地獄《じごく》の袋小路《ふくろこうじ》〉だね？」ジュピターはポケットから取り出した小さなメモ帳に、その名前を書き留めた。「調べておく」

調べておく。その言葉以上に、モリガンのぴりぴりした神経をなだめ、ネバームーアに来てから最悪の一日がもたらしたストレスを和らげてくれるものはなかった。世界中の人があたしを疑《うたが》っても、ジュピターだけは違《ちが》う。ジュピターはあたしを信じてくれる。信頼《しんらい》してくれる。

「ほかには？」

もちろん、話したいことはほかにもあった。話したくてたまらないことがあった。何週間も前から話したくてたまらなかったことが。チャールトン・ファイブが彼女《かのじょ》を木に押《お》さえつけて、頭に向けて手裏剣《しゅりけん》を投げてきたときはものすごく怖《こわ》かったこと。脅迫状《きょうはくじょう》とばかげた要求のこと。モリガンの秘密《ひみつ》を守ると、彼女《かのじょ》のユニットがかろうじて多数決で決めたこと。ほかにも、今度ジュピターに会ったら話そうと決めていたことが、山のようにあった。

けれどこうしてジュピターが目の前に座《すわ》っていて、真剣《しんけん》に自分の話を聞いてくれていると、そういったことはどうでもいいように思えた。ようやくジュピターが帰ってきてくれたと思うとそれだけでうれしくて、ほかに話したいことがたくさん浮《う》かんできた。

「あたしの案内人は、〈結社《ワンソック》〉で一番素敵《すてき》な人なの」モリガンは切りだした。

「そうなのかい？」ジュピターは眉《まゆ》を吊《つ》りあげた。「一番？」

「そうよ。あなたよりずっと素敵《すてき》」

ジュピターは声をあげて笑い――ずっと聞きたかった、大きな、楽しそうな笑い声――モリガンはにんまりと笑った。ミス・チェリーは素晴らしくて、陽気で、どこまでも前向きなことや、彼女《かのじょ》が用意したホッキョクグマの形のビスケットの壺《つぼ》や、最高に素敵《すてき》な笑顔や、めちゃくちゃいかした服を着ていることを話した。「それに、彼女《かのじょ》は自分でホームトレインの飾《かざ》りつけをしたの。すごく居心地がいいんだから。ビーンバッグクッションがあるんだよ！」

ユニットのなかで――おそらく〈結社《ワンソック》〉中で――カデンス・ブラックバーンの催眠術《さいみんじゅつ》にかからないのは（もちろんジュピターにもカデンス・ブラックバーンがだれなのかを思い出させる必要があった）モリガンひとりであることを話した。〝ネバームーアを解読する〟の授業で一番であることを話した。

ジュピターはそのすべてに熱心に耳を傾《かたむ》け、そうしてほしいところでそうしてほしい反応を見せてくれた。とても居心地がよくて、とても見慣れていて、安心できるくらいにとても普通だったので、モリガンが本当に訊《き》きたかったこと――長老の間でジュピターがバズ・チャールトンに迫《せま》っているのを見たときから喉《のど》の奥《おく》で熱く燃えていて、ドラゴンの炎《ほのお》のようにいまにも口から噴《ふ》き出てきそうな質問――は、口に出すきっかけを見つける前に灰《はい》となって燃え尽《つ》きてしまっていた。モリガンはその燃えかすを心の隅《すみ》に片付《かたづ》け、無視《むし》して放っておくことにした。

ずっと無視《むし》していれば、重要ではなくなるかもしれない。二度と重要になることはないかもしれない。〝安全協定《きょうてい》ってなに？〟という質問は、どうでもいいこととして、静かに、ひそかに、心のなかの灰《はい》の下に埋《う》もれていくのかもしれない。永遠に。

第一五章
きみは最高に奇妙《きみょう》なものを見る

「東ゲートの入り口に行くのよ」

「カトリーナ、ダーリン、あそこは一番混むゲートだ。去年、行ったじゃないか」

「デイヴ。真面目な話。東ゲートは素晴らしいの」

「あそこが素晴らしいのは知っているよ。だからいまごろは、一〇〇万人ものネバームーアの人たちで混み合っているに決まっているんだ。東ゲートからはじめたいのなら、一時間前に出るべきだったよ。言っただろう?」

「大丈夫《だいじょうぶ》よ、あなた。ぐいぐい割《わ》りこめばいいのよ」

「ぐいぐい割《わ》りこむ? ロックコンサートじゃないんだぞ、キャット。わたしたちは教養のある大人なんだから」

「あなたったら。大丈夫《だいじょうぶ》だって。あなたが話している相手は、割《わ》りこみのチャンピオンなんだから。どうしてわたしが割《わ》りこみの女王と呼《よ》ばれていると思うの?」

「だれもきみをそんなふうには呼《よ》んでいないよ」

ホーソーンの母親のキャットは、大人になったホーソーンの女性版だった。濃《こ》いチョコレート色の髪《かみ》はホーソーンよりも長くて肩《かた》の下まであったけれど、それ以外はほぼ同じだ。青色の目、いっぱいのそばかす、キリンの親子を思わせるひょろっとした手足、どれもそっくりだった。

スウィフト一家は、夏休みの最初の金曜日の夜にネバームーア・バザールに一緒《いっしょ》に行こうとモリガンを誘《さそ》ってくれた。ぼくが連れていくとジュピターは約束していたけれど、またもや直前になって用事ができてしまい、一週間前に休みに入ってからモリガンがひどくふさぎこんでいたこともあって、せっかく誘《さそ》ってくれたのだから友だちと行っておいでと勧《すす》めたのだ。モリガンはほっとしていた。去年の夏、ジュピターは毎週、バザールに連れていくと約束し、毎週、なにか用ができてそれがかなわなかった。今年は絶対に行くとモリガンは心に決めていた。

「そう呼《よ》んでいる人は大勢いるのよ。ホーマーに訊《き》いてみるといいわ。言ってやってちょうだい、ホーマー」

ホーソーンの兄は両親に向かって顔をしかめた。ホーマーは父親によく似ていた。同じ淡《あわ》い色の髪《かみ》、同じくらい厚いレンズの眼鏡、バイキングのレスラーみたいな大柄《おおがら》でがっしりした同じような体格――ないのはデイヴのむさくるしいひげだけだ。

一五歳《さい》になるホーマーは〈思考の音楽院〉の四年生だった。この学校の生徒は、在学中は沈《ちん》黙《もく》するという誓《ちか》いをたてていて、一年に一日だけ口をきくことが許されているのだとホーソーンはモリガンに説明した。そのためホーマーは、家族といるときは意思の疎通《そつう》を図るために首から黒板とチョークをぶらさげている。ホーソーンによると、そこに書くのはほぼ皮肉ばかりらしいけれど。

「ほら、大きな声で。本当に恥《は》ずかしがり屋なんだから」

「そういうのはどうかと思うね」デイヴは笑いをこらえながら言った。

ホーマーは黒板に手をかけようともせず、天を仰《あお》いだだけだった。

姉のヘレナはバザールには来ていなかった。彼女《かのじょ》はシックス・ポケットの沖合の小さな島にある、〈過激《かげき》な気象学のゴルゴンハウル・カレッジ〉の五年生だった。その島は、永久に消えないサイクロンの目にあたる場所にある。旅費が高くつくのと、サイクロンを抜《ぬ》けて出入りするのが難《むずか》しいため、ヘレナが帰ってくるのはクリスマスと夏休みだけだった。けれど今年の夏は嵐《あらし》があまりにひどくなったため、当面すべての移動が中止になった。ホーソーンに言わせれば、ヘレナにとっては願ったりかなったりだったらしい。彼女《かのじょ》はひどい嵐《あらし》が大好きで、学校に残ってどれくらいの被害《ひがい》が出るのかを自分の目で見たかったのだそうだ。

スウィフト家で一番若《わか》いのは、やはり父親そっくりの二歳《さい》のダヴィーナだった。家族からベイビー・デイヴと呼《よ》ばれているダヴィーナは丸々太っていて、金髪《きんぱつ》で、陽気だった。家族全員を合わせたよりも才気にあふれているというのが一家の一致《いっち》した意見だが、モリガンは心を決めかねていた――ミルクを吐《は》き出し、床《ゆか》に食べ物をぶちまけ、通りすがりの犬に歓声《かんせい》をあげるベイビー・デイヴしかまだ見ていなかったからだ。

モリガンとスウィフト家の五人はワンダー地下鉄でダウンタウンに向かった。ごったがえす人込《ひとご》みのなかでだれも迷子にならないように、デイヴは全員に手をつながせた。こうすれば、人前で手をつないでいることもそれほど恥《は》ずかしくは思えないだろうからと言って、キャットは列車に乗っているあいだ中、調子はずれの歌を大声で歌っていた（〝ぼくは他人です〟とホーマーは黒板に書いていた）。

ようやくテンプル駅に到着《とうちゃく》し、押《お》し合いへし合いしながら東ゲートまでやってきたときには、太陽が沈《しず》みはじめていた。ゲートの前には何千人もの人たちが集まって、オールド・タウンに入れるのを待っている。だれもが期待に満ちているのがよくわかった。デイヴはあたりの様子がよく見えるように、ベイビー・デイヴを肩車《かたぐるま》した。ホーソーンはモリガンの腕《うで》をぎゅっとつかみ、いまにも興奮《こうふん》ではじけそうに爪先立《つまさきだ》ってぴょんぴょんしている。ホーマーですら、圧倒《あっとう》されているかのように東ゲートを見あげていた。

「ほらね？」キャットが夫に微笑《ほほえ》みかけた。「言ったでしょう？　素晴らしいのよ」

チラチラ光る銀のかすみのようなもののせいで、東ゲートの内側はよく見えなかった。風に揺《ゆ》れていることを除《のぞ》けば、そのかすみのようなものは波模様《なみもよう》のある巨大《きょだい》な窓《まど》ガラスに似ている。大きな石のアーチの上には、大きな火の文字があった。

ネバームーア・バザールへようこそ

そしてその下では、火の文字からあがる煙《けむり》が期待をかきたてる言葉を繰《く》り返し記《しる》していた。

きみは最高に奇妙《きみょう》なものを見る

「魔法《まほう》！」キャットは叫《さけ》び、にやにやしながらホーマーのあばらのあたりをつついた。ホーマーは目をぐるりとまわし、チョークを手に取って書いた。安っぽい手品さ。

キャットは笑った。モリガンも同じ意見だった。これは魔法《まほう》。そうに決まっている。すごい。

デイヴは体をかがめ、ホーソーンとモリガンを手招きした。「あれはイリュージョンだよ。魔術師《まじゅつし》たちが生み出しているんだ。見えるかい？」デイヴはアーチを見あげ、その一角に陣取《じんど》っているタキシード姿《すがた》の数人の男女を指さした。複雑な手振《てぶ》りと機械を使って、ひたすら煙《けむり》のメッセージを描《えが》き続けている。退屈《たいくつ》で複雑な作業に見えた。「たとえ魔術師《まじゅつし》本人が見えなくても、継《つ》ぎ目を見つけることで魔術師《まじゅつし》のイリュージョンを見分けることができるんだ。待っていてごらん……いまだ！　見えたかい？」

「わかった！」モリガンは言った。イリュージョンが……たじろいだように見える一瞬《いっしゅん》があった。じっと目を凝《こ》らしていれば、メッセージの最後の〝見る〟という文字を描《か》き終えてまた新たにはじめるたびに、かすかな違和感《いわかん》がある——ループのほんのわずかな継《つ》ぎ目に引っかかっているみたいな。

「あれは安っぽい手品なんかじゃないよ、ホーマー」デイヴは背筋《せすじ》を伸《の》ばし、長男の髪《かみ》をくしやくしゃにしながら言った。「あれは熟練《じゅくれん》した技だ」

モリガンも同じ意見だったけれど、イリュージョンそのものには感心していたものの、そのメッセージにはいささか懐疑的《かいぎてき》だった。実のところ、奇妙《きみょう》なものならいままでにいくつも見てきている。そのほとんどはデュカリオンで。

「さてと、おまえたち三人だが」デイヴはホーソーンとモリガンとホーマーに言った。「お金は持っているね？　よろしい。気をつけるんだよ――バザールには掏《す》りが多いからね。母さんとベイビー・デイヴとわたしは、一二時ちょうどにここで待っている。一秒でも遅《おく》れてはだめだ。いいね？　一二時までに東ゲートに戻《もど》ってきてなかったら、母さんにおまえたちのあとを追わせて、子供《こども》を亡《な》くして正気を失い、最後は自分がリスになったと信じこむひとり芝居《しばい》を路上でやってもらうからね。わかったかい？」

モリガンは思わず笑ったが、ホーマーとホーソーンは目を見開いた。「お願いだからその歌はやめてよね、母さん」ホーソーンが言った。

「約束はできないわね」キャットは指を一本立てた。「一二時までに戻《もど》ってくればいいのよ。いい？」

少年ふたりはうなずいた。

「それならいいわ。楽しんで――」

「だが気をつけるんだ」デイヴが言い添《そ》えた。

「お菓子《かし》をたくさん食べて――」

「だが頼むから、砂糖《さとう》を摂《と》りすぎないように――」

「今年はだれが一番ばかばかしいおみやげを見つけられるか、競争しましょう」キャットは両手の親指を立てて、にんまりと笑った。

「だが尖《とが》ったもの、生きているもの、爆発《ばくはつ》するもの、玄関《げんかん》より大きいものはだめだ。それから、武器も」デイヴは意味ありげな顔でホーソーンを見た。

ちょうどそのとき、千もの鐘《かね》のような音が鳴り響《ひび》いて、東ゲートにかかっていたちらちらするガラスのようなベールが〈クモの糸〉のなかに溶《と》けて消え、すっかり様変わりしたオールド・タウンが現われた。

バザールの光景を目にした人たちは、つかの間、うれしそうに黙《だま》りこみ、次の瞬間《しゅんかん》には我先《われさき》にと強引に進みはじめた。モリガンとホーソーンは顔を見合わせて笑い、ゲートになだれこむ人の波のなかで嬉々《きき》としてもみくちゃになっていた。

キャットとデイヴの姿《すがた》が見えなくなると、ホーマーは黒板になにかを書いて、ホーソーンに見せた。

11：45　聖堂《せいどう》入口

ホーソーンが親指を立てて合図をすると、ホーマーはメッセージを消して書き直した。

おまえには難《むずか》しいとわかっているが、ばかなことはしないように。

ホーソーンが兄に向かって顔をしかめて見せると、ホーマーは弟の耳たぶをぴっとはじいてから、人込《ひとご》みのなかに消えていった。

「あたしたち、いっしょにいなきゃいけないんじゃないの？」モリガンが訊《き》いた。「あなたのお父さんは――」

「ああ、父さんなら気にしなくていいよ。心配症《しんぱいしょう》なんだ」ホーソーンはさらりと答え、竹馬でかたわらを通り過ぎた女性から地図を二枚《まい》受け取ると、一枚《まい》は見ようともせずにポケットに押《お》しこみ、もう一枚《まい》をモリガンに渡《わた》した。地図の上には〝ネバームーア・バザールのゾーン〟と書かれている。「退屈《たいくつ》なホーマー兄さんとはいっしょじゃないほうがいいんだ。兄さんは退屈《たいくつ》な友だちに会いに行ったんだよ。そうすれば退屈《たいくつ》な時間を過ごせるからね。ぼくたちは時計まわりに進もうよ。いいだろう？　まず南地区、それから西、北とまわって、東ゲートに戻《もど》ってきてホーマーと会うんだ」

〈聖《せい》なるものの聖堂《せいどう》〉を通り過ぎ、グランド・ブールバードに入ったところで、モリガンは地図を確かめた。バザールはオールド・タウンの四つの地区全部で行われていて、それぞれ異《こと》なる目的の何十もの小さなゾーンに分かれている。製革《せいかく》、アンティーク市場、魔女《まじょ》のマーケット、香水……

「西地区に一ブロック丸々使ったチーズ・マーケットがある！」モリガンは地図の小さな字に目を凝《こ》らしながら言った。「あ、ちょっと待って――炎《ほのお》のショーって書いてある。ううん……待って。違《ちが》う、そうじゃない。ドッグショーだ。どんどん変わっていく！」

「きっと三つ全部なんだよ」ホーソーンは地図を眺《なが》めているモリガンの服の袖《そで》をつかみ、右へ左へと行きかう人を避《さ》けながら、ものすごいスピードで歩いていた。

「ふうん。違《ちが》う夜にっていうこと？」

「同じ夜にさ」

モリガンは足を止め、もう一度地図を確かめた。

「急いで」ホーソーンが言った。「ほんの数時間しかないんだからさ、早く南地区まで行かないと。ほら、近道を知っているから」

ホーソーンはモリガンを連れて、グランド・ブールバードから脇道《わきみち》のカラハン・ストリートに入った。

「全然、整理ができてないよね？」モリガンはまだ地図をにらんでいた。いくつかのゾーンには、三つ、四つ、ときには五つの異《こと》なるイベントや目的が書かれていて、そのほとんどがまったく無関係どころか、相反するもののように思えた。モリガンはホーソーンに地図を見せながら言った。「見て——その先がアンブロシア広場だよね？　アンブロシア広場ではタンゴのレッスンとお茶会をやっているって地図には書いてある。それって、ありえない。アンブロシア広場はすごく小さいのに、いったいどうやって——」

小さな広場の入り口とおぼしきところまでやってくると、モリガンは顔をあげた。色とりどりのシルクのカーテンが顔の前でひらひらしている。

「こうやってさ」ホーソーンに引っ張られるようにしてカーテンをくぐると、そこはタンゴのレッスンのただなかだった。アンブロシア広場――普段《ふだん》は小さなテラスハウスに囲まれた静かな中庭だ――にはきらびやかな音楽が流れ、ドレスが渦巻《うずま》き、男女が抱《だ》き合うようにして嵐《あらし》みたいにステップを踏《ふ》んでいた。ボトルが割《わ》れて、赤ワインが間に合わせのダンスフロアにこぼれたので、モリガンは跳《と》びのいた。喧嘩《けんか》が始まり、ホーソーンはモリガンの腕《うで》をつかんでシルクのカーテンの手前に引き戻《もど》した。

もう一度カーテンをくぐると、アンブロシア広場は活気に満ちた――けれどとても上品な――お茶会に変わっていた。隅《すみ》にあるアップライト・ピアノでピアニストが穏《おだ》やかな曲を演奏《えんそう》し、ウェイトレスたちが客のあいだをまわりながら、カップに紅茶《こうちゃ》を注《そそ》ぎ、三段《だん》のトレイに小さなケーキを配っている。

「これは――どうやって？」モリガンが訊《き》いた。

ホーソーンは肩《かた》をすくめた。「だれが気にするんだい、そんなこと？　さあ、行こう――ここに用はないよ」

アンブロシア広場の向こう側で羽根のカーテンをくぐると、そこは鳥のマーケットで、あらゆる種類の鳥が入った何百という鳥かごが吊《つ》るされていた。色鮮《あざ》やかな異国風《いこくふう》の鳥、小さくて宝石《ほうせき》のような鳥、モリガンの祖母を思わせるような大きくて恐《おそ》ろしい猛禽《もうきん》。複数の言葉を話す鳥がいて、狩《か》りをするように訓練されている鳥がいて、隊列を組んで飛ぶ鳥がいた。

モリガンは足を止めてゆっくり見たかったのだけれど、ホーソーンは彼女《かのじょ》を追い立てるようにして、ツタのカーテンの向こうにある色鮮《あざ》やかな花のマーケットに入り、千もの色を使ったサイケデリックな光の模様《もよう》を一面に投げかけている提灯《ちょうちん》マーケットを通り過ぎ、にぎやかで強《きょう》烈《れつ》なにおいのする魚の競り、祈《き》禱《とう》会《かい》、ワニマルの権利《けんり》に関する活発な議《ぎ》論《ろん》、回転木馬や幽霊《ゆうれい》列車や大道芸をしているカーニバルを次々と抜《ぬ》けて……

「ホーソーン、ちょっと止まってよ――幽霊《ゆうれい》列車に乗りたくないの？　もう少しゆっくり歩いて。お腹《なか》が痛《いた》くなってきたってば！」

けれどホーソーンが足取りを緩《ゆる》めることはなかった。行きたいところが決まっているのだろう。それに彼《かれ》は話そうとはしなかったけれど（〝びっくりするよ〟）、それがどういうところなのかはだいたい予想がついていた。ホーソーンのことはよく知っている。

バザールは混み合っていて、たくさんの屋台が変わったものを売っているのだろうとモリガンは思っていた。ホテル・デュカリオンの客や従業員《じゅうぎょういん》たちが、こぞって興味深い話やお土産を飽《あ》くことなく自慢《じまん》し合う、バザールの翌日《よくじつ》の土曜日の朝の儀式《ぎしき》を、去年の夏は散々見ていたからだ。

けれど、ただ想像するのと自分の目で見るのとは全然違《ちが》う。それはまるで百もの異《こと》なる劇《げき》の異《こと》なる場面のなかを移動しているようだった。理解する暇《ひま》もなく、つぎからつぎへと奇妙《きみょう》なものが現われるので、モリガンは頭がくらくらしてきた。

混乱《こんらん》したし、わくわくもした。どこまでが現実でどこからがイリュージョンなのかもわからなかった。通り過ぎるあらゆる場所で、モリガンはデイヴに教わったとおりに継《つ》ぎ目を見つけようとした。なにを探《さが》せばいいのかわかっていたから、イリュージョンが消えないようにするために背後《はいご》でせっせと作業をしている人たちを見つけるのは、難《むずか》しいことではなかった。たいていは高いところにいる――現場を見おろせるバルコニーか屋根の上で、一心に集中していた。

「あそこ！」モリガンはそう叫《さけ》んでホーソーンの腕《うで》をつかみ、クーパー・コート（地図によれば、屋外ネイル・サロンとユニコーンを使った馬術大会のアリーナになっていた）に面した建物の四階を指さした。ひと組の男女が眼下の中庭から一瞬《いっしゅん》たりとも目を離《はな》すことなく、ひっきりなしになにごとかをつぶやいている。

「そんなことする必要ある？」ホーソーンが文句を言った。「カーテンの裏側に首を突《つ》っこむのはやめて、ただ魔法《まほう》を楽しむわけにはいかないの？」

「でも、すごく興味をそそられるんだもの！」

蒸気《じょうき》のベールを通り抜《ぬ》けて、屋台が並《なら》ぶにぎやかな屋外レストランにたどり着いたときには、これでようやく止まれるだろうとモリガンは考えた。ホーソーンが目指していたのは、絶対にここだ。

ある女性が、炎《ほのお》と蒸気《じょうき》に囲まれながら巨大《きょだい》な銀のフライパンを三つ同時に操《あやつ》っていた。スパイスを余りにもふんだんに使っているせいで、目にしみて涙《なみだ》が出てきたけれど、なんだかよくわからない肉のにおいはとてもおいしそうだ。ほかの屋台ではシチューや、平たいパンや、揚《あ》げたてのフライドポテトや、揚《あ》げ餃子《ぎょうざ》や、樽《たる》で茹《ゆ》でた蟹《かに》を売っている。バターでソテーしたカタツムリや、豚《ぶた》の腸《ちょう》のフライや、カリカリに揚《あ》げたバッタや、アイスキャンディーみたいに棒《ぼう》に刺《さ》したネズミの串《くし》焼きもあって、モリガンはぞっとした。

「ネズミの串《くし》焼き？」モリガンは顔をしかめた。

「豚《ぶた》の腸《ちょう》？　どんな味なんだろう？」

けれどホーソーンはそのまま急ぎ足で通り過ぎ、ピンク色の綿菓子《わたがし》のカーテンで仕切られたつぎのゾーンに向かった。ホーソーンはモリガンを見てにんまり笑うと、綿菓子《わたがし》を大きくちぎって舌《した》の上でとろけさせてから、甘《あま》くてべたべたしていて紙のように薄《うす》いカーテンをくぐった。

「スイート・ストリート！」あたかも心のふるさとにモリガンを迎《むか》えたかのように、ホーソーンは両手を大きく広げた。スイート・ストリートは三つの区画にわたって延《の》びていて、チョコレート店や、キャンディーの店や、キャラメル・コーンがいっぱい入った大きな鍋《なべ》をかきまわしている人や、ケーキの屋台や、クレープの店や氷砂糖《こおりざとう》とボンボンが山積みになったテーブルや、五〇センチもの高さのサンデーが専門《せんもん》のアイスクリーム店が所せましと並《なら》んでいた。

ホーソーンは意気込《いきご》んでいた。時間とお金とお腹《なか》のスペースを一番有効に使うにはどうすればいいのかまったく迷いがなかったから、彼《かれ》が毎年ここに来ていることがよくわかった。

「シュガープラム・ドーナッツは絶対食べなきゃだめだ」ホーソーンは、紫色《むらさきいろ》のシュガープラム・ジャムが入った揚《あ》げドーナッツにシナモン・シュガーをまぶしたものを売っている屋台を指さした。「それからシャーベット・ローズも。でもクレープは忘《わす》れていい。それほどじゃないから」さらに彼《かれ》は、考えられるありとあらゆる種類のトリュフ（ココナッツ・トリュフ、桃《もも》のトリュフ、ペパーミント、シャンパン、プラリネ、バッタ……バッタがいっぱいについたあれはなんだろう？）を並《なら》べているチョコレート店の前も素通りし、細長いキャラメルを手で伸《の》ばし、メートル単位で売っている屋台に歩み寄った。

もうこれ以上ひと口も食べられなくなったところで、モリガンはまだ口を動かしているホーソーンをその場に残し、灰色《はいいろ》の霧《きり》の向こうにある占《うらな》い師の路地《ろじ》をのぞいてみた。水晶《すいしょう》やタロットカード、手相、紅茶《こうちゃ》の葉、鳥の内臓《ないぞう》といったものを使うらしい。手のなかに唾《つば》を吐《は》いてくれれば、それを見て未来を占《うらな》うことができると声をかけてきた占《うらな》い師もいた。モリガンは礼儀《れいぎ》正しく断り、それでも占《うらな》い師がしつこく迫《せま》ってくるので、逃《のが》れようとしてうっかりべつのカーテンの向こうに足を踏《ふ》み入れてしまった。そこは……

なにもなかった。なにも見えない。なにも聞こえない。

暗いのではない。暗闇《くらやみ》のなかにいるのではなかった。モリガンはなにも見ていなかった。目が見えない。

モリガンは叫《さけ》んだ――ホーソーン！――けれど、声は出なかった。それともあたしに聞こえないだけ？　ホーソーンには聞こえているかもしれない。モリガンは片手《かたて》を喉《のど》に当て、もう一度ホーソーンの名前を呼《よ》んだ。喉《のど》が震《ふる》えるのは感じられたけれど、やっぱりなにも聞こえない。目も見えないし、耳も聞こえなくなっていた。

落ち着いて、モリガンは自分に言い聞かせた。**落ち着いて。**

だれかが脇《わき》を通り過ぎるのを感じた。強い香水のにおいがした。べつのだれかがぶつかってきて、大きな手に乱暴《らんぼう》に肩《かた》をつかまれた。むっとするような煙草《たばこ》のにおいがして、だれなのかを確かめるようにその手に頭と顔を撫《な》でまわされたかと思うと、脇《わき》へと押《お》しのけられた。

落ち着いて落ち着いて落ち着いて。ステップ二はなんだった？　そう――退却《たいきゃく》だ。モリガンは自分に言い聞かせるようにして、慎重《しんちょう》に一歩うしろにさがった。さらにもう一歩。けれどそのとき、だれかに手をつかまれた。さっきよりもずっと小さい手だ――彼女《かのじょ》と同じ子供《こども》の手。あなたなの、ホーソーン？　モリガンは叫《さけ》んだけれど、もちろんなにも聞こえなかった。反対の手を伸《の》ばして、隣《となり》にいるだれかの肩《かた》をつかんだ。背《せ》の高さはモリガンとほぼ同じ、いくらか高いかもしれない――きっとホーソーンだ。

手を前に引っ張られた。ふたりはしっかりと手をつなぎ、目の見えない不器用な人々のあいだをぶつかりながら進んだ。そしてようやく、暗闇《くらやみ》の向こう側に出た。

水中に潜《もぐ》っていた人間が水面に顔を出したみたいだった。世界が再び色と光と音を取り戻《もど》した。息を止めていたわけでもないのに、モリガンは大きく息を吸《す》った。明るさに慣らそうとしてまばたきをしながら、ホーソーンに顔を向けた。「あれはなんだったの？」

けれど、モリガンを引っ張っていたのはホーソーンではなかった。

隣《となり》には、カデンス・ブラックバーンが荒《あら》い息をつきながら立っていた。

「カデンス！」モリガンは驚《おどろ》きを隠《かく》せなかった。「いったいどうして――」

「本当だった」カデンスの目は恐怖《きょうふ》と興奮《こうふん》にぎらぎらしていた。「〈不気味なマーケット〉！　モリガン、本当だったの――いま、やっている」

第一六章
不気味なマーケット

「男の人が〈地獄《じごく》の袋小路《ふくろこうじ》〉に入っていくのを見たの」カデンスはモリガンの腕《うで》をつかんだまま、にぎやかな屋台の前を通り過ぎ、いくつものカーテンをくぐり、混み合っているバザールを猛烈《もうれつ》なスピードで進んでいく。「止まってって叫《さけ》んだんだけど、聞こえなかったみたいで、そのまま行っちゃった」

「え――なに？　カデンス、痛《いた》いよ」カデンスはいくらか力を弱めたけれど、手を離《はな》すことはなかったし、足取りを緩《ゆる》めもしなかった。「なにを言っているの？　〈地獄《じごく》の袋小路《ふくろこうじ》〉を通りかかったら、たまたまだれかが入っていくのを――」

「そうじゃないって。わたしは通りの反対側で見張っていたの。行方不明になった人たちのことと、あんたが言ってたことを考えた。〈不気味なマーケット〉と、そこであんたが見たもののことを。今日の午後になって、ふと気づいたの――もしそれが本当なら、あんたが見たものが本当に〈不気味なマーケット〉の準備をしているところだったなら、それが行方不明になった人たちと関係あるなら、開かれるのは絶対今夜のはず。そうでしょう？　バザールがはじまる夜！　完璧《かんぺき》なタイミングよ」

「そうかもしれない。でもカデンス――」

「だからわたしは、〈地獄《じごく》の袋小路《ふくろこうじ》〉にだれが来るのかを見張っていたわけ。知ってる？　あそこはもうピンクレベルじゃなくなっていた。変わっていたの、赤レベルに。でもひとりの男が、全然ためらう素振《そぶ》りも見せずにすたすたと入っていった。五分後にはべつの男も入っていった。その男はマスクをつけていたの。そのあとには女の人もきて、その人はスカーフで顔のほとんどを隠《かく》していたのよ――夏の最中《さなか》だっていうのに！　だからわたしはあんたを探《さが》しに行ったの。バザールにいっしょに行くってホーソーンから聞いていたから。あっちこっち探《さが》して、〈無の中庭〉に迷いこんでいくあんたをようやく見つけたってわけ。さあ、こっち」

「でも、せめてホーソーンに――」

「彼《かれ》なら大丈夫《だいじょうぶ》だってば」カデンスは譲《ゆず》らなかった。「ほら、急がないと」

数分後、ふたりは〈地獄《じごく》の袋小路《ふくろこうじ》〉の入り口にたどり着いた。道と呼《よ》ぶのもためらうくらいの細さだ。壁《かべ》の標識は確かに変わっていた。

地獄《じごく》の袋小路《ふくろこうじ》

注意！

〈奇妙《きみょう》な地理の研究団〉とネバームーア議会によって

この通りは
赤レベルの悪ふざけの道に
指定されています
（危険度《きけん》が大きく、ダメージを与《あた》える恐《おそ》れが高い悪ふざけ）
入るときには自己《じこ》責任で

モリガンは二度読んだ。「……ダメージを与《あた》える恐《おそ》れが高い。それって、悪ふざけの中身が変わったっていうこと？」

「分類し直したんなら、そうだろうね。でも、考えてみたの。あんたはこのあいだ、吐《は》き気を催《もよお》す悪ふざけを通り抜《ぬ》けたんだよね？　あたしが見た人たちも、間違《まちが》いなく向こう側に行っている。だから、〈地獄《じごく》の袋小路《ふくろこうじ》〉がなにに変わったとしても、絶対通り抜《ぬ》けられるはずなの」

「でも赤レベルは……」

モリガンは標識からカデンスに、そして再び標識に視線《しせん》を戻《もど》した。決意が固まるにつれ、心臓《しんぞう》の鼓動《こどう》も速くなっていく。〈不気味なマーケット〉を調べたかった。カシエルやパキシマス・ラックやほかの人たちを探《さが》したかった。これはチャンスだ！　行方のわからなくなった人たちを探《さが》しているジュピターの手助けができるし、それがあたしのせいじゃないこと――ヘロイーズは間違《まちが》っていたこと――を証明できる。行方不明の人たちを見つけたら、長老たちはあたしを〈結社《ワンソック》〉に戻《もど》してくれるかもしれない。

モリガンは大きくうなずいた。「そうだね。やろう」

カデンスは笑みを浮《う》かべ、ふたりは揃《そろ》って〈地獄《じごく》の袋小路《ふくろこうじ》〉に足を踏《ふ》み入れた。最初はなにも起こらなかった。もう悪ふざけはないのかもしれない、標識は間違《まちが》っているのかもしれないとモリガンはつかの間、期待を抱《いだ》いたが、突然《とつぜん》、肺《はい》の空気がすべて吸《す》い出されるのを感じた。

「歩き続けて」カデンスはモリガンの手を引っ張りながら、苦しそうな声で言った。

ますます息が苦しくなるにつれ、生存《せいぞん》本能が激《はげ》しく暴れはじめ、モリガンを来たほうへと引き戻《もど》そうとした。明かりと酸素と安全がある場所へと。

「わたしを信じて」カデンスがモリガンの手をぎゅっと握《にぎ》った。「いい？」

モリガンは……自分がカデンスを信じていることに気づいた（いつからだろうと不思議だった）。

モリガンは本能に抗《あらが》い、片方《かたほう》の足を断固としてもう一方の足の前に出した。肺《はい》は空っぽだったし、頭はいまにも爆発《ばくはつ》しそうだったし、空気を吸《す》いたくてたまらないのに空気がなくて、胸《むね》が焼けるように熱くなって――

ふたりは目に見えないバリヤーを通り抜《ぬ》け、ようやくありついた空気を大きく吸《す》いこんだ。胸《むね》の痛《いた》みとめまいで倒《たお》れそうだ。でも、やり遂《と》げた。カデンスは無言で頭上を指さした。

東ゲートにあったネバームーア・バザールの目を見張るような歓迎《かんげい》のサインを嘲《あざけ》るように、ふたりの上にはみすぼらしい白い木のアーチがかかっていて、黒いペンキで字が書かれていた。

不気味なマーケット

「本当だったんだ」モリガンは荒《あら》い息をつきながら言った。

「思ったとおりだ」

ふたりは広場を眺《なが》めた。もうそこはがらんとはしておらず、買い手と売り手でごったがえしている。親しくなりたいような人々ではなかった。ネバームーア・バザールのような魅力《みりょく》はかけらもない。バザールは華《はな》やかで、魔法《まほう》に満ちていて、心地いい雰囲気《ふんいき》だけれど、〈不気味なマーケット〉はだれかが唾《つば》を吐《は》き、踏《ふ》みしだき、泥《どろ》をなすりつけたみたいに感じられた。

「どれほど間違《まちが》っていたのか、早くミルドメイに教えたいね」カデンスはつぶやき、モリガンの脇腹《わきばら》をつついた。「ほら、そんなにじろじろ見ないの。人目を引くよ。涼《すず》しい顔をして」

けれどマーケットのなかを進むうちに、モリガンはじろじろ見ずにはいられなくなった。とても涼《すず》しい顔などできない。ここで売られている商品は、ほかのゾーンで見たものとはまったく違《ちが》っていた。左側には、様々なアンニマルの臓器《ぞうき》――まだ新しくて、血まみれだった――が並《なら》ぶテーブルがある。右側にずらりと並《なら》ぶ瓶《びん》の中身は、液体に漬《つ》けたアンニマルの頭部や手足、それに――

「あれって、人間の頭？」モリガンは金切り声をあげ、黄色っぽい保存液《ほぞんえき》の瓶《びん》のなかに浮《う》かんでいる、妙《みょう》に穏《おだ》やかな表情の小さく縮《ちぢ》んだ頭部を指さした。

カデンスはモリガンを引っ張りながら、口の端《はし》で言った。「落ち着いて」

ふたりは**秘密《ひみつ》の売買**とだけ書かれた看板《かんばん》がかかった黒いキャンバス地のテントの前を通りすぎた。さらに進むと、〝適正価格〟でウィンターシー共和国への密入国《みつにゅうこく》を請け負うと声をあげている女性がいた。

「歯だよ！」屋台の持ち主の男の叫《さけ》び声に、モリガンたちは飛びあがった。「歯と牙《きば》、歯と牙《きば》はどうだい？　アンニマルでもワニマルでも人間でも、なんでもあるぞ。早くしないと売り切れちまうぞ。大臼歯《だいきゅうし》、犬歯、親知らず、牙《きば》。魔術《まじゅつ》に使うのもよし、アクセサリーにするもよし。買ってくれさえすれば、なにに使おうとあんたの勝手だ。歯〜〜〜、歯を手に入れよう！」

〈不気味なマーケット〉をさらに奥《おく》へと進むにつれ、邪悪《じゃあく》さと醜《みにく》さはどんどん増していき、モリガンは目を閉《と》じて逃《に》げ出したくなった。バザールの明るい光と、楽しげな音楽が恋《こい》しくてたまらなかった。〈不気味なマーケット〉の人込《ひとご》みにまぎれこむのはたやすかったし、そこにいる人々はだれとも目を合わせようとはしなかったけれど、それでも……自分たちが目立っているように思えてきた。襟元《えりもと》に金のWのピンを光らせた、ふたりの子供《こども》。どう見ても場違《ばちが》いだ。

モリガンは〈結社《ワンソック》〉の印を急いではずすと、ポケットに押《お》しこんだ。「ピンをはずして」カデンスに言った。

マーケットの中央に、どこよりも大勢の人々が集まっているように見えるテントがあった。大柄《おおがら》で不愛想な男が四匹《ひき》の恐《おそ》ろしげな犬と共にテントの入り口に立ちはだかっていて、その前に長い列ができている。男は人数を数えながら、ふたりずつ客をテントのなかに入れていたが、不意に手をあげてつぎの客を押《お》しとどめた。

「お客さん、もう定員いっぱいだ。オークションは満員だよ。今度にしてくれ」

「冗談《じょうだん》だろう？」列の先頭にいたひげの男が文句を言った。「いいじゃないか、何か月も待っていたんだ」

「それなら、もっと早く来るべきだったな。人数限定だ。早い者勝ち、盛装《せいそう》。決まりは知っているだろう？　春のオークションであんたを見かけたよ」

ひげの男は秘密《ひみつ》めかしてささやいた。「いいか、わたしは……あの目玉商品のために来たんだ。わたしが言っている意味はわかるだろう？　高値《たかね》をつけるつもりでいる。わたしはだれよりたっぷり金を持っているぞ」

モリガンとカデンスは顔を見合わせた。目玉商品。それって、行方不明になっている人たちのことだろうか？

「そうだろうとも。だがあんたは時間にルーズすぎる。秋のオークションを待つんだな。じゃあな」

男は切羽詰《せっぱつ》まった様子で、自分のひげを引っ張った。「頼《たの》むよ――あの獣《けもの》はもう長いこと――」

「じゃあなと言ったんだ」ドアマンがぴしゃりと言った。「あいつらをけしかける前に出ていってくれ」鎖《くさり》につながれた四匹《ひき》の犬を頭で示すと、それが合図だったかのように犬たちがうなり始めた。ひげの男はすごすごと引きさがった。男が目の前を通りすぎようとしたところで、カデンスが手をあげて遮《さえぎ》った。

「このまま帰るつもりじゃないでしょう?」

男は鼻であしらい、カデンスを押《お》しのけようとしたが、カデンスが短く「止まって」と言うと足を止めた。カデンスは男の顔を見つめ、蜂《はち》の群れを思わせる声で言った。「戻《もど》って、あなたをばかにしたらどうなるかを思い知らせてやりなさい」

唐突《とうとつ》に意思を奮《ふる》い立たせたかのように、男の目のなかでなにかが動いたのがわかった。男は足取りも荒々《あらあら》しく列の先頭に戻《もど》っていき、ドアマンの胸《むね》に短い指をつきつけて怒鳴《どな》り始めた。犬たちはリードを引っ張りながら、うなったり吠《ほ》えたりしている。列を作っていた人々は散り散りになりかけていたけれど、騒《さわ》ぎの予感に磁石《じしゃく》のように再び集まり始めていた。

「さあ、行こう」カデンスがささやいた。ふたりが騒《さわ》ぎを利用してキャンバス地の小さなテントにするりと潜《もぐ》りこむと、そこは枝付き燭台《しょくだい》に照らされた、暗くて豪華《ごうか》な舞踏場《ぶとうじょう》のようなところだった。

キャンバス地をおろすと、とたんに外の物音は火に水をかけたように消え、落ち着いた話し声とワイングラスの当たる音だけになった。違《ちが》う世界に来たみたいだ。だれもいないテーブルに様々なマスクやフードやベールが置かれ、〝ご自由にどうぞ〟と記されていた。モリガンはアンニマルのゴムのマスクをふたつ、手に取った。毛むくじゃらのゴリラのマスクを頭にかぶり、キツネのマスクをカデンスに差し出した。カデンスは顔をしかめた。

「だれもわたしには気づかないもの」

「まわりを見てよ」ゴムのゴリラのマスクのせいで声がくぐもって聞こえた。「顔を出している人がいる？　目立ちたいの？　いいからかぶって」

〈地獄《じごく》の袋小路《ふくろこうじ》〉に入っていった人々についてカデンスが言っていたことが、ようやく理解できた。ここにいる人はみんな、正体を隠《かく》そうとしている。こんな場所にいることを知られたいと思う人はだれもいない。

気づいたのはそのときだった。テントの奥《おく》に赤いカーテンのかかった演壇《えんだん》があって、その上にまるでトロフィーのように檻《おり》が置かれている。

「ドクター・ブランブルのマニフィカブ！」モリガンは息を呑《の》んだ。

水晶《すいしょう》のような澄《す》んだ青色の目をしたマニフィカブの首まわりの白い毛は泥《どろ》がこびりつき、汚《よご》れていた。金属の檻《おり》のなかで爪《つめ》を立て、うなったり吠《ほ》えたりしている。ライオンのように戦ってはいるものの、怯《おび》えていて、逃《に》げ出したくてたまらないのがよくわかった。モリガンはたまらない気持ちになった。いますぐに駆《か》け寄って逃《に》がしてやりたかったけれど、それはとんでもなく愚《おろ》かな行為《こうい》だ。

テントのこちら側の雰囲気《ふんいき》はそれほど上品ではなかった。人々は嘲《あざけ》ったり、笑ったりしながら、かわいそうなマニフィカブに物――食べ物や石や空瓶《からびん》――を投げつけ、もっと怒《おこ》らせようとしていた。実際マニフィカブは檻《おり》の奥《おく》に縮《ちぢ》こまったりせず、ますます激《はげ》しく暴れ、大きな声で吠《ほ》えていた。鮮《あざ》やかな青い目は恐怖《きょうふ》にぎらついている。モリガンは吐《は》き気を覚え、自分の無力さをひしひしと感じていた。隣《となり》ではカデンスが鋭《するど》く短い息を繰《く》り返していた。

「みなさん、今日最初の目玉商品です！」木の演壇《えんだん》の向こうで男がマニフィカブの隣《となり》に立った。

男は茶色いツイードのスーツを着て、顔の上半分をマスクで隠《かく》している。手にした杖《つえ》で時折、金属の檻《おり》をバシンと叩《たた》いていた。「高貴《こうき》で――そしてとんでもなく珍《めずら》しい――マニフィカブです。もちろんいまはまだたいして立派《りっぱ》には見えませんが、大人になったマニフィキャットがどれほど素晴らしいか――そのうえどれほど役にたつことか！――は、だれもが知っています。ワンダーに満ちた性質を持つ、激《はげ》しくも独立心旺盛《どくりつしんおうせい》な生き物であるにもかかわらず、従《じゅう》順《じゅん》で有能な使役動物になるのです――幼《おさな》いときに舌《した》を切断すれば、間違《まちが》いなしです！　共和国では大人気です。みなさん、獰猛《どうもう》だと言われているマニフィキャットの知性を恐《おそ》れる必要はありません。それどころか、一般的《いっぱんてき》に信じられていることとは逆で、正しく扱《あつか》えば意のままに操《あやつ》ることができるのです」

モリガンは喉《のど》に苦いものがこみあげてくるのを感じた。ぐっとそれを飲みこんで、気持ちを落ち着けようとした。舌《した》を切断？　あのかわいそうな子猫《こねこ》の？　モリガンは不意に吐《は》き気を催《もよお》すような事実に気づいた――ウィンターシー共和国の大統領は、車を引かせていた六匹《ぴき》のマニフィキャットにそんなことをしていたの？　だから、彼《かれ》らは話すことができなかったの？

面白くて、意地が悪いフェネストラのことを思った。あの大きな灰色《はいいろ》のマニフィキャットが偉《えら》そうにジュピターに命令し、モリガンをからかい、好きなように振《ふ》る舞《ま》い、言いたいことを言っているのを思い出した。それから、フェンが静かになって、従《じゅう》順《じゅん》になって、ほかのマニフィキャットといっしょに鎖《くさり》につながれ、檻《おり》に閉《と》じこめられて、一生車を引かされているところを想像した。吐《は》き気がますますひどくなった。絶対に間違《まちが》っている。

「このハンサムなマニフィカブを手なずけようという、勇気のある人はいますかな？　この獣《けもの》を飼い慣らすことができるのはだれでしょう？　それともそういうことは一切ごめんだというのなら、皮をはいでコートにすることもできます」

思わずモリガンの口からうめき声が漏《も》れて、カデンスにぐいっと脇《わき》をつかれた。「シーッ」

競売人は咳払《せきばら》いをした。「さて、口上はこのへんにしてオークションを始めましょう。大変良心的な価格から開始します。五〇〇〇クレドです。どなたかいますか？　はい、そちらの刺青《いれずみ》をした男性に五〇〇〇クレド。五五〇〇の方は？」

モリガンは胃《い》をぐいっとなにかにつかまれた気がした。怯《おび》えたかわいそうな子猫《こねこ》は、一番高い値段《ねだん》をつけた人間に競り落とされるのだ。

「緑のマントの女性に五五〇〇クレド。六〇〇〇はどうですか？　ありがとうございます、刺青《いれずみ》の男性に六〇〇〇クレド。六五〇〇はありませんか？　どなたか？　犬のマスクの男性に六五〇〇。七〇〇〇はありませんか？」

競りはどんどん熱を帯びていき、入札者《にゅうさつ》があまりに多くなりすぎて、モリガンは競売人の声を追うことができなくなった。マニフィカブは入札者《にゅうさつ》たちのすさまじい叫《さけ》び声と、競売人が金属の檻《おり》を杖《つえ》で叩《たた》くごとに響《ひび》くバシンという大きな音に疲《つか》れたのか、縮《ちぢ》こまってふらふらしている。

モリガンは胸《むね》が苦しくなった。涙《なみだ》が出そうだ。心が砕《くだ》けそうなその一瞬《いっしゅん》、マニフィカブと目が合った。ただの想像だったのかもしれないけれど、彼《かれ》が助けを求めているとモリガンは感じた。

あたかも同じ無線を受信したかのように、モリガンとカデンスは顔を見合わせ、同時に言った。「なにかしないと」

「考えはある？」カデンスの声は震《ふる》えていた。

モリガンは答える代わりに、震《ふる》える手をあげた。

「ゴリラのマスクの小人に一万二千」競売人がモリガンを示しながら言った。「一万二千五百はありますか？　ありがとうございます、サー。刺青《いれずみ》の男性に一万二千五百。一万三千はありませんか？　はい、赤いスカーフの女性に一万三千クレド。さて――刺青《いれずみ》の友人が一万三千五百に手をあげました。すばらしい。一万四千は――」

「一万五千！」モリガンはせいいっぱい大人ぶった、意地悪そうな低い声で言った。カデンスが小さく咳《せ》きこみ、今度はモリガンが彼女《かのじょ》のあばらを肘《ひじ》でついた。

「ゴリラに一万五千！　どなたか――」

「一万六千」刺青《いれずみ》の男が、ひどくしゃがれた、もっと意地悪そうでもっと低い声で応じた。

「一万八千」モリガンが対抗《たいこう》した。驚《おどろ》いたようなどよめきが起き、その声にまぎれてカデンスが訊《き》いた。「そのお金をどこから持ってくる気？」

「考えてない」モリガンはマスクの下から答えた。「シーッ」

「二万」刺青《いれずみ》の男は怒《おこ》っているようだ。

「二万五千」モリガンが叫《さけ》ぶと、人々は静まりかえった。

「二万五千クレド」競売人は信じられないように繰《く》り返した。「二万五千クレド……二万五千クレド……」尋《たず》ねるように、刺青《いれずみ》の男に向かって眉《まゆ》を吊《つ》りあげる。「ありませんか？　よろしい、二万五千クレドで小さなゴリラが落札です」競売人は困惑《こんわく》しているようだったが、オークション・ハンマーを振《ふ》りおろした。「支払《しはら》いは係員のほうにお願いします。さて、みなさん、つぎが最後の商品です……」

モリガンはその先を聞いていなかった。耳の奥《おく》を流れる血の音しか聞こえない。胸《むね》のなかでは当然の質問が繰《く》り返されていた。これからどうする？　これからどうする？　これからどうする？

マニフィカブの脇《わき》に立ってモリガンを手招きしている係員を見つけたカデンスが言った。

「心配いらない。わたしに任せて」

係員は少しも心を動かされていなかった。

「これはどういう意味です？」

「あなたに払《はら》うお金」カデンスはキツネのマスクをはずし、若《わか》い男に差し出していた。男は侮《ぶ》辱《じょく》されたような顔をしていたが、やがて困惑《こんわく》の表情に変わった。「二万五千クレド。ちゃんと数えたから。二度」

「これは……これはなにかの……」係員は、水を浴びた犬のようにぶるぶると首を振《ふ》った。

「いったいなんのゲームだ？」

モリガンは振《ふ》り返り、オークションが続いているテントの反対側に目を向けた。一刻《いっこく》も早くここを出て、一目散に逃《に》げたくてたまらない。けれど、すっかり疲《つか》れ果て、檻《おり》の中で悲しそうにぐったりとへたりこんでいるマニフィカブを置いて帰るわけにはいかなかった。

競売人の言葉はところどころしか聞き取ることができなかったけれど、大きな赤いベルベットのカーテンの向こうに隠《かく》してあるものがなんであれ、人々はかなり興奮《こうふん》しているようだ。

「使い道を想像してみて……」競売人の言葉が切れ切れに流れてくる。「……海運業や海賊《かいぞく》……すばらしい能力です。水中での狩《か》りや……暗殺も……」

「ゲームなんかじゃないわ。あなたは混乱《こんらん》している」カデンスの声はチェロを弾《ひ》く弓のようになめらかだった。

「わたしはこの子猫《こねこ》に二万五千クレドを払っているの。あなたの手のなかにそのお金がある。たったいま、わたしが払《はら》ったのよ」カデンスは係員の右手の上のマスクに向かってうなずき、それから彼《かれ》が左手にしっかり握《にぎ》りしめている檻《おり》の鍵《かぎ》を示した。「だからあなたは、マニフィカブをわたしに渡《わた》すの」

「ぼくはマニフィカブをきみに……」

「そうよ……」

「でも……」

「そうよ」眠気《ねむけ》を起こさせるようなカデンスの声だった。若《わか》い男はゆっくりまばたきをすると、檻《おり》の鍵《かぎ》を開けた。「そうだ」

数分後ふたりは、カデンスのキツネのマスクを二万五千クレドの現金だと信じこんで、頑丈《がんじょう》な金属の箱に入れて鍵《かぎ》をかけている放心状態の係員をあとに残し、テントの出口に向かっていた。モリガンは怯《おび》えている子猫《こねこ》を逃《に》がすまいとして必死だった。万一に備えてチェーンの端《はし》を片手《かたて》で持ってはいたものの、できれば抱《だ》きかかえたかった――成犬のセントバーナードを抱《だ》きあげるようなものだったけれど。子猫《こねこ》が怖《こわ》がっているようだったので、ゴリラのマスクをはずさなくてはならなかった。

ふたりはざわついている人々のうしろを進んだ。彼《かれ》らは最後の商品を取り囲んでいて、その話し声を切り裂《さ》くように競売人の声が響《ひび》いていた。「日に焼けた義足の男性に一万八千五百。一万八千五百。一万九千はいませんか？　これほどの珍《めずら》しい能力には安いものですよ……」

モリガンはマニフィカブを落ち着かせようと、耳元でたいして意味のない言葉をささやき続けていた。「シーッ。大丈夫《だいじょうぶ》だから。ほら、いい子ね。フェンがあなたを探《さが》していたのよ。静かにしようね。わたしたちと一緒《いっしょ》に来て、気難《きむずか》しいフェネストラに会いたくない？　もちろん会いたいよね。フェンはマニフィキャットなの。あなたと同じ」

カデンスは爪《つま》先立《だ》ちになって、人々がなにあれほど興奮《こうふん》しているのかを確かめようとしていた。「水槽《すいそう》のなかになにかいる」モリガンに小声で言った。「すごく大きな水槽《すいそう》なの」

「いいから早くここを出よう。お願いだから、手伝ってくれない？」

けれどカデンスはモリガンの数歩うしろで立ちどまり、人々の合間から水槽《すいそう》のなかをのぞきこんだ。その目が大きく見開かれた。「モリガン……見て」

「もう行かないと。この子をずっと抱《だ》いては――」

「モリガン」カデンスは水槽《すいそう》を指さしながら、切迫《せっぱく》した口調で言った。「見て、見て」

モリガンは渋々《しぶしぶ》――そのうえ苦労しながら――カデンスが立っている場所まで戻《もど》った。また自分をいじめた人間のところに連れ戻《もど》されると思ったのか、子猫《こねこ》はうなり、毛を逆立て、モリガンの腕《うで》に爪《つめ》を立てた。けれど水槽《すいそう》のなかにいるものを目にしたショックで、モリガンは痛《いた》みを感じなかった。

ガラスの向こうにいたのは、水中で岩に鎖《くさり》でつながれていたのは……一〇代の少年だった。生きている。絶望の表情を浮《う》かべ、寒さのせいで唇《くちびる》は紫《むらさきいろ》色だったけれど、それでも生きていた。

当然だろう。彼《かれ》は水のなかで息ができるのだから。

「アルフィー！」モリガンは叫《さけ》んだ。気がついたときには遅《おそ》かった。考えるより先に、その名前が口をついていた。モリガンの声は客と競売人のざわめきを切り裂《さ》き、水を打ったような静けさのなか、全員の目がモリガンとカデンスとマニフィカブ――甲高《かんだか》い声で鳴きながら、逃《に》げようとして暴れていた――に向けられた。

「あの子供《こども》たちは何者だ？」競売人が叫《さけ》んだ。「だれが子供《こども》をここに入れたんだ？　捕《つか》まえろ！」

がっしりした体格と意地の悪そうな顔つきをした半ダースほどの警備員《けいびいん》が、どこからともなく現われた。カデンスはモリガンの手首をつかんで引っ張ったけれど、モリガンはその場に根が生えたように動かなかった。

再び、あれが起きようとしている。

恐怖《きょうふ》と嫌悪《けんお》感《かん》と憤怒《ふんぬ》がシンフォニーのようにモリガンのなかで膨《ふく》らんでいき、体よりも大きくなった。以前とは違《ちが》う感覚だった。燃えるのではなく、高まっていく。その力は形あるものをつかもうとして膨《ふく》らんでいき、途中《とちゅう》にあるものすべてを呑《の》みこみ、モリガンのまわりのもののすべてを増幅《ぞうふく》しながら、なにかを……探《さが》していた。手段《しゅだん》を。道具を。

そしてそのきらめくような瞬間《しゅんかん》、モリガンはその力が一番近くにあるものに狙《ねら》いを定めたことを知った。マニフィカブ。モリガンの手から逃《のが》れようと必死で暴れていて………ついに目的を果たした。

モリガンの腕《うで》をすり抜《ぬ》けたときは、甲高《かんだか》い声で鳴く子猫《こねこ》だった。地面におり立ったときには、モリガンのワンダーの力で見あげるような大きさの恐《おそ》ろしい獣《けもの》に成長していた。ライオンの群れのような声で吠《ほ》え、競売人に歯をむき出した。競売人はその場で気を失った。

報復ができることに嬉々《きき》としながらマニフィキャットが客たちに次々と襲《おそ》いかかり、前足でパンチをふるい始めると、テントのなかは悲鳴が渦巻《うずま》く混沌《こんとん》と化した。その騒《さわ》ぎにまぎれて、モリガンとカデンスはアルフィーの水槽《すいそう》を目指して走ったが、オークションで競り合った刺青《いれずみ》の男に行く手をふさがれた。男の肌《はだ》の見えているところはすべて、複雑な黒いインクの模様《もよう》に覆《おお》われていた。

「おまえがやったんだな」男はまっすぐにモリガンを見つめて言った。「どうやった？　どうやってあんなことを？　おまえは何者だ？」

モリガンは男の脇《わき》をすり抜《ぬ》けてアルフィーの水槽《すいそう》に近づこうとした。どうにかしてアルフィーのところにたどり着き、どうにかして水槽《すいそう》から出して、どうにかして連れて帰ろうと思っていた。男はモリガンにつかみかかろうとしたが、カデンスがそのむこうずねを思いっきり蹴《け》ったので、男は悲鳴をあげて足を抱《かか》えこんだ。

「おい！」男が声をあげると、三人の友人――三人とも筋肉《きんにく》の塊《かたまり》だった――がこちらに向かってきた。

「逃《に》げて！」カデンスがモリガンの手首をつかんだ。

ふたりは、パニックを起こしたオークションの客たちのあいだをすり抜《ぬ》けるようにしてテントを出た。客たちは次々と、ごった返す〈不気味なマーケット〉のなかにまぎれていく。

獰猛《どうもう》なマニフィキャットがゆっくりと元のサイズに戻《もど》り、人込《ひとご》みのなかに消えていくのを見て、希望と後悔《こうかい》の入り混じった思いにモリガンの胸《むね》は痛《いた》んだ。あとには、破壊《はかい》の跡《あと》だけが残されている――踏《ふ》みつぶされた屋台、ひっくり返ったテーブル、この混乱《こんらん》をもたらした四本足の生き物がすでにいなくなっていることも知らず、わけがわからず互《たが》いに怒鳴《どな》りあっている売り子たち。

逃《に》げて、モリガンは心の底から願った。無事に逃《に》げ切ることは難《むずか》しいとわかっていたけれど、いまの彼女《かのじょ》たちにはなにもできない。いまは自分たちのことでせいいっぱいだ。

「いたぞ！」背後《はいご》で荒々《あらあら》しい声がした。「捕《つか》まえろ！」

ふたりはわざとテーブルをひっくり返しながら逃《に》げた。カデンスが樽《たる》を転がすと、そこには色鮮《あざ》やかな蛇《へび》がいっぱいに入っていたので、背後《はいご》で悲鳴のコーラスが始まり、ふたりはさらに走るスピードをあげた。

〈地獄《じごく》の袋小路《ふくろこうじ》〉まで全速力で走り、息ができない悪ふざけを通りすぎ、ネバームーア・バザールのどこまでも続くように思えるゾーンを抜《ぬ》け、ようやく――汗《あせ》だくで、ぜいぜい言いながら――〈聖《せい》なるものの聖堂《せいどう》〉の入口にたどり着いた。一二時直前だった。

真っ青な顔のホーソーンが、鮮《あざ》やかなピンク色に燃えている二本のたいまつのあいだを行ったり来たりしていた。ふたりを見てもなにも言わなかったのは、どれほど心配したのかを伝える言葉が見つからなかったかららしい。ホーマーはそれを補《おぎな》って余りあるくらい雄弁《ゆうべん》だった。感嘆符《かんたんふ》や大文字でいっぱいの激《はげ》しいメッセージを次々と書いては消し、またさらに書いていく。

モリガンとカデンスは息を整えながら、黙《だま》ってその怒《いか》りを受け止めていた。彼《かれ》らが怒《おこ》っているのはもちろん、ホーソーンがバザールのどこかでモリガンを見失い、必死で探《さが》し回っていたからだ。けれどいまのモリガンにはどうでもいいことだった。ホーマーの黒板を見て、あることを思い出していた。

ジャケットの内ポケットから、銀色がかった黒い紙を取り出した。

文章を書いている途中《とちゅう》のホーマーの手から無言でチョークを奪《うば》い取ると、黒い紙を壁《かべ》に押《お》し当てて書いた。

アルフィー・スワンとマニフィカブを見つけた。
〈地獄《じごく》の袋小路《ふくろこうじ》〉〈不気味なマーケット〉
ジュピターに伝えて。
〈隠密《おんみつ》〉を連れてきて。

そして、ジャックの名前を三度、唱え——「ジョン・アルジュナ・コラパティ、ジョン・アルジュナ・コラパティ、ジョン・アルジュナ・コラパティ」——ピンクに燃えるたいまつの炎《ほのお》に紙を近づけ、灰《はい》になって飛んでいくのを眺《なが》めた。

第一七章

ひとりの生徒のためのホテル・デュカリオン・アカデミー

「頼《たの》むよ、モグ。もう二度と〈悪ふざけの道〉には行かないでくれ」

ジュピターの顔は心配のあまり、引きつっていた。カデンスとモリガンから聞いた情報をもとに、ジュピターはゆうべ、〈隠密《おんみつ》〉、〈カメムシ〉、〈奇妙《きみょう》な地理の研究団〉、さらにはフェネストラ（一〇人の〈隠密《おんみつ》〉と少なくとも五〇人の〈カメムシ〉に匹敵《ひってき》するというのがモリガンの意見だった）を引き連れて、〈地獄《じごく》の袋小路《ふくろこうじ》〉を急襲《きゅうしゅう》した。

けれど手遅《ておく》れだった。子猫《こねこ》が派手《はで》に逃《に》げ出したことが警告《けいこく》になったらしく、一行が着いたときにはマーケットは中止され、犯罪者たちは逃《に》げ、そこには墓地があるだけだった。残されていたのはだれのものとも知れない汚《きたな》らしい屋台、〝不気味なマーケット〟と手書きで書かれた看板《かんばん》、空の水槽《すいそう》……そして石畳《いしだたみ》の地面にぺたりと座《すわ》りこみ、濡《ぬ》れた服で寒さに震《ふる》えている一〇代の少年がひとり。

少なくとも、アルフィーは取り返した。

けれど今朝のジュピターの顔に喜びの色はまったくなかった。仕事を終えた満足感すらない。そこにあるのは、二度と〈悪ふざけの道〉には行かないことをモリガンに約束させようとする固い決意だけだった。

「本気で言っているんだ」青い目がきらりと光った。「危《あぶ》なすぎる。あれだけの危険《きけん》を冒《おか》す価《か》値《ち》はない」

モリガンは顔をしかめた。どうしてジュピターはそんなことを言うの？　あたしとカデンスが〈地獄《じごく》の袋小路《ふくろこうじ》〉に行かなかったら、〈不気味なマーケット〉を見つけることはできなかった。マニフィカブを自由にすることはできなかったし、ジュピターと〈隠密《おんみつ》〉がアルフィー・スワンの居場所を知ることもなかったのだ。モリガンは反論《はんろん》しようとして口を開いたけれど、ジュピターは手をあげて止めた。

「アルフィーの天賦《てんぷ》の才はなくなった」あたかも不治の病を告げるかのような、厳《おごそ》かとも言える声だった。

「なくなった？」モリガンが訊《き》き返し、ジュピターはうなずいた。「なくなったって……どうやって？」

「わからない」ジュピターは疲《つか》れた目をこすりながら、深々とため息をついた。「奪われたのか、それとも……ひどいショックのせいなのかは……まだわからない」その声からは当惑《とうわく》がにじみ出ていた。彼《かれ》にも、〈隠密《おんみつ》〉にもわからないのだとモリガンは悟《さと》った。

「カシエルとパキシマス・ラックは？」モリガンは静かに尋《たず》ねた。「マニフィカブは？　見つかった？」

「カシエルの手がかりはない。パキシマスがあそこにいたことはわかった。オークションのリストに彼《かれ》の名前があったんだ。だが見つかっていない。おそらく……」その先を考えられないのか、あるいは考えたくなくて、ジュピターは言葉を濁《にご》した。「とにかく、あきらめてはいないよ。フェンの仲間たちが子猫《こねこ》を探《さが》している。どこかで檻《おり》に閉《と》じこめられているのではなく、町のなかにいることがわかっているから、見つけるチャンスはずっと大きくなった」

「フェンの仲間たちって？」

「彼女《かのじょ》の友人さ。ほかのマニフィキャットたち――普段《ふだん》の付き合いはないが、近くに何人かいるんだ。お互《たが》いに気をつけているんだよ」

「でも……〈輝《ワンダラス・ソサエティ》かしき結社〉は助けてくれないの？　〈隠密《おんみつ》〉は？　あたしたちは調べなくても――」

「〝あたしたち〟じゃないよ、モグ」ジュピターの声は少しだけ高くなった。「きみは捜査《そうさ》には関《かか》わらない。わかったね？」

「そんなのおかしい」哀《あわ》れっぽい声になっているのがわかったけれど、どうすることもできなかった。「あたしが――カデンスとあたしがマーケットを見つけたのに。あたしたちがマニフイカブを逃《に》がしたんだし、あたしたちが――」

「きみは、それを奪《うば》うためなら大金を払《はら》うような人間がいっぱいいる場所で、自分の能力を披《ひ》露《ろう》したんだ」ジュピターが険《けわ》しい口調で言い、モリガンはたじろいだ。

「わざと見せたわけじゃない」モリガンはマニフィカブの変身を思い出しながらつぶやいた。

「言ったでしょう？　どうしてあんなことになったのかわからないって。あれは……」

「ただ、ああなった」ジュピターはため息をつきながら、あとを引き取って言った。「わかっている。残念だが、そのこともぼくには説明できない」

ジュピターがかろうじて見せていた辛抱強《しんぼうづよ》さは消えていたけれど、いらだちの奥《おく》になにかがあることにモリガンは気づいていた。まっすぐに顔を見つめられ、それが恐怖《きょうふ》であることを知った。「モリガン、信じてほしい。まだ行方のわからない人たちを、みんながせいいっぱい探《さが》している。頼むよ、〈悪ふざけの道〉にはもう行かないでくれ」


その後のモリガンの夏休みは、少し息苦しい奇妙《きみょう》な夢のように過ぎていった。ジュピターがしばしば留守にすることに変わりはなかったけれど、その合間に家にいるときには、できるかぎり埋《う》め合わせをしようとしているようだった。それだけではなく、モリガンを楽しませ、忙《いそが》しくさせておいて、〈不気味なマーケット〉について調べようとする理由や誘惑《ゆうわく》や機会を与《あた》えないようにしているのかもしれなかった。

デュカリオンの夏をほかに目がいかないくらい、できるかぎり華々《はなばな》しいものにするようにと、ジュピターが従業員《じゅうぎょういん》たちに指示していることがまもなくはっきりした。ロック・コンサートが開かれ、屋根の上で真夜中にピクニックをした。南に面した庭でクロケットの試合があり、ほぼ毎晩《まいばん》のように花火があがった。〈不気味なマーケット〉の捜査《そうさ》の進展《しんてん》具合を教えてほしいと、モリガンは機会があるごとにジュピターにせがんだけれど、絶え間なく続くイベントを気にかけずにいるのは難《むずか》しかった。

フランクはほぼ毎週末、水風船投げを楽しめるプールパーティを開き、そこには好きなようにサンデーを作れるバーがあった。ジュピターはウォータースライドを作り、空気で膨《ふく》らませる本物そっくりのシロクマを置いた。シロクマに宙《ちゅう》高く放りあげられ、落ちてきたところをその柔《やわ》らかいゴムの腕《うで》で受け止めてもらい、その後水中に落とされると、モリガンとホーソーンとジャックは飽《あ》きることなく、楽しそうな悲鳴をあげた。

ある週末、モリガンはユニット九一九のみんなを招待したらどうだろうと思いついた。自分は危険《きけん》ではないことや、長老たちが誤解《ごかい》していることをわかってもらうチャンスかもしれない。興奮《こうふん》と不安を覚えながら、お洒落《しゃれ》な便せんを使ってひとりひとりに招待の手紙を書いた。

伝えたいことは慎重《しんちょう》に言葉を選んだ――駅で起きたことについては申し訳《わけ》ないと思っていること、あれは事故であること、決してだれも意図的に傷《きず》つけたりはしないこと、そして今週の土曜日にデュカリオンに来て、プールとかき氷を楽しんでほしいと書いた。ジュピターから借りた封蠟《ふうろう》のキットで入念に封《ふう》をして、ホーソーンからみんなに手渡《てわた》ししてもらった。けれど当日やってきたのは、ホーソーンとカデンスだけだった。

モリガンはがっかりした顔を見せないようにしながら、ほぼ一日かけてカデンスにホテルを案内したが、まだまだ危《あぶ》なっかしいふたりの友情を試す結果になった。ホーソーン（どれほど奇妙《きみょう》であっても、デュカリオンが提供《ていきょう》するものすべてに底なしの興味を示してくれるので、モリガンはおおいに満足した）とは違《ちが》い、カデンスの反応は微妙《びみょう》だった。〈雨の部屋〉には戸惑《とまど》っていたし（〝ただ……雨が降《ふ》っているだけ？　家のなかで？　ずっと？　どうして？〟）、登場人物のアクセントと癖《くせ》がくっついてくる衣装《いしょう》を保管している劇場《げきじょう》の衣装《いしょう》部屋には不満げだった（『長靴《ながぐつ》をはいた猫《ねこ》』の衣装《いしょう》はやめておくようにとモリガンが警告《けいこく》したのに、それを脱《ぬ》いだ一時間後もカデンスはニャーと鳴きながら、耳のうしろをかいていた）。けれど、サンゴ礁《しょう》のプールの真ん中にあるヤシの木が揺《ゆ》れる砂《すな》の島で、温かな風に乗って流れてくる穏《おだ》やかなウクレレの音を聞きながらくつろぐのは、おおいに気に入ったらしかった。

ホーソーンは休みのあいだも〈ジュニアドラゴン乗り連盟《れんめい》〉の訓練があったけれど、午後はたいてい、すすまみれの疲《つか》れた顔でデュカリオンにやってきた。ホーソーンとモリガンとカデンスは、壁《かべ》から吐《は》き出される夏らしい香りを嗅《か》ぎながら、〈煙《けむり》の応接室〉でトランプをして過ごすことが多かった。応接室は新しい季節の香りを試していて、その結果は様々だった。ココナッツの煙《けむり》、潮風《しおかぜ》の煙《けむり》、ストロベリー・クリームの煙《けむり》は大人気だったけれど、虫よけの煙《けむり》、ワンダー地下鉄の通勤者《つうきんしゃ》の汗《あせ》の煙《けむり》、ピクニックのポテトサラダの煙《けむり》はひどく評判が悪かった。

ジュピターの捜査《そうさ》には首を突《つ》っこめなかったので、モリガンはユニット九一九を脅迫《きょうはく》している人間を突《つ》き止めることに集中しようとした。けれどデュカリオンの外に出ることは許されていなかったし、ユニットの生徒の大部分は口をきいてくれなかったから、たいしてできることはなかった。

　ひとついいことがあるとすれば、脅迫者《きょうはくしゃ》もきっと夏休みだろうということだった。新学期が始まるまでは、ユニット九一九もこれ以上なにかを要求されることはないはずだ。

　けれどそれは甘《あま》い考えだった。

「これを見て」ある朝サマーベッドに落ち着いたところで、カデンスが一通の手紙をモリガンに差し出した。モリガンが読んでいるあいだに、カデンスはサングラスをかけてサマーベッドに横になった。

　カデンス・レノーア・ブラックバーン
　明日の朝、おまえの後援者《こうえんしゃ》は
　公式行事に出席する。
　そこで彼《かれ》が恥《はじ》をかく独創的《どくそうてき》な方法を考えること。
　失敗したら、ユニット九一九の秘密《ひみつ》を暴露《ばくろ》する。
　忘《わす》れるな
　だれにも話してはいけない。
　もし話せば、わたしたちも話す。

モリガンは青ざめた。バズ・チャールトンのことは嫌《きら》いだけれど、もしだれかにユニットを守るか、後援者《こうえんしゃ》に人前で恥《はじ》をかかせるかのどちらかを選べと言われたとしたら、自分ならどうするだろう？　わからなかった。

少なくともこれで容疑者《ようぎしゃ》はひとり減る――バズが自分に恥《はじ》をかかせるような要求をするはずがない！　けれどだからといって、犯人にいくらか近づいたわけでもなかった。

モリガンは、両手を頭のうしろに当てて気持ちよく日光を浴びているカデンスを横目で見た。

「あなたがこれを受け取るとは思っていなかった」モリガンが打ち明けた。

「わたしも」カデンスはしかめ面《つら》で応じた。「わたしに気づかないだろうって思っていたから」

「それで、その」モリガンは何気なさを装《よそお》って言葉を継《つ》いだ。「明日の朝の公式行事ってなんなの？」

「今朝だったの――これは昨日、来たのよ。彼《かれ》は議会で、国境の法律《ほうりつ》をもっと厳《きび》しくするように嘆願《たんがん》したの。重要な演説よ」

「ふうん」モリガンは待ったけれど、カデンスはそれ以上なにも言わなかった。「それで……どうなったの？」

「よく考えなくちゃならなかった。わかるでしょう？」

「そうだね」

「どうすればいいのか考えて、朝まで起きていた。寝《ね》られなかった」

「も……もちろん」モリガンは息を呑《の》んだ。

「演説のあいだ中ずっとよだれを垂《た》らしているか、赤ちゃんみたいなしゃべり方をするか、それとも演説の最後にズボンを脱《ぬ》いで〝バズはおしっこしたい〟って叫《さけ》ぶか、どれにするかを決められなかったの」カデンスはにやりと笑った。「だから、全部やらせた」

花火もウォータースライダーもロックコンサートも素晴らしかった。けれど実のところ、これがこの夏最高に楽しい瞬間《しゅんかん》だった。

夏休みも終わりに近づいたある朝、長い旅から戻《もど》ってきたジュピターは、渋《しぶ》るモリガンとジャックを夜明けと共にベッドから引っ張り出し、屋上へと連れ出した。そこには巨大《きょだい》な熱気球がつながれていた。バーナーが時折熱い空気を吐《は》き出す音しか聞こえない静寂《せいじゃく》のなか、ネバームーアの家々の上空を漂《ただよ》いながら太陽の光が町をピンクと金色に染《そ》めるのを眺《なが》めるのは、夢のような、魔法《まほう》のようなひとときだった。このままずっと空を飛んでいられればいいのにとモリガンは思った。このままずっと夏が続けばいいのにとも。

けれどモリガンはばかではなかった。このすべてが、彼女《かのじょ》の気持ちを逸《そ》らし、デュカリオンで楽しく安全に過ごさせるために考えられたことだとわかっていた。モリガンが〈不気味なマーケット〉の捜査《そうさ》に首を突《つ》っこみたくならないように。〈結社《ワンソック》〉への立ち入りを禁止されたショックを和らげるために。

モリガンはみんなの優《やさ》しさに感謝していた。本当だ。けれど新学期が始まれば、ホーソーンやほかの九一九のメンバーが〈結社《ワンソック》〉の授業に戻《もど》っていくのに、モリガンだけはここに残されるという事実に変わりはなかった。長老たちはいまだに、モリガンをキャンパスに戻《もど》してもだいじょうぶ大丈夫《だいじょうぶ》なのかどうか決断をくだしかねていて、当面は立ち入り禁止を解除《かいじょ》するつもりはないと言い張っていた。ジュピターは長老たちに懇願《こんがん》し、おだて、脅《おど》し、怒《ど》鳴《な》り、さらに懇願《こんがん》したが、どれも無駄《むだ》だった。

「グレゴリア・クインは、ぼくが知るかぎり、だれよりも執念深い《しゅうねんぶか》」ある日、またもや結果を出せずに〈長老の間〉から戻《もど》ってきたジュピターは、ひどく腹《はら》を立てていた（モリガンは〝執《しゅう》念深い《ねんぶか》〟という言葉をあとから調べ、心の底から同意した）。「だいたいきみがいなければ、〈隠密《おんみつ》〉はアルフィーを助けることが――家に……連れて帰ってくることができなかったかもしれないんだぞ」

その言葉には困惑《こんわく》が混じっていた。なぜなら、〈隠密《おんみつ》〉は本当の意味でアルフィーを助けたわけではないからだ。少なくとも、長老たちや、バズ・チャールトンや……実のところ〈結社《ワンソック》〉のほとんどの人たちがそう考えていた。ジュピターによれば、だれもがアルフィーは死んだかのように振《ふ》る舞《ま》っているらしい。彼《かれ》はただ……これまでより少し普通《ふつう》になっただけなのに。

「とにかく彼《かれ》は生きている」アルフィーの天賦《てんぷ》の才が失われたことが話題になるたびに、モリガンはそう言った。ジュピターはそのとおりだとうなずくのが常だったけれど、自分が〈目撃《もくげき》者《しゃ》〉でなくなるのはどんな感じがするものだろうと考えていることが、モリガンにはわかっていた。

あなたはもう〈ワンダー細工師《さいくし》〉じゃないって言われたらどんな気がするだろうと、モリガンは考えてみた。厄介《やっかい》ばかりであることを考えれば、きっとお祝いのパーティーを開くだろう。それでも、能力を勝手に奪《うば》われたらジュピターがどんな気持ちになるのかは想像できた。彼《かれ》を唯一無二《ゆいいつむに》の重要な存在《そんざい》にしている能力。きっと、自分の一部が死ぬような気がするだろう。

「アルフィーは……取り戻《もど》せると思う？　奪《うば》った人を見つけられたらの話だけれど」

「だれかが奪《うば》ったとは言い切れないんだよ」ジュピターが答えた。「それが可能なのかどうかもぼくにはわからない。アルフィーからはたいした話は聞けない。いまもまだショック状態だし、ほとんどなにも覚えていないんだ。ひょっとしたら――希望的観測だが――ただのトラウマで、時間がたてば元通りになるのかもしれない」

「もしならなくても、このまま〈結社《ワンソック》〉にいられるの？」

ジュピターはしばらく無言だった。気休めの嘘《うそ》をつくつもりだろうかとモリガンが思いはじめたとき、彼《かれ》は途方《とほう》にくれたように肩《かた》をすくめて答えた。

「ぼくにはわからないよ、モグ。長老たち次第だ」


いやおうなく夏は終わり、〈ワンダー細工師《さいくし》〉の邪悪《じゃあく》さについての退屈《たいくつ》な講義を続けるため、オンストールド教授がデュカリオンにやってきた。

モリガンがオンストールド教授の授業のことをどう思っているのか、従業員《じゅうぎょういん》たちはよく知っていた（当然だろう。モリガンはうんざりするほど、彼《かれ》らに愚痴《ぐち》をこぼしていた）。にもかかわらず、従業員《じゅうぎょういん》たちはモリガンの教師を温かく迎《むか》えようと骨《ほね》を折ってくれた。

少なくとも、モリガンはそう思っていた。

初めのうちは。

「申し訳《わけ》ありませんが、今日、ご用意できるのはここだけなんです」最初の日の朝、デュカリオンで二番目に大きな五階の舞踏場《ぶとうじょう》にオンストールドとモリガンを案内しながら、ケジャリーが言った。「ほかの部屋は全部埋《う》まっているんです。ホテル業界はいまが一年で一番忙《いそが》しい時期なものですから」

オンストールドの歩みは氷河のようにゆっくりだったから、エレベーターから廊下《ろうか》を進み舞《ぶ》踏場《とうじょう》に着くまでに三〇分近くかかったけれど、ケジャリーはまったく意に介《かい》していなかった。オンストールドが返事の代わりにいらだったように鼻を鳴らしていることにも気づかず、そのあいだ中ずっと楽しそうに話し続けていた。いつものように喉《のど》をぜいぜい言わせながらようやく舞踏場《ぶとうじょう》までやってくると、亀《かめ》もどきは愕然《がくぜん》として口をぱくぱくさせた。

「わしに……ここで教えろと……こんな……こんな……」

「秋の大舞踏会《だいぶとうかい》の準備を進めている、大変優雅《ゆうが》な部屋です」ケジャリーは申し訳《わけ》なさそうに肩《かた》をすくめた。「でも心配はいりません。授業の邪魔《じゃま》はしないとフランクが約束しましたから。そうだな、フランク？」ケジャリーは、部屋の向こうでお気に入りのスウィング・バンド『イグアナラマ』のためにサウンドチェックをしている、ヴァンパイアの小人に声をかけた。

「わたしがいることすら気づきませんよ」フランクがマイクで応じた。キーンというハウリング音がして、オンストールドがたじろいだ。「おっと、すみません」

フランクがあれやこれやとばかげたことをしながら舞踏場《ぶとうじょう》をうろうろするなかで、オンストールドが並《なら》べ立てるワンダーによる悪行に集中するのは難《むずか》しかった。そのうえフランクときたら、〝無視《むし》してください、無視《むし》してください――わたしはいません！〟と繰《く》り返すのだから、なおさらだった。『イグアナラマ』がヒットチャート一位のダンス曲〝うろこの尻尾《しっぽ》をスイング、スイング〟のリハーサルを三回続けて行っているあいだ、モリガンはなんとか真顔を保っていた。部屋のなかで少しずつ増えていく、ふわふわした大きなシャンパンの泡《あわ》をいたって冷静に無視《むし》しながら、暴君の〈ワンダー細工師《さいくし》〉タイラ・マグナッソンについての章も最後まで読み切った。

けれどとどめになったのは――モリガンのポーカーフェースとオンストールドの忍耐《にんたい》もそれが限界だった――フランクが連れてきた、黒のジャケットと蝶《ちょう》ネクタイをつけたガーガーわめくガチョウの群れだった。

「それは……いっ、い、いったい……なんなのだね？」亀《かめ》もどきが問いただしているあいだ、モリガンはこらえきれずにくすくす笑っていた。

フランクはいたって無邪気《むじゃき》そうな顔をふたりに向けて答えた。「ああ、すみません、教授、ですが、だれかが追加の宴会係《えんかいがかり》を訓練しなくてはいけないんですよ」

翌日《よくじつ》ケジャリーがふたりを連れていったのは、東棟《ひがしとう》にあるアートスタジオだった。油絵具とテレピン油のにおいがこもっていたけれど、ケジャリーは大きく窓《まど》を開けて、少なくとも ここにはタキシードを着た鳥は来ませんからと請《う》け合った。

けれどその部屋は音楽室の近くだったので、デイム・チャンダーが外の廊下《ろうか》を歩きながら、アリアを練習する声が聞こえてきた。デイム・チャンダーの天使のような歌声がスタジオに響《ひび》くたびに、その声に引き寄せられてリスやツグミやアナグマやキツネや野ネズミが開いた窓《まど》からどやどやと入ってくる。オンストールドはモリガンに窓《まど》を閉《し》めさせたけれど、ペンキのにおいが耐《た》えがたいだけでなく、動物たちはそれでも集まってきて、なかに入れてくれと言わんばかりに窓《まど》ガラスをひっかいた。

マーサが毎日ふたりのランチを用意してくれたが、オンストールドが何度か文句を言うのを聞いて、彼《かれ》のランチはわざとまずくしていることにモリガンは気づいた。ほんの少し冷めたスープ、ほんの少し硬《かた》くなったパン、ほんの少し薄《うす》い紅茶《こうちゃ》。一方で、モリガンには必ず、ホイルに包んだチョコレートや冷やしたハニーケーキを添《そ》えてくれた。もちろんオンストールドにはデザートのかけらもない。ささいな意地悪だったけれど、優《やさ》しくて温かい心の持ち主のマーサにとっては宣戦《せんせん》布告にも等しかったから、モリガンは彼女《かのじょ》に感謝した。

その週は毎日、様々な嫌《いや》がらせが詰《つ》めこまれた新しい部屋に連れていかれ、従業員《じゅうぎょういん》たちがなにをしているかにモリガンもほどなく気づいた。プールパーティや熱気球に乗ったときでさえここまでではなかったと思うほど、モリガンの気分は高まった。今日はオンストールドの頭を爆発《ばくはつ》させるために彼《かれ》らがなにをしてくれるのだろうと、わくわくしながら毎朝ベッドから飛び起きた。

けれど、ホテル・デュカリオンの抵抗《ていこう》のハイライトは――もちろん――フェネストラだった。

金曜日の朝、モリガンとオンストールドがその日の教室（七階にある、使われていないバドミントンのコートだった）に入って授業を始めると、フェンがのんびりと姿《すがた》を現わした。フェンはなにも言わずにモリガンのうしろに座《すわ》りこみ、その頭ごしにオンストールド教授をにらみつけながら、床《ゆか》が振動《しんどう》するくらいの激《はげ》しさで喉《のど》を鳴らした。

ほかのだれかに授業を邪魔《じゃま》されたなら、オンストールドはいますぐ出ていけと命じただろう。けれどフェネストラは、命令できるような猫《ねこ》ではなかった。

その夜、モリガン宛《あて》の象牙色《ぞうげいろ》の封筒《ふうとう》を持った使者がやってきた。

ミス・クロウ

わたくしたち長老は、〈輝かしき結社《ワンダラス・ソサエティ》〉のキャンパスへのあなたの立ち入り禁止について、再考しました。慎重《しんちょう》に考慮《こうりょ》した結果――また、今週のあなたの言動はいたって脅威《きょうい》のないものだったと請《う》け合ったオンストールド教授の強い勧《すす》めもあって――あなたが〈結社《ワンソック》〉に戻《もど》ることを認《みと》め、月曜日にミスター・ミルドメイの〝ネバームーアを解読する〟の授業に出ることを許可します。

言うまでもありませんが、今後もあなたの振《ふ》る舞《ま》いは注意深く監視《かんし》します。
どうぞ、わたしたちを失望させないでください。

グレゴリア・クイン長老

第一八章
なぞなぞと骨《ほね》

モリガンの駅のドアの小さなWが光っていた。モリガンは丸一分そこに立って、ゆっくり点《てん》滅《めつ》しているその光に呼吸《こきゅう》を合わせてから、ようやく心を決めて指の印を光に押《お》し当てた。

ドアがさっと開いて、予想していたとおりの表情を浮《う》かべた顔が並《なら》んでいるのが見えた。少なくともカデンスとホーソーンはうれしそうだ。それ以外は、落ち着かない様子だったりするのはまだましで、敵意《てきい》を露《あら》わにしている者もいた。

どんな一週間だったかを思えば、無理もない。

週末にカデンスとホーソーンから話は聞いていた。モリガンがいなかった五日のあいだに、四つの要求が次々と来ていたのだという。

最初はマヒアで、汚《きたな》い言葉を三七の違《ちが》う言語で〈舌《した》の間〉の壁一面《かべいちめん》に落書きするように命じられた。次はホーソーンで、ドラゴンの小屋に火をつけなければならなかった――けれど彼《かれ》の話しぶりからすると、かなり楽しんだようだ。

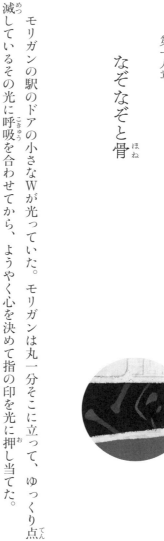

「だれもなにひとつ疑《うたが》わなかったんだ！」ホーソーンが言った。「だってあの小屋には〈千の薪《まき》ストーブの炎《ほのお》〉が眠《ねむ》っていたからね。だからぼくはあいつのせいにするだけですんだのさ。あいつのおなら、すごいんだよ。燃えるんだ」

アナは自分の犯した罪にひどく動揺《どうよう》していた――病院から医療《いりょう》用品を盗《ぬす》めというのが、彼女《かのじょ》への要求だった（カデンスによれば、ゴム手袋《てぶくろ》をいくつかとおまるをひとつだけだったらしいが、アナは育ててくれた修道女たちがなんて言うだろうと、今週はずっと泣き続けていた）。

最悪だったのはアーチで、ミズ・ディアボーンの髪《かみ》をひと房《ふさ》、盗《ぬす》まなければならなかった。ドラゴンからうろこを盗《ぬす》むのと同じくらい恐《おそ》ろしいとモリガンは思った。

「アーチは恐《おそ》ろしさで死ぬんじゃないかと思ってたけど、でもちゃんと盗《ぬす》んだ」カデンスは険《けわ》しい顔で言った。「ただそのあとですごく落ちこんで、盗《ぬす》んだ髪《かみ》の束と名前のない謝罪の手紙をプラウドフット・ハウスの階段《かいだん》に置いてきたのよ。ばかなんだから」

「それ以来、ミズ・ディアボーンはものすごく不機嫌《ふきげん》だよ」ホーソーンが言った。

モリガンは、冷たい表情を浮《う》かべている生徒たちに近づいた。

「ハイ」不安げに手を振《ふ》った。「えーと、元気だった？」

「最高だよ」サディアがモリガンをにらみつけた。「あんたの秘密《ひみつ》を守るために、あたしたちはみんな、大変な危険《きけん》を冒《おか》さなくちゃならなかったんだ。あんたはどうなの？　お洒落《しゃれ》なホテルで、楽しい一週間を過ごしたわけ？」

「うるさいよ、サディア」ホーソーンが言ったが、ホームトレインが近づいてくる音にその声はかき消された。サディアとほかの生徒たちがこちらに目を向けようともせずに列車に乗りこむのを見て、モリガンはため息をついた。

その日ディアボーンが不意打ちの試験を行なうと宣言《せんげん》したのは、髪《かみ》を盗《ぬす》まれたせいだったのかもしれない。

ほかの生徒たちに比べれば、モリガンは楽だった。時間割《じかんわり》にふたつしか授業がないことの数少ない利点だ。オンストールドの試験はうんざりするほど予想どおりだった。〝歴史上最悪の〈ワンダー細工師《さいくし》〉を三人あげ、そのもっとも邪悪《じゃあく》かつ／または愚《おろ》かな行為《こうい》を上から五つ述《の》べよ〟とか〝〈毒殺者の時代〉の〈大戦争〉は、なぜすべて〈ワンダー細工師《さいくし》〉の責任だと言えるのか？　理由を二七あげよ〟といった、長ったらしい質問でいっぱいのとんでもなく分厚い小冊子《しょうさっし》で、モリガンがすべてを終えるのに三日かかった。

その週の後半に行われた〝ネバームーアを解読する〟の試験は、それよりずっと難《むずか》しかったけれど、それよりずっと面白かった。

「さてと、九一九の諸君《しょくん》、よく聞いて！」お喋《しゃべ》りの声がざわざわと反響《はんきょう》しているプラウドフット駅の構内で、ミルドメイが声を張りあげた。彼《かれ》が唇《くちびる》に指を当てると、生徒たちは口を閉《と》ざした。「きみたちの木曜日の就寝《しゅうしん》時間をとっくに過ぎていることはわかっている。こんな時間だからきっと疲《つか》れてもいるだろうし、ばかばかしいと感じてもいるかもしれないが、とりあえず落ち着いてほしい。いいね？　最後にもう一度、ルールを確認《かくにん》するよ――」

カデンスがうめいた。「もう確認《かくにん》したじゃないですか」

「もう一回だ」ミルドメイが言った。「さあ、みんなで。ルールその一は……？」

「〈ブロリー・レール〉はなし、ワンダー地下鉄はなし、馬車はなし、バスはなし」生徒たちが声を揃《そろ》えて答えた。

ミルドメイが指を二本立てた。「ルールその二は？」

「道を尋《たず》ねたり、人に話しかけたりしない」

「三は？」

「地図はなし、ガイドブックはなし」

「四は？」

「夜明けまでに、全員無事で戻《もど》る」

ミルドメイは指を全部広げた。「そして五番めにして最後のルールは？」

「ひとりが不合格なら、全員が不合格」

「そうだ」ミルドメイはうなずいた。「この試験に合格するには、チーム全員が夜明けまでに戻《もど》ってこなくてはいけない——いまから三時間後だ」ミルドメイはひとりひとりの顔を順に眺《なが》めた。「チーム全体だよ。合格したいのなら、今回は協力が必要だ。忘《わす》れてはいけない、三つのチームのうちのひとつでも不合格になったら、ユニット全部が不合格だ。わかったね？」

不明瞭《ふめいりょう》なぼそぼそという声が返事だった。

盛《も》りあがりに欠ける反応は無視《むし》することにしたらしく、ミルドメイはにやりとした。「素晴らしい！　さて、グループはそれぞれにレールポッドに乗ってそれぞれのスタート地点まで行く。素晴らしくも面白いこの町にあるワンダー地下鉄の駅のいずれかだ。ポッドには窓《まど》がないから、どこに連れていかれるのかはわからない。到着《とうちゃく》したら、そこにはひとつめの手がかりが待っている。そこから次の手がかりへ、それから次の手がかりへ……と進んでいってもらう。手がかりは全部で三つ。合格したければ、その全部を持って時間内に帰ってくることだ。いいかい、これはネバームーア内を移動する能力と協力して作業にあたる能力を試す試験だ。だれも置いてきぼりにしてはいけないよ。わかったね？　よろしい——さあ、乗って」

カデンスとアーチとランベスがひとつめの真鍮《しんちゅう》のポッドに乗りこんだ。サディアとアナとホーソーンがふたつめだ。ミルドメイは彼《かれ》らに手を振《ふ》り、ドアが閉《し》まる前に声をかけた。「幸運を祈《いの》る！」

モリガンは、ユニットのなかで自分を嫌《きら》っていないふたりと同じチームになれることを願っていたけれど、そううまくはいかなかった。モリガンとフランシスとマヒアが乗ったポッドは、気まずい沈黙《ちんもく》のなか、四五分近くも走りつづけた。

ほかのふたりもそうだっただろうが、モリガンは途中《とちゅう》で自分たちがかい、かなり遠く——おそらくはネバームーアの周辺部——まで運ばれていること、さらには戻《もど》るまでに与《あた》えられた三時間というタイムリミットが、二時間近くにまで減ってしまっていることに気づいてぞっとした。

ようやくポッドが止まると、そこは単線の線路にコンクリートのプラットホームがあるだけのワンダー地下鉄の地上駅だった。三人はひんやりした夜の空気のなかに降《お》り立った。暗い。この時間、駅は閉《し》まっていて、〈輝《ワンダラス・ソサエティ》かしき結社〉専用《せんよう》の列車とレールポッドだけが走っていた

〈結社《ワンソック》〉のメンバーであることの特典のひとつだ）。空には雲ひとつなく、ネバームーアの中心部ではめったに見られないくらい星が明るく輝《かがや》いていた。このあたりには光害《こうがい》がないからだ。モリガンは大きく息を吸《す》った。空気が澄《す》んでいて、甘《あま》く感じられる。駅の標識を見た。ポラリス・ヒル。思ったとおりだ。三人は郊外《こうがい》に近い区のひとつ、ベテルギウスまでやってきていた。モリガンの顔が険《けわ》しくなった。夜明けが来る前に、ベテルギウスからオールドタウンまでどうやって帰れというの？

「最初の手がかりだ！」マヒアが駅の壁《かべ》を指さした。九一九と記された小さな封筒《ふうとう》が貼り付けてある。フランシスがその封筒《ふうとう》を取り、封《ふう》を切ってなかに入っていた手紙を読んだ。

「夜の庭。殺人者の喜び。臆病者《おくびょうもの》の武器。花による死」

「どういう意味だろう？」マヒアが言った。

モリガンの脳《のう》がゆっくりと回転し始めた。**夜の庭……花による死**。「どんな花が人を殺せる？」

「毒……のある花？」フランシスが自信なさげに言った。

「そうじゃない」マヒアが興奮《こうふん》して目を見開いた。「歯のある大きなハエトリソウだ！　人間を丸ごと食べる、南の熱帯雨林にあるやつだ！」

「でもどこに――」モリガンは言いかけて気づいた。「わかった！　フランシスが合ってる。**臆病者《おくびょうもの》の武器**。毒のことを言っているのよ！　毒のある花が生えているところに行かなきゃいけないんだと思う。**夜の庭**。でもどこの庭だろう？」モリガンは指を折りながら、ネバームーアの緑地を数えていった。「オールドタウンの〈庭園ベルト〉、〈聖《せい》ガートルードの緑地〉。えーと……〈オックスボロウ競技場〉は庭とは言えないし……」

「〈エルドゥリチの死の庭〉！」フランシスがパチリと指を鳴らした。「あそこには、ほぼすべての有毒植物がある。前にタマゴテングタケを買ったことがある。小さな店があるんだ」

モリガンは鼻にしわを寄せた。「タマゴテングタケってなに？」

「毒キノコさ。すごくおいしいんだよ……ごくごく少量ならね」

「毒キノコを買ったの？」マヒアは驚《おどろ》いたようにフランシスを見た。「**死の庭**って呼《よ》ばれているところで？」

フランシスは肩《かた》をすくめて繰《く》り返した。「小さな店があるんだ」

モリガンは頭のなかで、ふたつメモを取った。ひとつめ、フランシスに勧《すす》められたものは二度と食べない。ふたつめ、ネバームーアに毒の庭があることをどうして教えてくれなかったのかとジュピターに尋《たず》ねること。あたしがそういうことに興味があるって、よく知っているはずなのに。

「夜の庭――殺人者の喜び。それがきっと場所を示している。ここはベテルギウスだから、エルドゥリチは東のほうね……」モリガンは〈生きている地図〉を頭のなかに思い描《えが》いた。「フランシス、〈死の庭〉に一番近いワンダー地下鉄の駅はどこ？」

「オールド・マーロウ・ロード」

「そこまで行けば、〈死の庭〉に行く道はわかる？」

フランシスはつかのま考えてからうなずいた。「うん、行けると思う」

「マヒア、夜明けまでどれくらい？」

マヒアは腕時計《うでどけい》を見た。「一時間半だ。無理だよ」

「言うなって」フランシスはコートの前身ごろをねじりながら言った。「試験に落ちたら、ぼくはヘスター伯母《おば》さんに殺されるよ」

認《みと》めたくはなかったけれど、マヒアの言うとおりだとモリガンは思った。公共交通機関を使うことを禁止されていて、どこだかわからないあとふたつの目的地からあとふたつの手がかりを取ってこなくてはいけない。夜明けまでに〈輝かしき結社《ワンダラス・ソサエティ》〉に戻《もど》るのはとても無理だ。

それでも。たったふたつしかない試験のうちのひとつに、簡単《かんたん》に落ちるわけにはいかない。自分は正しかったことが証明されたとディアボーンは思うだろう――人でなしのモリガン・クロウの実験は失敗で、ちゃんとした教育を受けさせる価値《かち》はないと。

「やり遂《と》げるの」モリガンはコートの袖《そで》をまくった。「ふたりとも、走りやすい靴《くつ》を履《は》いているといいけど」

三人は〈エルドゥリチの死の庭〉のゲートまでひたすら走った。貴重《きちょう》な残り時間のうちの二〇分を費やした。途中《とちゅう》で見かけた生き物といえば、騒々《そうぞう》しい二匹《ひき》のキツネ、店の入り口でうずくまって眠《ねむ》っている数人の路上生活者、猛烈《もうれつ》なスピードで走っていく三人を見て死ぬほど驚《おどろ》いていたごみ収集《しゅうしゅう》作業員だけだった。

夜中だったので庭の黒いゲートには鍵《かぎ》がかかっていたけれど、ゲートに取りつけられた銀色のどくろが九一九と書かれた小さな封筒《ふうとう》を口にくわえていた。マヒアがそれを取って、なかの手紙を読んだ。

「銅ではない、金でもない。古い家。豊富な富、あやふやなモラル」

「またなぞなぞ」モリガンが言った。「**銅ではない、金ではない**。それって銀《シルバー》っていうことだよね？」

「**古い家**。漠然《ばくぜん》としているよね。古い家ならたくさんある――」

「わかった！」マヒアが叫《さけ》んだ。「大旧家だ！」

「大旧家？」モリガンが訊《き》き返した。

「シルバー地区の古い家系《かけい》だよ。そう呼《よ》ばれているんだ。セント・ジェームズ大旧家、フェアチャイルド大旧家……金持ちの鼻もちならない貴族《きぞく》さ。**豊富な富、あやふやなモラル**。ぴったりだ。そう思わない？　でもどうやってあそこまで行けばいいのかがわからないよ」

「ぼくもだ」フランシスが言った。「ワンダー地下鉄が使えないんだから」

モリガンは目を閉《と》じ、もう一度〈生きている地図〉を思い浮《う》かべた。シルバー地区なら見たことがある。水が浮《う》かんできた……運河だ。小さなボートが渦巻《うずま》く霧《きり》のなかを進んでいた……

「シルバー地区はオグデン・オン・ジュロにある！」モリガンは勝ち誇《ほこ》ったように声をあげた。

「ジュロ川に沈《しず》みかけてる区よ――〈生きている地図〉で見た」

「はるか遠くじゃないか」フランシスは〈死の庭〉のゲートにもたれた。ゲートはがちゃがちゃと音を立てた。「走っても一時間はかかる。ぼくは一時間も走れないよ！」

「そう言っただろう」マヒアもゲートにもたれ、そのままずるずると地面に座《すわ》りこむとふっと息を吐《は》いた。「夜明けまでに〈輝かしき結社《ワンダラス・ソサエティ》〉に戻《もど》るのは、とても無理だ。ここであきらめたほうがいいよ」

「元気を出してよ」モリガンはふたりを叱《しか》りつけた。〈生きている地図〉で見た、ほかのもののことを思い出していた。「そんな態度で、よく去年の審査《しんさ》に受かったね？　ほら立って、ついてきて。素晴らしい考えがあるの！」

「これはとんでもない考えだよ」フランシスが風に負けじと声を張りあげた。

「そうだね」モリガンはうなずいた。

「でもきみは――」

「あれは嘘《うそ》」

マヒアはうめいた。「もう一〇分も待っているんだぞ。来ないじゃないか！　凍《こご》えそうだよ。さっさと――」

「来るってば」モリガンが言った。「きっと来る。一時間に一度通るの。あと一分だけ。信じて」

モリガンは、赤いひげのあの男の不屈《ふくつ》の生命力を必死に見習おうとしていた。けれど、かろうじてバランスを取りながら三人してセンティナリー橋の手すりに立ち、ジュロ川の底なしの黒い水を見つめていると、抑《おさ》えようとしても吐《は》き気がこみあげてくる。べつの計画を考えはじめたとき、水を切り裂《さ》くようにして進むごみ収 集 船《しゅうしゅうせん》のへさきが、橋の下から見えてきた。モリガンはほっと息をついた。

「一、二の三で」川音に負けないくらいの声でモリガンが言った。「いい？」

「よくない」マヒアが叫《さけ》んだ。

「よくない」フランシスが繰《く》り返した。

「そう来なくちゃ。一――二――ジャンプ！」

フランシスとマヒアはジャンプした。けれど、ジャンプせざるを得ないくらい、自分がふたりの腕《うで》をしっかり握《にぎ》っていたからだとモリガンにはわかっていた。

三人は悲鳴をあげながら落ちていき、悪 臭漂《あくしゅうただよ》うゴミの山の上に倒《たお》れこんだ。

「おえええっ。モリガン、ぼくは絶対に――」フランシスは立ちあがろうとして転び、ゴミの山の下まで滑《すべ》って落ちていった。その拍子《ひょうし》にゴミの山が崩《くず》れ、モリガンとマヒアも彼《かれ》のあとを追うように落ちていった。「――きみを許さないから」フランシスはモリガンをにらみつけながら言い終えた。

「試験に受かったら許すんじゃない」モリガンはよろよろと立ちあがりながら言ったが、実を言えば少しばかりうんざりしていた。どうしてあたしの素晴らしい考えは、もっと簡単《かんたん》だったり楽しかったりしないんだろう？

それでもはしけは、ワンダー地下鉄を使ったときよりも早く三人をオグデン・オン・ジュロまで運んだ。途中《とちゅう》で川に飛びこみ、岸まで泳がなくてはならなかったけれど、ジュロ川の冷たい水が服にこびりついたひどいゴミのにおいのほとんどを洗《あら》い流してくれた……びしょ濡《ぬ》れになって、凍《こご》えるほど寒かったけれど。

「み、緑のト、トンネル」フランシスは、沈《しず》みつつあるシルバー地区を囲んでいる仰々《ぎょうぎょう》しい銀のゲートに貼《は》りつけてあった手紙を、がたがた体を震《ふる》わせながら真っ青な唇《くちびる》で読みあげた。

「じ、女王にふ、ふさわしい。こ、こ、国王……」

「か、貸して。あ、あたしが読む――」モリガンは歯をかたかた鳴らしながら言った。かじかんだ指でフランシスの手から手紙を取ろうとした。「緑のトンネル。女王にふさわしい。国王のみ。ほ、骨《ほね》の墓地」

「な、なみ、並木道《なみきみち》だ」即座《そくざ》にマヒアが言った。「〈女王の荒野《こうや》〉。こ、荒野《こうや》に、道があって並《なみ》木《き》が生い茂《しげ》ったみたいになってるんだ」

「〈女王の荒野《こうや》〉」モリガンはいくらかでもぬくもりを取り戻《もど》そうとして、両手をこすりながら足踏《あしぶ》みをした。「それって、セ、セプテンバリン女王の猟場《りょうば》じゃない？　七代か八代前の君主の。『ネバームーアの蛮行《ばんこう》の歴史』で読んだ」

「**骨《ほね》の墓地！**」マヒアが叫《さけ》んだ。「そうだ。セプテンバリンが生きているあいだは、だれもその荒野《こうや》に入ることが許されなかったんだ。**国王のみ**。ぴったりだ！」

「でも〈女王の荒野《こうや》〉があるのはハイウォールだ」フランシスの顔が暗くなった。「北に二区も離《はな》れている。とてもそれだけの時間はないよ」

「方法があると思う」モリガンは急いで言った。「スピッツノーグル・ストリート。ここに来るときに通ったよね——ほんの二ブロック戻《もど》ったところ。〈生きている地図〉に〈ペテン通り〉って書いてあった。間違《まちが》いない」

マヒアは驚《おどろ》いた顔をした。「どうして知っているんだ？」

「奇妙《きみょう》な地理は覚えているから」

マヒアが目を丸くしたので、モリガンは肩《かた》をすくめた。「全部じゃないけどね。いまのところは。でも〈悪ふざけの道〉のほとんどと〈ペテン通り〉の一部は……それに、ミルドメイが〈ペテン通り〉について言ったことを覚えている？　そこに入っていくと、どこか違《ちが》う場所に出るって。ときには何キロも離《はな》れているって。三つめの手がかりのすぐそばに〈ペテン通り〉があるのが、偶然《ぐうぜん》のはずがない。賭《か》けてもいいけど、あたしたちはスピッツノーグルに行くことになっているんだよ。きっとその先は〈女王の荒野《こうや》〉か……その近くに通じてる」

「でも、〈悪ふざけの道〉は使わないようにってミルドメイは言っていたじゃないか」フランシスが反論《はんろん》した。「それにぼくたちはまだ〈ペテン通り〉をちゃんと勉強していない。危険《きけん》かもしれないようなものを試験には出さないよ」

モリガンはうめいた。「いいかげんにしてよ、フランシス。〈結社《ワンソック》〉がどういうものか、まだわかっていないの？　あの人たちは、危険《きけん》かどうかなんて気にしない。勉強したかどうかなんて気にしない。あの人たちは線の内側だけを塗《ぬ》ったりはしないし、あたしたちがそうするとも思っていないんだから」

「線の内側——なんの話をしているんだ？」マヒアが言った。

「ときには、どのルールに従《したが》って、どのルールを破るのかを考えなきゃいけないっていうこと」モリガンはいつかジュピターに言われたことを思い出していた。「いつ計画に従《したが》って、いつ行き当たりばったりでやるのかを」

「でもぼくたちには計画なんてない」フランシスの声は弱々しかった。

「そのとおり。だから行き当たりばったりにやるときよ」

スピッツノーグル・ストリートは、長くて細くて暗かった。つき当りはまったく見えない。モリガンはフランシスとマヒアにはさまれて、その入り口に立った。手は震《ふる》えていて、自分の思いつきをほんの少しだけ後悔《こうかい》した。

「さあ、あとはここを……」

「きみが先に行けよ」フランシスが怯《おび》えた声で言った。

「わかった。もちろん」

モリガンはおそるおそる暗がりに向かって一歩踏《ふ》み出した。さらにもう一歩進んだところで首を振《ふ》り、これはもういちかばちかなのだと心を決めた。大きく息を吸《す》って、走りだした。前方に光が見えてくるまで——小さいけれど、確かに光っている——暗い路地を走った。さらにスピードをあげ、ついにたどり着いたのは……

シルバー地区のスピッツノーグル・ストリートの向こう側ではなかった。

ハイウォールにある〈女王の荒野《こうや》〉ではなかった。

どこでもなかった。

モリガンは路地のつき当りのレンガの壁《かべ》に鼻がぶつかる寸前《すんぜん》、ぎりぎりのところで足を止めた。彼女《かのじょ》の行く手をはばむように目の前に立ちはだかり、見ているあいだにどんどん高くなっていく――三メートル、四メートル、六メートル……

モリガンはため息をつきながらレンガを見つめた。マヒアとフランシスに間違《まちが》っていたことを告げるのは気が重い。なにかがこすれ合うような低い音が聞こえてきたのはそのときだった。聞いたことのある、カツン、コツン、カツン、コツンという音。そして、石畳《いしだたみ》の上でなにかを引きずっているような、ズズズズズという音。

モリガンの喉《のど》がかっと熱くなった。汚《きたな》い川の水と腐《くさ》った肉のおぞましいにおいが鼻をついた。重苦しい冷たいものが胸《むね》に広がった。ゆっくりと振《ふ》り返ると、二度と見たくないと思っていたものが目の前にいた。

〈骸骨軍団《がいこつ》〉。〈骨男《ほねおとこ》〉。

今回はひとりではなかった。大勢集まって――少なくとも二〇人はいるだろう。もっと多いかもしれない――背後《はいご》の路地の入口をふさいでいる。縦《たて》に四列になって、壁《かべ》から壁《かべ》まで肩《かた》を突《つ》き合わせるようにして立っていた。カツン、コツン、カツン、コツン、ズズズズズ。カツン、コツン、カツン、コツン、ズズズズズ。

覚えていたとおりそのままに――ミルドメイの言葉どおりに――〈骨男《ほねおとこ》〉たちは、何世紀ものあいだにジュロ川の川床《かわどこ》に捨《す》てられた人間やアンニマルの死体の骨《ほね》の残りと、たまたまその近くにあったなにかの寄せ集めでできていた。ひとりの腕《うで》は錆《さ》びた古い傘《かさ》の骨《ほね》だったし、べつのひとりは水草だらけの腐食《ふしょく》した買い物カートを脚《あし》にして進んでいる。人間の骸骨《がいこつ》の上に、猫《ねこ》のものらしい小さな頭蓋骨《ずがいこつ》を乗せている者もいた。見ようによっては滑稽《こっけい》だったかもしれないが、モリガンはまったく笑う気にはなれなかった。

塩の味のする冷たいなにかに胸《むね》をつかまれたようだった。息をするのがやっとだ。自分の力のなさにやり場のない怒《いか》りを感じながら、ぎゅっと目を閉《と》じた。あたしは〈ワンダー細工師《さいくし》〉じゃないの？　どうして〈ワンダー細工師《さいくし》〉ができるはずのことができないの？　どうしてエズラ・スコールがしていたようなことができないの？　どうしてだれもあたしにやり方を教えてくれなかったの？

それは、決して口に出すことはないだろう危険《きけん》な考えだった。けれどその瞬間《しゅんかん》、モリガンは初めて本物の〈ワンダー細工師《さいくし》〉になりたいと心から願った。

その願いに招かれたかのように、〈骨男《ほねおとこ》〉たちのうしろから大きないななきが聞こえてきた。モリガンのほうへと馬が勢いよく路地を駆《か》けてきて、そこになにもないかのように黒い煙《けむり》の乗り手が〈骨男《ほねおとこ》〉たちのあいだをすり抜《ぬ》けた。

モリガンの息が止まった。すぐにわかった――〈煙《けむり》と影《かげ》のハンター〉が戻《もど》ってきた。モリガンは身震《みぶる》いし、エズラ・スコールの最後の言葉を思い出した。**きみが望むなら、すぐにレッスン二を始めよう。**

ハンターはモリガンのすぐ目の前に止まった。さらに大きくなって、膨《ふく》らんでいくように見える……まるで、モリガンを守ろうとするみたいに。まるで、グロテスクな骸骨《がいこつ》の怪物《かいぶつ》とモリガンのあいだの盾《たて》になろうとするみたいに。

黒い影《かげ》の馬は鼻から熱い蒸気《じょうき》を吐《は》き、残忍《ざんにん》な赤い目をぎらつかせながらうしろ脚《あし》で立った。やがて、敷石《しきいし》に大きな音を響《ひび》かせながら前脚《まえあし》をおろすと、その背中《せなか》にまたがった巨大《きょだい》な黒い煙《けむり》のハンターは、身を乗り出してモリガンに手を差し出した。

肺《はい》が焼けるように痛《いた》んで、モリガンは息を止めていたことに気づき、冷たい空気をあえぎながら吸《す》いこんだ。首でどくどくと脈が打っている。

ハンターは手を伸《の》ばしたまま、ぴくりとも動かずに待っている。

脅《おど》しではない。命令ではない。

誘《さそ》いだった。

モリガンは石の壁《かべ》にあとずさりながら、首を振《ふ》った。「あ、あたしはあんたとは行かないから」

ハンターは無言だった。馬と同じように、その目は液体が燃えているみたいに赤と黒が渦巻《うずま》いている。溶岩《ようがん》のように。馬はいらだたしげに足を踏《ふ》み鳴らした。

「あたしはあんたとは行かない！」モリガンは繰《く》り返した。

ハンターは無言のままだったが（話すための口があるのかどうかすら、モリガンにはわからなかった）、カツン、コツンと音を立てつづけている〈骨男《ほねおとこ》〉の集団をごくわずかに振《ふ》り返り、それから嘲笑《あざわら》うかのようにモリガンに向かって黒い煙《けむり》の頭をかしげて見せた。

核心《かくしん》をついていると、モリガンは惨《みじ》めな気分で考えた。

選択《せんたく》の余地はない。心臓《しんぞう》をばくばく言わせながら、モリガンは煙《けむり》の手をつかもうとして手を伸《の》ばした。あたかも固体の空気に触《ふ》れたかのような、経験したことのない奇妙《きみょう》な感触《かんしょく》が伝わってきた。ハンターは苦もなくモリガンを鞍《くら》に引っ張りあげ、馬は〈骨男《ほねおとこ》〉の集団を蹴散《けち》らしながら駆《か》けだした。

第一九章
盗《ぬす》まれた瞬間《しゅんかん》

今回は違《ちが》っていた。〈煙《けむり》と影《かげ》のハンター〉には一度、連れ去られたことがある――このあいだの冬、〈輝かしき結社《ワンダラス・ソサエティ》〉の最後の審査《しんさ》のあとだ。あのときは、黒い煙《けむり》の波にもみくちゃにされているような、影《かげ》のハリケーンにさらわれたような、あるいはぐるぐるまわる果てしないトンネルのなかで幾度《いくど》となく転がされているような感覚が続いて、そのあとでようやく〈クモの糸線〉のプラットホームに着いた。犬が主人のもとに死んだネズミを運んできたみたいに、〈ワンダー細工師《さいくし》〉の足元に放り出されたのだった。

けれど、燃えるような目をした背《せ》の高いハンターの前で鞍《くら》にまたがっているいまは、弓から放たれた矢になったようだった。影《かげ》の馬はありえないほどのスピードで走っていて、まるで〈クモの糸〉のなかを飛んでいるみたいだ。町の明かりが勢いよくうしろへと流れていき、ごうごうと耳元で鳴る風の音以外はなにも聞こえない。

やがて馬が止まった。

あたりは静まりかえり、モリガンの荒《あら》い息遣《いきづか》いだけが響《ひび》いていた。モリガンは視界《しかい》をはっきりさせようとしてまばたきをした。ハンターの姿《すがた》は消えていて、モリガンは大きな広間にひとりで立っていた。壁《かべ》に取りつけられたランタンの光が大理石の床《ゆか》にちらちらと反射《はんしゃ》している。広間を進んだ。足音が反響《はんきょう》し、胸《むね》のなかでは心臓《しんぞう》が激《はげ》しく打っている。広間にはスノードームが並《なら》んでいた。手のなかに収《おさ》まるような小さなものではなく、実物大の大きさがある。そのなかに、人生の一場面が描《えが》かれていた。決してやむことのない霧《きり》のような雪に包まれて、男性や女性や子供《こども》やワニマルやアンニマルの像がそれぞれにポーズを取っている。

海で泳いでいる女性。

暖炉《だんろ》の前で丸くなっているウルフハウンド。

ガス灯の下で抱《だ》き合っているふたりの若者《わかもの》。

モリガンは海と女性のスノードームに鼻を押《お》し当てた。きれいな女性だった。濃《こ》い青色の海から完璧《かんぺき》な卵型《たまごがた》の顔をのぞかせ、空を見あげている。その海に飛びこんで、女性といっしょに泳げるような気がするくらい、本物そっくりにできていた。胸《むね》の真ん中に奇妙《きみょう》な孤独感《こどくかん》を覚えて、モリガンは両手でガラスのドームに触《ふ》れた。

「展示品《てんじひん》に触《ふ》れてはいけない」背後《はいご》で穏《おだ》やかな声がした。

モリガンはひゅっと息を吸《す》いながら振《ふ》り向いた。

ほんの数センチのところに、見慣れた顔があった。片方《かたほう》の眉《まゆ》の真ん中に縦《たて》に小さな傷《きず》が走っている、青白いありふれた顔。

エズラ・スコール。〈ワンダー細工師《さいくし》〉。

（もうひとりの〈ワンダー細工師《さいくし》〉、モリガンは頭のなかで訂正《ていせい》した）

モリガンはあとずさってスノードームに背中《せなか》を押《お》し当て、逃《に》げ道はないかと左右を見まわした。全身が張りつめて逃《に》げる準備を整えていたけれど、思考が体についてきていなかった。頭が鈍《にぶ》くなった気がした。目の前にある顔のことしか考えられない。この世に存在《そんざい》するもっとも邪悪《じゃあく》な男の顔。

でも……スコールは本当にここにいるの？　長年追放されていたけれど、ついにネバームーアに戻《もど》る方法を見つけたの？　それともこれは、彼《かれ》が去年使ったのと同じ手段《しゅだん》？　〈クモの糸線〉で自分の影《かげ》をネバームーアに送りこみ、助手――親切で礼儀《れいぎ》正しいミスター・ジョーンズ――のふりをしていたときと同じ？

まったく気が進まなかったけれど、確かめる方法はひとつしかなかった。

モリガンは狂犬病《きょうけんびょう》の犬を撫《な》でようとするみたいに、震《ふる》える手を渋々《しぶしぶ》と持ちあげた。人間の温かい生身の体に触《ふ》れることを半分予想しながら、もしそうなったら逃《に》げる準備を整えながらさらに手を伸《の》ばしたけれど……まるで空気でできていたみたいにその手はスコールの肩《かた》を素通りした。

〈クモの糸線〉、モリガンは心のなかでつぶやき、安堵《あんど》に目を閉《と》じた。スコールの肉体はまだ、はるか彼方《かなた》のウィンターシー共和国のどこかにある。モリガンのいる町からは締《し》め出されていて、彼女《かのじょ》にもネバームーアにいるだれにも危害《きがい》を加えることはできない。モリガンは息を止めていたことに気づき、頭のどこかでミルドメイの声を聞いた気がした。ステップ一：落ち着くこと。息を吸《す》って、そして吐《は》く。

スコールは悲しそうに微笑《ほほえ》んだ。「また会ったね、ミス・クロウ」

「ここはどこ？」モリガンは尋《たず》ねた。その声が震《ふる》えていないことに驚《おどろ》くと同時に、ほっとしていた。手は震《ふる》えていたけれど。

「ハンターは行儀《ぎょうぎ》よくしていたかな？」スコールは、見知らぬ者同士が天気の話をしているかのような、さりげない口調で言った。

「ここはどこ？」モリガンは繰《く》り返した。今度はほんの少しだけ、声が震《ふる》えた。モリガンは奥歯《おくば》を噛《か》みしめた。

スコールは両手を広げ、広間を示した。「〈盗《ぬす》まれた瞬間《しゅんかん》の博物館〉だ。聞いたことはある？」

「ない」

「ないか。もちろんないだろうな。これは〈スペクタクル〉なんだ」スコールは小さく肩《かた》をすくめた。「きみが標準以下の教育を受けている話は聞いている。だからわたしが手を貸そう。きみの視野《しや》を少し広げてあげるよ」

モリガンはなにも言わなかった。表情を変えないようにしていたけれど、どうして〈結社《ワンソサエティ》〉での教育についてスコールが知っているのか、不思議でたまらなかった。〈クモの糸〉でやってきて、こっそりあたしを眺《なが》めていた？　それとも、どこかにスパイがいるの？

「個人的には」スコールは、なにげなさそうにその影《かげ》の手をスノードームの内側の海に突《つ》っこみながら言った。「〈ワンダーによる行為《こうい》の分類のための委員会〉は間違《まちが》っていたと、いつも思っているんだよ。〈スペクタクル〉は畏怖《いふ》と歓喜《かんき》を呼《よ》び起こすものだ。脳《のう》をまごつかせるんだ。〈盗《ぬす》まれた瞬間《しゅんかん》の博物館〉はそれをはるかにしのぐ。〈不思議な現象〉か、せめて〈特異《とくい》な現象〉と呼《よ》ぶべきだろうな」

〈スペクタクル〉、〈不思議な現象〉、〈特異《とくい》な現象〉……スコールがなにを言っているのか、モリガンにはさっぱりわからなかった。尋《たず》ねようとして口を開き、あわてて閉《と》じた。意識を向けたりしない。この怪物《かいぶつ》と言葉を交わしたりはしない。逃《に》げ道を求めて、視線《しせん》をあちらこちらへと向けた。逃《に》げるべき？　それとも〈煙《けむり》と影《かげ》のハンター〉を呼《よ》ぶ？

スコールは無言で、なにかを考えこんでいるようだった。「彼女《かのじょ》は素晴らしい才能を持っていた」ひとりごとのようにつぶやいた。

その声にはどこか悲しそうな響《ひび》きがあって、モリガンは好奇《こうき》心《しん》を抑《おさ》えきれなくなった。自分を叱《しか》りつけながら、当然の質問を口にした。「だれのこと？」

「マシルド・ラチャンス。このすべてを作った〈ワンダー細工師《さいくし》〉だよ。最高傑作《さいこうけっさく》だ。そう思わないかい？　少なくとも五つの〈人でなしの技〉が必要だったはずだ。当然ながら〈ノクターン〉と〈ウィービング〉。〈テンパス〉。おそらくは〈ベール〉、それに……」スコールはモリガンの表情に気づいて口をつぐんだ。心の内がはっきりと顔に表われていたに違《ちが》いない。彼《かれ》の言葉を聞いて好奇《こうき》心《しん》をかきたてられると同時に、マーガトロイドが〈長老の間〉で言った台《せり》詞《ふ》――〝この小さなけだものに、〈人でなしの技〉の扱《あつか》い方を教えなきゃいけない〟――を思い出して、カチリとなにかがはまった気がしていた。のみならず、その言葉を以前どこで聞いたのかをようやく思い出していた。去年、クロウの屋敷《やしき》でスコールが言った言葉だ。その力を〝熟達《じゅくたつ》した〈ワンダー細工師《さいくし》〉の〈人でなしの技〉〟と呼《よ》び、教えようと申し出た。もちろんモリガンは断った。

スコールは微笑《ほほえ》んだ。「ふむ。だがあまりしゃべりすぎてはいけないね。彼《かれ》らは嫌《いや》がるだろう？　きみの〈輝かしき結社《ワンダラス・ソサエティ》〉は」彼《かれ》は最後の言葉をいかにも見くだしたような調子で口にした。モリガンは失望を表に出すまいとしながら、スコールが言った四つの単語を記憶《きおく》に刻《きざ》みこんだ。〈ノクターン〉、〈テンパス〉、〈ベール〉。〈ノクターン〉、〈ウィービング〉、〈テンパス〉、〈ベール〉。どういう意味だろう？

「〈結社《ワンソック》〉での生活を楽しんでいるかい？」さりげない口調だった。スコールは背中《せなか》で手を組み、行ったり来たりし始めた。「きみが夢見ていた暮《く》らしだろう？　きみの仲間の生徒たちは、想像もしていなかった知識と技術を身につけているそうじゃないか。彼《かれ》らはあっと言う間に、それぞれの分野の専門家《せんもんか》になって、有名になるんだろうな。世界一のドラゴン乗り。ネバームーア最高の言語学者。比類なき催眠術師《さいみんじゅつし》」スコールは悲しそうなまなざしをモリガンに向け、大げさに唇《くちびる》を尖《とが》らせた。「ところがきみは、自分の力を使うことも、能力を伸《の》ばすことも禁じられている。きみをだれよりも恐《おそ》れている人たちに抑《おさ》えつけられ、規制されているんだ」

モリガンは首を振《ふ》った。「それは違《ちが》う――あの人たちはあたしを恐《おそ》れてなんていない。あの人たちは……あたしの……」

スコールの目が面白がっているような、怒《おこ》っているような光をたたえたことに気づいて、モリガンの言葉が途切《とぎ》れた。「きみのなんだい？　きみの身の安全？　きみのため、きみを守るため？　おやおや。きみは嘘《うそ》が少しうまくなったようだね。少なくとも、自分に嘘《うそ》をつくことは」

モリガンは答えなかった。彼《かれ》の言うとおりだ。否定《ひてい》はできない。長老たちはあたしを恐《おそ》れている。

スコールはそんなモリガンをじっと見つめていた。痛《いた》いところを突《つ》いたことを知っている。

「腰《こし》の曲がったきみの教授はなにを教えてくれた？　卑劣《ひれつ》で狡猾《こうかつ》なかつての〈ワンダー細工《さいく》師《し》〉について、きみはなにを学んだんだい？」

「あんたになんてなにも話さないから。それに教授は腰《こし》が曲がってるわけじゃないから。亀も、どきなの」モリガンは鋭《するど》い口調で答えてから、結局はこうやって言葉を交わしてしまった自分を呪《のろ》った。両手をぐっと握《にぎ》りしめた。**落ち着いて。**「どうしてあたしをここに連れてきたの？」

「〈ワンダー細工師《さいくし》〉がすることをするためさ」スコールは口の隅《すみ》で笑みらしいものを作った。足を止め、風に髪《かみ》をなびかせながら猛《もう》スピードで走る車からうれしそうに身を乗り出している四人の若者《わかもの》のスノードームの前に立った。「きみの一番の望みをかなえるため。きみがなによりほ欲《ほ》しがっているものを与《あた》えるため」

「なんなの？」モリガンは食いしばった歯のあいだから尋《たず》ねた。

「教育さ」スコールはまた歩きはじめた。「それがきみの望みだろう？　あの暗い路地の突《つ》き当りで望んだことだったんじゃなかったかな？　レッスン二にようこそ。ワンダーを呼《よ》ぶ方法を学びたいかい？」

ノーと言いたかった。その実体のない顔に唾《つば》を吐《は》きかけ、博物館を逃《に》げだして、〈結社《ワンソック》〉に戻《もど》りたかった。ユニットのほかのメンバーたちはもう戻《もど》っているだろう。全員が揃《そろ》わないかぎり、試験は落第だ。モリガンに腹《はら》を立てる理由がまたひとつ増えることになる。フランシスとマヒアはどうしただろうと考えた。もしふたりが待っていたら、もしふたりも路地に入っていたら……いや、それはないだろう。

でも少なくともホーソーンは心配するだろう。多分カデンスも。戻《もど》って、無事であることを知らせなくてはいけない。

けれど、誘惑《ゆうわく》はあまりに大きかった。長老評議会は、モリガンの力を閉《と》じこめたままにしておこうとしている。オンストールドは、役に立つ情報はほんのささいなものであっても与《あた》えないようにしている。〈ワンダー細工師《さいくし》〉みんながひどいわけではないことを証明すると約束したジュピターですら、まだなにもつかめていない。

そしていま、ネバームーアの最大の敵《てき》であるエズラ・スコールがモリガンに鍵《かぎ》を差し出している。

ワンダーを呼《よ》ぶ方法を学びたいかい？

モリガンの心の奥《おく》でなにかが身じろぎした。

「イエスかノー、どっちだい、ミス・クロウ？」スコールの満足げな表情は、答えはわかっているけれどきみの口から聞きたいと語っていた。

モリガンはため息をつき、やがて渋々《しぶしぶ》と答えた。「イエス」

「それじゃあ、〈人でなしの技〉の最初にして、おそらくはもっとも重要なものからはじめよう」スコールはパチンと手を打つと、そこがステージであるかのように広間の中央に立ち、広々とした博物館に響《ひび》き渡《わた》るように声を張りあげた。「〈ノクターン〉の技。ワンダーを呼《よ》び集める。歌うことでそれができる」

歌う？　冗談《じょうだん》に聞こえた。歌うのはデイム・チャンダーのような人がすることだ。エンジェル・イスラフェルのような人が。〈人でなしの技〉を使う、熟達《じゅくたつ》した〈ワンダー細工師《さいくし》〉ではない。

スコールは黙《だま》って、というように片手《かたて》をあげた。「**小さなカラス、小さなカラス、ボタンのような黒い目**」小さな声で歌いはじめた。

モリガンのうなじがぞくりとした。この歌は前にも聞いたことがある。今年の冬、〈クモの糸線〉のプラットホームで。スコールがモリガンを〈クモの糸線〉の列車で共和国へと連れていったときだ。クロウの屋敷《やしき》へとモリガンを連れていき、彼女《かのじょ》の家族を危険《きけん》な目に遭《あ》わせたとき。モリガンは大きく息を吸《す》うと、突然涌《とつぜんわ》き起こった逃《に》げ出したいという衝動《しょうどう》に抗《あらが》うため、ぐっと足を踏《ふ》ん張った。

「**ウサギがみんな隠《かく》れてる野原に向かって一直線**」スコールは宙《ちゅう》で指をわずかに動かした。目を閉《と》じている。「**小さなウサギ、小さなウサギ……**」そこで言葉を切り、目を開けて興味深そうに自分の手を見おろした。「犬を訓練するみたいなものなんだよ。ただ、犬が犬じゃないだけだ。これは怪物《かいぶつ》だ。そしてその怪物《かいぶつ》には自分の意思がある。見えるかい？」

「ワンダーは見えない」モリガンは用心深く答えた。

「活動していないときは確かに見えない。だが昔の人はこう言っている、**呼《よ》び集められたワンダーは、呼《よ》んだ人間と細工師《さいくし》に姿《すがた》を見せる。**〈ワンダー細工師《さいくし》〉の要求にワンダーが答えたとき、ワンダーは〈ワンダー細工師《さいくし》〉と取り決めのようなものを結ぶということだ」

「取り決めって……見えるようになるっていうこと？」

「そのとおり」スコールは自分の手の動きをじっと見つめながらうなずいた。「ワンダーには知性があるが、差別はしない。一度呼《よ》び集められたら、どんな〈ワンダー細工師《さいくし》〉にも見えるんだ。**呼《よ》んだ人間と細工師《さいくし》**だよ。だが意識していないとだめだ。なにを見ればいいのかをわかっている必要がある」

モリガンは息を呑《の》んだ。見えた——スコールの手にからまる、チラチラ光る細い金白色の光の糸。まるでウナギのように指のあいだを泳いでいる。彼《かれ》がその手を持ちあげ、タンポポのようにその細い糸を吹《ふ》き飛ばすさまを、モリガンはうっとりと眺《なが》めていた。光の糸は風に乗って消えていった。

もちろんモリガンはワンダーがどんなふうに見えるのかは知っていた。クロウの屋敷《やしき》から無事に戻《もど》ってきたあと、ジュピターが見せてくれた。ジュピターがモリガンの額《ひたい》に自分の額《ひたい》を当てた瞬間《しゅんかん》、彼《かれ》が見ている世界――そして自分自身の姿《すがた》――が見えた。モリガンのまわりに集まったワンダーは、目がくらむほどまばゆかった。この細い糸はそれとは違《ちが》うけれど、同じくらい驚《おどろ》きだったし、同じくらい美しかった。

「きみの番だ」スコールはステージをモリガンに譲《ゆず》り、広間の中央を示した。「歌って」

モリガンはぞっとして首を振《ふ》った。「歌はだめ」

「ワンダーは気にしないよ。きみのすることで気分を害したりはしない」スコールは鼻を鳴らした。「オーウェン・ビンクスよりひどいはずがないしね。彼《かれ》がワンダーを呼《よ》ぶたびに、だれかが殺されているんだと思って人が集まってきたものさ。さあ、なにか歌うんだ。早く」

モリガンはためらったが、震《ふる》える声で歌い始めた。「**小さなカラス**――」

「違《ちが》う！」スコールは両手をあげてモリガンに駆《か》け寄った。モリガンがあとずさりするのを見て、彼《かれ》はぴたりと足を止めた。「違《ちが》う。それはだめだ。〈ワンダー細工師《さいくし》〉にはワンダーを呼《よ》ぶ、それぞれ自分のやり方がある。ほかの歌を選ぶんだ」

「ほかの歌なんて知らない」

「ばかばかしい」スコールはいらだったようだ。「だれだって歌のひとつくらいは知っているものだ。きみのろくでなしの家族は、子守歌も歌ってくれなかったのかい？　ピーピー泣いていた、真っ赤な頰《ほ》っぺたの子供《こども》だったころのことを思い出すんだ」

モリガンは、父親や祖母が子守歌を歌っている様を想像して思わず天を仰《あお》ぎそうになったが、不意に鮮明《せんめい》な記憶《きおく》が蘇《よみがえ》ってきた。

小さかった――六歳《さい》から七歳《さい》だ。そのときの家庭教師がミセス・ダッフィーだった。モリガンに読み書き、算数……を教えるために――というより、モリガンが存在《そんざい》しないふりを続けていられるように――父親がクロウの屋敷《やしき》に連れてきた、数えきれないくらいの不運な人々のうちのひとりだ。家庭教師のほとんどは、授業のあいだモリガンと直接触《ふ》れ合ったり、目と目を合わせたりしないようにしていた。なかにはモリガンの呪《のろ》いから身を守るためにそれ以上の手段《しゅだん》を講じた者もいて、ミス・リンフォードはドアを隔《へだ》ててでなくては授業をしなかった。

けれどミセス・ダッフィーは違《ちが》っていた。彼女《かのじょ》はモリガンを避《さ》けるのではなく、社会と家族にとって迷惑《めいわく》な存在《そんざい》であることをモリガンに忘《わす》れさせないようにするのが、自分の務めだと考えていた。モリガンがどれほどのお荷物なのか、生まれてきたことで、まわりにいるすべての人々にどれほどの危険《きけん》を与《あた》えているのかを教えようとした。

ミセス・ダッフィーはモリガンに歌を教え、モリガンが問題に答えられなかったり、行儀《ぎょうぎ》が悪かったり、余計なことを言ったりすると、その歌を歌わせた。いいと言うまで、何度も何度も。

幼《おさな》かったモリガンにとっては、ものすごく恐《おそ》ろしい歌だった。けれど最後まで歌えるのはこの歌しかない。その歌詞《かし》はしっかりと脳《のう》に刻《きざ》まれていた。

モリガンは小さな声でおずおずと歌いはじめた。

「**〈有明時《ありあけどき》〉の子供《こども》は陽気で優《やさ》しい**」声が裏返《うらがえ》ったので、モリガンは咳払《せきばら》いをした。「**〈闇宵《やみよい》**

時《どき》〉の子供《こども》は邪悪《じゃあく》で野蛮《やばん》」

スコールは額《ひたい》に深いしわを寄せて、首を片側《かたがわ》に傾《かし》げた。

「**〈有明時《ありあけどき》〉の子供《こども》は夜明けと共にやってくる**」モリガンの歌は下手だったけれど、その声は広間に吸《す》いこまれ、一音ごとに力強くなっていった。「**〈闇宵時《やみよいどき》〉の子供《こども》は風と嵐《あらし》を連れてくる**」

スコールはモリガンに一歩近づいた。なにかを思い出しているような顔だ。

「**朝の息子はどこに行くの？**」スコールが歌った。その声は不安になるほど優《やさ》しくて、美しかった。モリガンの声よりもずっときれいだ。どうしてこんなにきれいなの？　しわがれて、汚《きたな》いはずなのに。心と同じように。

モリガンは震《ふる》えながら息を吸《す》った。

「**風が温かい太陽のもとへ**」モリガンは口を閉《と》じた。歌うのをやめたかったけれど……不意に静電気が走ったように指先がぴりぴりするのを感じた。強い風に向かって押《お》し当てているような、かすかな抵抗《ていこう》。モリガンはスコールの顔を見た。

スコールは目を輝《かがや》かせながら勇気づけるようにうなずき、さらに歌った。「**夜の娘《むすめ》はどこに行くの？**」

モリガンはその感覚を確かめるように、前後に小さく手を振《ふ》った。月の光が指のあいだでダンスを踊《おど》っているみたいだ。「**青ざめたものが噛《か》みつく地の底へ**」

ワンダーが彼女《かのじょ》を待っている。ジュピターはそう言っていた。

あたしがなにをするのを待っているの？

そのうちわかるだろう。

ワンダーが待っていたのはこれだ。ワンダーを呼《よ》ぶのは難《むずか》しいのだろうと思っていた。けれどこれはまるで……呼《よ》ばれたがっていたみたいだ。あっと言う間に集まってきて——何百万もの小さな光の点が作り出す何百もの細い糸が、モリガンの頭と体を取り巻《ま》き……かすめるように泳いでいる。素早くて、好奇心旺盛《こうきしんおうせい》だ。生きている、という感じがした。

「手に意識を集中させて」スコールが言った。

ワンダーはモリガンを喜ばせたがっていた。スコールがそう言ったとたん、モリガンが意識したとたん、ふわふわ浮《う》いていた金色の糸がモリガンの上向きに広げた手に吸《す》い寄せられて、液体になった日光のように手のひらに溜《た》まっていく。

ワンダーはまさにそのとおりの感触《かんしょく》だった。太陽に温められているような、純粋《じゅんすい》なエネルギーをたたえているような。自分自身が純粋《じゅんすい》なエネルギーになったみたいな。モリガンの手がびりびりと震《ふる》えた。金の糸はもう見えなくなっていた。見えるのは、形のない手袋《てぶくろ》のように彼女《かのじょ》の手を包みこむワンダーだけだ。ふたつの光の雲。奇妙《きみょう》な感覚だった。力を得たけれど、同時に包囲されているようでもあった。

ワンダーを呼《よ》んだはいいけれど、このあとはどうすればいいのだろう？

「どうやって止めるの？」

スコールは、同情と信じられないといった思いが入り混じったような顔でモリガンを見た。

「どうして止めたいんだい？」

モリガンはパニックが忍《しの》び寄ってくるのを感じた。ほんの一瞬前《いっしゅんまえ》までは、これ以上正しいことはないような気がしていた。まるでそのために生まれてきたみたいに、手のひらにワンダーを握《にぎ》っていた。けれどいつの間にか、べつの感覚がこっそりと近づいてきていた。彼女《かのじょ》がワンダーを握《にぎ》っているのではなく、ワンダーが彼女《かのじょ》を握《にぎ》っているような感覚。

「どこかにやって」モリガンの声が大きくなった。「止めて」

けれどスコールはなにも言わなかった。金のもやのようなワンダー越《ご》しにじっとモリガンを見つめるだけだ。モリガンの恐怖《きょうふ》が募《つの》った。スコールはあたしをだました。あたしが死ねばいいと思っている。ワンダーにあたしを殺させるつもりなんだ。

「どうにかして！　やめさせて！」

それでもスコールはなにもしようとはしなかった。

モリガンは本能のまま、泥《どろ》を振《ふ》り払《はら》おうとするみたいに両手を振《ふ》った。「いや」モリガンは叫《さけ》んだ。「いや！」だれに言っているのかもわからなかった――自分になのか、スコールなのか、それともワンダーなのか。

その言葉に耳を傾《かたむ》けたのはワンダーだった。ワンダーが離《はな》れたのを感じた――違《ちが》う、モリガンに命令を受けたみたいに、どこかに向かって突進《とっしん》していった。つぎの瞬間《しゅんかん》、モリガンの一番近くにあったスノードームが砕《くだ》け、雪の破片《はへん》の混じった水が大きな波となってあたりにこぼれた。なかの像は平和なガラスの家から引きずりだされ、濡《ぬ》れた手足と髪《かみ》をもつれさせながら大理石の床《ゆか》に転がった。

モリガンはいまなにが起きたのかを把握《はあく》することができないまま、息を荒《あら》らげてその像を眺《なが》めていた。

もつれて転がっている濡《ぬ》れた手足と髪《かみ》。泳いでいる女性の像だった。まばたきをしていない目で空を見あげながら水に浮《う》かんでいたその体は、丸まってしまっている。ぐっしょり濡《ぬ》れた青い水着を着て……息をしていた。息をしようとしていた。ぜろぜろとすでに肺《はい》が水でいっぱいになっているような音を立てながら、長々と息を吸《す》い、そして止まった。

女性は像ではなかった。

モリガンは女性に駆《か》け寄り、その体を揺《ゆ》すぶった。うつぶせにして、背中《せなか》を叩《たた》いた。「息をして！」なにかしなければいけないのはわかっていた。もしもジュピターがここにいたならどうすればいいかを知っていただろうに、モリガンにはパニックを起こすことしかできなかった。気持ちばかりが先走りしていた。「**息をして！**」

「手遅《ておく》れだよ」心臓《しんぞう》が激《はげ》しく打っていたせいで、スコールの声はかろうじて聞こえただけだった。涙《なみだ》がこみあげて、モリガンの視界《しかい》をにじませた。理解できない。自分の腕《うで》のなかで女性がぐったりしていて、そして……。理解できなかった。「何年も何年も何年も手遅《ておく》れだ」

「ここはなんなの？」モリガンは壁沿《かべぞ》いに並《なら》ぶスノードームをぞっとして眺《なが》めた。なかに入っているのは像ではなく、人間だ。本物の生きている人間。

「これから見ていただくのは〈スペクタクル〉」なにかを暗唱しているような口ぶりだった。

「〈盗《ぬす》まれた瞬間《しゅんかん》の博物館〉。〈ワンダー細工師《さいくし》〉マシルド・ラチャンス作。ジ・オナラブル・E・M・サンダース後援《こうえん》。ネバームーアの人々への贈《おく》り物。盗人《ぬすっと》の時代、一の冬」

「ネバームーアの人々への贈《おく》り物？」モリガンは溺《おぼ》れた女性の生気を失ったうつろな目を見ながら、繰《く》り返した。

「彼《かれ》らはそう考えたんだ」スコールはさらりと答えた。「だから、〈不思議な現象〉ではなく〈スペクタクル〉に分類したんだと思う。ネバームーアの善良《ぜんりょう》な人々は、美術展《びじゅつてん》を贈《おく》られたんだと考えた。天才芸術家マシルド・ラチャンスの手による実物そっくりの作品だとね。だが愛しのマシルドは偽物《にせもの》を作ったわけじゃない……現実を捕《つか》まえたんだ。保存《ほぞん》したんだよ」スコールは濡《ぬ》れた床《ゆか》を慎重《しんちょう》に移動して、モリガンの横に立った。表情も感情も浮《う》かんでいないその顔は、彼《かれ》が見おろしている女性のうつろな顔とよく似ていた。「マシルドは非情ではなかった。それどころか、慈悲《じひ》深かった。死ぬ直前の人間だけを対象にしたんだ。死そのものに魅了《みりょう》されたのか、それとも不死というアイディアに興味をひかれたのかはわからない。どちらにしろ、ここにいる運のいい者たちは決して死なないんだ」スコールは部屋を見まわし、肩《かた》をすくめた。「それとも、彼《かれ》らは永遠に死んでいるのかもしれないな。毎日、刻一刻《こくいっこく》と。どういう観点から見るかによるね」

モリガンは体の震《ふる》えを止めようとして、歯を食いしばった。どっちも間違《まちが》っている——スコールも〈ワンダー〉による行為《こうい》の分類のための委員会〉も。〈スペクタクル〉がなんなのかは知らないけれど、これは違《ちが》う。これは〈怪異《かいい》〉だ。

モリガンは女性をそっと床《ゆか》に横たえると、震《ふる》える脚《あし》でかろうじて立ちあがった。

「もう一度やるかい？」スコールは期待に満ちたまなざしでモリガンを見た。

モリガンはスノードームを順番に眺《なが》めていき、ようやくさっきまで見逃《みのが》していたものに気づいた。車に乗っている若者《わかもの》たちは、身を乗り出しているのではない。見えないなにかに衝突《しょうとつ》した衝撃《しょうげき》で、車から外に放り出されているのだ。その顔はうれしそうな表情を浮《う》かべているのではなく、目を見開いて恐怖《きょうふ》に固まっている。ガス灯の下で抱《だ》き合っているふたりの男性のあいだには、きらりと銀色に光るものがあった。ひとりがもうひとりの腹《はら》にナイフを突《つ》き立てている。男のコートの下から、細く赤い筋《すじ》が伝っているのが見えた。

暖炉《だんろ》のそばの毛むくじゃらのウルフハウンドも死に瀕《ひん》していた。乳白色《にゅうはくしょく》に濁《にご》った眼やまばらになった毛皮が、年を重ねていることを示している。ガラスの監獄《かんごく》に埋葬《まいそう》されるまで、この老いた犬はあと何度息をするのだろう？

ふと我《われ》に返った。最初から感じているべきだった恐怖《きょうふ》と嫌悪《けんお》が、唐突《とうとつ》にのしかかってきた。あたしはここでなにをしているの？　怪物《かいぶつ》とふたりきりだ。また。恐怖《きょうふ》の博物館で、生きている展示品《てんじひん》に囲まれている——死の瞬間《しゅんかん》に永遠に保存《ほぞん》された本物の人間に。瓶詰《びんづめ》にされた野菜みたいに。

博物館なんかじゃない。霊廟《れいびょう》だ。

モリガンはよろめく足でスコールの脇《わき》を通りすぎた。喉《のど》の奥《おく》から嫌悪感《けんおかん》がこみあげてくる。吐《は》きそうだ。ここから出なければ。〈結社《ワンソック》〉に、安全なところに、普通《ふつう》の場所に戻《もど》らなければば。

「どこに行くつもりだい?」スコールがモリガンの背後《はいご》から、穏《おだ》やかに声をかけた。モリガンはそれを無視《むし》して、ただ足を前に出すことだけに集中した。出ていく。ここから出ていく。

「これで終わりなのかい? もうあきらめるのかな?」

出ていく。出ていく。出ていく。なにも聞かない。答えない。とにかく出ていく。

「きみはなにを怖《こわ》がっているんだ? 彼《かれ》らが考えているみたいに、いつか強い力を持つこと? 偉大《いだい》なものになる可能性が怖《こわ》いのかい、小さなカラス? きみは本当にそれほど臆病《おくびょう》なの?」

「あたしは臆病《おくびょう》じゃない!」モリガンは振《ふ》り返り、彼《かれ》に向かって叫《さけ》んだ。「それにあたしはあんたとは違《ちが》う。マシルド・ラチャンスとも違《ちが》う。あたしは怪物じゃない」

「きみはその両方だよ」スコールはいつもの抑制《よくせい》された静かな口調で言ったが、その下ではなにかがくすぶっていた。「きみは最高に卑劣《ひれつ》で、怪物《かいぶつ》じみていて、けだもので、邪《よこしま》な子供《こども》だ。きみに会えたのは、わたしにとって喜びであり不運でもある。わたしは間違《まちが》いなくきみのことを理解しているんだ、ミス・クロウ」モリガンに近づいてくるスコールの黒い目が、ガス灯の光を受けて光った。「きみが身勝手で、悪意があって、ほんの少し頭が良すぎることは知っているよ。ほかの子供《こども》たちと同じルールでは縛《しば》れないこともね。なぜならきみは、ほかの子供《こども》たちとは違《ちが》うからだ。きみは〈ワンダー細工師《さいくし》〉なんだ、ミス・クロウ。わたしたちはほかとは違《ちが》う。ほかの人間すべてを合わせたよりも、優《すぐ》れていて、そして邪悪《じゃあく》だ。きみはまだ〈結社《ワンソック》〉における自分の位置がわかっていないのかい? そうしようとするだけで、彼《かれ》ら全員をひざまずかせられることが？」

モリガンは首を振《ふ》った。聞きたくなかった。自分が人と違《ちが》っているなどという話は聞きたくない。生まれてからずっと聞かされてきたし、それがなにを意味するのかもわかっている。違《ちが》うことは危険《きけん》だ。違《ちが》うことは重荷だ。「やめて。あたしのことなんて、なにもわかっていないくせに」

「少しはやる気になったらどうだ？」スコールはむきになっているようだ。怒《おこ》っていると言ってもいいかもしれない。「きみには才能があるんだ。そのために人が殺し合う才能。そのために人が死んでいった才能。きみはそれを無駄遣《むだづか》いしている」スコールの言葉は天井に跳《は》ね返り、怒《いか》りのコーラスとなっていつまでも反響《はんきょう》していた。

モリガンはたじろいだ。ありったけの勇気をかき集めて、言い返した。「そのために人が死んだんだとしたら、それはあんたが殺したからよ」

「きみのことも殺すべきだったかもしれないな。きみにはおおいに失望したよ」抑《おさ》えきれない怒《いか》りに、黒い目と口をした伝説の〈ワンダー細工師《さいくし》〉の野卑《やひ》な顔が一瞬《いっしゅん》、露《あら》わになった。だがそれもつかの間だった。すぐに、完璧《かんぺき》に自制した穏《おだ》やかな男が戻《もど》ってきた。

あっさりと。

氷水を一パイント飲んだみたいに、モリガンは体の芯《しん》まで凍《こご》える気がした。震《ふる》えながら、〈盗《ぬす》まれた瞬間《しゅんかん》の博物館〉から逃《に》げ出した。振《ふ》り返ることなくドアをいくつも抜《ぬ》け、階段《かいだん》をおり、気まぐれで予見できない町の冷たい腕《うで》のなかへと走り出た。

第二〇章
ノクターン

一週間後、モリガン・クロウは存在《そんざい》していなかった。フランシスとマヒアとユニットのほかの生徒たちにとって、モリガンは実在しない人間だった。モリガンに話しかけるのをやめ、モリガンを見るのをやめ、モリガンがかつてはユニット九一九のメンバーだったことを認《みと》めるのをやめた。

もちろん……全員ではない。ホーソーンはいまもモリガンの信頼《しんらい》できる友人だったし、カデンスは――奇妙《きみょう》なことに――モリガンのせいでユニット全体が試験に不合格になったあとのほうが好意的だった。

実を言えば、モリガンの不可解な寄り道のせいで不合格になったときは、ホーソーンもほかの生徒たちと同じくらいがっかりしていた。〈結社《ワンソック》〉の試験に点数はつかない。合格か不合格かのどちらかだ。そのコースが求める基準に達していれば合格だが、不合格の場合生徒たちは、それぞれの後援者《こうえんしゃ》、教師、案内人とごく真剣《しんけん》な面談を行わなければならない（ジュピターがまだ戻《もど》っていなかったので、モリガンのごく真剣《しんけん》な面談は無期延期《えんき》になっていた）。それはつまり、試験に不合格であったことを学校中のほかの生徒たちに知られ、それをばかにされるということだった。なかでも最悪だったのは、ユニット九一九は勉強に真剣《しんけん》に取り組んでいない、より厳《きび》しい措置《そち》を取られる前にもっと気を引き締《し》めるようにという、ミズ・ディアボーンの長い長いお説教だった。

ユニット九一九のほかのメンバー同様、ホーソーンもモリガンに腹《はら》を立てて当然だったけれど、モリガンからスコールと〈骨男《ほねおとこ》〉のことを聞いたとたんに彼《かれ》のいらだちは消えて、ぎょっとしたように訊《き》き返した。

「それじゃあ……スコールが〈骨男《ほねおとこ》〉からきみを助けてくれたの？」

モリガンは苦々しい顔になった。「そうみたい」

「〈ワンダー細工師《さいくし》〉がきみを助けた……〈不気味なマーケット〉から」

「うん」

「それって……変だね」

九一九のほかの生徒たちのあからさまな敵対心《てきたいしん》にもかかわらず、ホーソーンはこれまで以上にモリガンに忠実《ちゅうじつ》だった。ホッキョクグマのビスケットの壺《つぼ》をみんなにまわすとき、だれかがモリガンを抜《ぬ》かそうとしたり、モリガンのいるところで〝〈結社《ワンソック》〉にふさわしくない人間〟についてばかにしたようなことを言ったりしたときには、小さく丸めた紙を顔に向けて弾《はじ》いて警《けい》告《こく》した。

あの夜モリガンが〈盗《ぬす》まれた瞬間《しゅんかん》の博物館〉を出たのは、夜明け少し前だったけれど、自分がどこにいるのかを突《つ》き止めたときには（オールド・タウンのずっと南のエルドゥリチに戻《もど》っていた）、日がのぼるまでに〈結 社《ワンソック》〉に帰るのは不可能だとわかっていた。

それでもモリガンはあきらめなかった。できるだけのことをした。肺《はい》と脚《あし》の筋肉《きんにく》が燃えるように痛《いた》むまで、ひたすら走りつづけた。ウィック区までたどり着いたところで、これ以上走っても意味がないことを悟《さと》った。太陽はすでにのぼっている。通りには通勤者《つうきんしゃ》や新聞の売り子たちが行きかっている。不合格という事実を重石のように胸《むね》に抱《かか》えながら、モリガンはようやく自分の負けを認《みと》めてラッシュ線の列車に乗り、意気消沈《いきしょうちん》してミルドメイとユニット九一九のメンバーたちが待つキャンパスに戻《もど》った。彼《かれ》らの表情は落胆《らくたん》から激怒《げきど》、殺人計画を立てているに違《ちが》いないと思えるものまで様々だった。

モリガンのせいで全員が不合格になったのだ。正確に言えばモリガンのせいではなく、〈骨男《ほねおとこ》〉とエズラ・スコールのせいだけれど、そう説明することはできなかった。「遅《おく》れてごめん――エズラ・スコールと一緒《いっしょ》だったの。ほら、邪悪《じゃあく》な〈ワンダー細工師《さいくし》〉よ」

事実の一部――〈骨男《ほねおとこ》〉に追いつめられた――だけ伝えることにしたけれど、たくましいアルフィー・スワンと伝説のパキシマス・ラックが捕《つか》まっているというのに、どうやって〈骸骨《がいこつ》軍団〉から逃《に》げることができたのかの説明はできなかった。当然ながら、モリガンが嘘《うそ》をついているというのがユニットが出した結論《けつろん》だった。

ひとりが不合格だと全員が不合格というのは不公平だけれど……〈輝かしき結社《ワンダラス・ソサエティ》〉で公平な

ものなどなにもない。

モリガンはもちろんそれから何日も謝りつづけたけれど、どれほど謝ってもひどくがっかりした八人の後援者《こうえんしゃ》と、心配しているひとりの案内人と、激怒《げきど》しているふたりのスカラー・ミストレスに対処《たいしょ》しなければならないという事実は変わらない。ほかの生徒たちがモリガンを嫌《きら》うのも仕方がないと思えた。

そのことを気にかけるべきだとわかっていたけれど、実のところモリガンは少しばかり……気落ちしただけだった。友情やいわゆる兄弟姉妹からの承認《しょうにん》を求めることに、いい加減疲《つか》れていた（その言葉を聞くと、いまではうんざりしてしまう。一年前、審査《しんさ》に合格しさえすれば——すべてはそれほど単純《たんじゅん》だとでも言うように——八人の出来合いの兄弟姉妹を持てると信じていたなんて、本当に愚《おろ》かだった）。

いまはもう、そのどれもたいして重要ではない。

もっと大切な用事がある。

あたしはワンダーを呼《よ》んだ。

「**〈有明時《ありあけどき》〉の子供《こども》は陽気で優《やさ》しい**」ある朝、モリガンは〈不平の森〉の曲がりくねった小道を歩きながら、小さな声で口ずさんだ。ここなら、確実にひとりになれる（もちろん木々はあったけれど、彼《かれ》らの不機嫌《ふきげん》そうなつぶやきはだいたい無視《むし》できたし、彼《かれ》らのほうも木材腐朽菌《ふきゅうきん》や自信過剰《じしんかじょう》なリスたちの文句を言うことに忙《いそが》しくて、モリガンがしていることになんの興味もないようだった）。「〈闇宵時《やみよいどき》〉の子供《こども》は風と嵐《あらし》を連れてくる」

モリガンは体の脇《わき》で小さく指を動かしながら歌った。

さあ、来て、モリガンが促《うなが》しているあいだにも、彼女《かのじょ》の一部はだめ、来ないで、と言っていた。

分別《ふんべつ》のある二番めの声は、以前はもっと大きかったはずなのに、日ごとにどんどん遠ざかっていく。

ワンダーをもう一度呼《よ》ぶ勇気をかき集めるのに数日かかった。ようやく試したときも、簡単《かんたん》には来てくれなかった。博物館のときのようにはいかなかった。

試すことにすら罪悪感を覚えているせいだろうかと考えた。ワンダーはモリガンの気持ちを感じることができて、そのせいで来ないのかもしれない。

けれどスコールに試験を乗っ取られた夜、初めてあの歌を歌ってワンダーを呼《よ》んでから一週間がたち、あの夜に学んだことに対するモリガンの感情は……変化していた。

〈盗《ぬす》まれた瞬間《しゅんかん》の博物館〉をあとにしたときは、怒《いか》りと恐怖《きょうふ》、そして自分がフリー・ステートのもっとも排他的《はいたてき》でもっとも憎《にく》まれている結社の一員であることを思い知らされて、すっかりすくみあがっていた。モリガンとスコールはふたりだけの小さな結社のメンバーなのだ。人でなし結社。

ある意味、モリガンのユニットは疎外《そがい》することで彼女《かのじょ》を助けてくれたと言える。モリガンにはいくらかへそ曲がりなところがあることがわかった。生徒たちはモリガンが悪いとかたくなに信じこんでいたから、モリガンは申し訳《わけ》なかったと思うのをやめた。少なくとも、試験に不合格になったことについては。そうしたいのなら、怒《おこ》っていればいい。あたしから遠ざかっていればいい。あたしはもっともっと遠ざかるから。

いまのモリガンには避難所《ひなんじょ》があった。彼女《かのじょ》に属するものがあった。秘密《ひみつ》があった。

「〈有明時《ありあけどき》〉の子供《こども》は夜明けと共にやってくる」

来た。いまはもう慣れ親しんだ、指先のうずき。満ち足りた思い。浅い傷《きず》をそっと押《お》したときのような、わずかな不安。

モリガンは微笑《ほほえ》んだ。

こんにちは。

いまでは、毎回反応するようになっていた。いたって簡単《かんたん》に、いたって素早く。いまなら、去年、ジュピターが言っていた言葉が理解できる。ワンダーは本当にモリガンを待っていた――常に彼女《かのじょ》のまわりに集まり、彼女《かのじょ》が命令をくだせるようになるのを辛抱強《しんぼうづよ》く待っていた。スコールは邪悪《じゃあく》かもしれない。彼女《かのじょ》の敵《てき》かもしれない。でもたとえそうだとしても……彼《かれ》はものすごく価値《かち》のあることを教えてくれた。彼《かれ》がいなければ、決して学べなかっただろうこと。

〈結社《ワンソック》〉のだれもモリガンに学んでほしいとは思っていない。長老もスカラー・ミストレスもオンストールド教授も。彼《かれ》らはモリガンの力だけでなく、モリガン本人もコントロールしたがっている。

当然ながら、モリガンは細心の注意を払《はら》った。ごく少量のワンダーを呼《よ》んで、それが形になる前に追い払《はら》うようにした。それがこつだと、今週になって気づいた。注意をしていれば、コントロールを失うことなく力の感覚を保っていることができる。つぎの歌詞《かし》を歌う前に間を置けば、ワンダーが流れて消えてしまうことを知った。つぎの歌詞《かし》を歌わないでいれば。

「〈闇宵時《やみよいどき》〉の子供《こども》は風と嵐《あらし》を連れてくる」

素晴らしい感覚だった。ささやかな秘密《ひみつ》の抵抗《ていこう》。〈結　社《ワンソック》〉には入ったものの、なぜかまだその一員になったとは感じられないどっちつかずの状態が数か月もつづいたあとで、ようやく正しいと感じられるものに出会えた。ドラゴンの背《せ》に乗っているときのホーソーンは、きっとこんなふうに感じているのだろう。そのために生まれてきたと思えることをしているときには、こんな気持ちになるのだ。人を意のままに動かしているときのカデンスは、こんなふうにほとばしる力を感じているに違《ちが》いない。

それでも……頭の奥《おく》にはあの声が残っていた。遠くなってはいるけれど、まだ確かにそこにある。新しく覚えた技を練習しようとするたび、あの歌を口ずさむたび、ワンダーがそれに反応するたびに、モリガンはその声を聞いた。

これは危険《きけん》だ。こんなことをするべきじゃない。間違《まちが》っている。

でもどうして間違《まちが》っているはずがある？　〈ワンダー細工師《さいくし》〉として生まれたのは、彼女《かのじょ》にどうにかできることではない。これは彼女《かのじょ》に与《あた》えられた才能だと、去年ジュピターは言った。使命だと。

それがなにを意味するかを決めるのはきみなんだ。ほかのだれでもない。

「朝の息子はどこに行くの？」

かつての〈ワンダー細工師《さいくし》〉の一部がその才能を邪悪《じゃあく》なことに使ったからといって、モリガンもそうするとは限らない。あんたはマシルド・ラチャンスじゃない、モリガンは何度も自分に言い聞かせた。あんたはエズラ・スコールじゃない。

「風が温かい太陽のもとへ」

モリガンも〈ワンダー細工師《さいくし》〉だ。それがなにを意味するのかは、自分で決める。ほかのだれでもない。

「夜の娘《むすめ》はどこに行くの？」

指のあいだで光の糸が踊《おど》った。モリガンは微笑《ほほえ》んだ。

「青ざめたものが嚙《か》みつく地の底へ」

モリガンはオンストールド教授がチータもどきに見えるくらいの速度で、〈不平の森〉からプラウドフット・ハウスに向かって歩いた。〈ノクターン〉の練習をするひとりの時間を終わらせたくなかった。モリガンに腹《はら》を立てている人たちといっしょに受ける〝ネバームーアを解読する〟の授業が待っていると思うとなおさらだ。

これまで授業をさぼったことは一度もない。けれど、プラウドフット・ハウスの階段《かいだん》に立っているいま、モリガンはきびすを返して、来た道を駆《か》け戻《もど》りたくてたまらなかった。枯《か》れた火の花の木が立ち並《なら》ぶ私道《しどう》を走り、ゲートを出て、デュカリオンに帰りたい。

想像のなかでは、予定より早く帰ってきたモリガンにだれもなにも尋《たず》ねない。マーサは、モリガンの好きな午後のおやつが載《の》ったトレイを持って待っている。〈煙《けむり》の応接室〉は壁《かべ》から新しい季節の香りを吐《は》き出している（清潔で着心地のいいセーター：このうえない秋の快適さと幸せ）。なにより大事なのは、二週間の旅からようやく戻《もど》ってきたジュピターがいること。ジュピターは、スコールと博物館とモリガンが〈ノクターン〉を身につけたことと試験に落ちたことの話に辛抱強《しんぼうづよ》く耳を傾《かたむ》け、怒《おこ》ったり心配したりがっかりしたりは一切しない。そしてすべては丸く収《おさ》まる。

けれどそれはどれも想像でしかなかった。

〈地図の部屋〉での授業は現実で、モリガンは遅刻《ちこく》しかけている。大きくため息をついてからしゃんと背筋《せすじ》を伸《の》ばすと、最後にもう一度物欲《ものほ》しそうなまなざしを私道《しどう》に向けた。キャンパスのゲート――逃《に》げ道――を眺《なが》め……

……彼《かれ》がいた。

まるでモリガンが魔法《まほう》をかけたみたいに、ジュピター・ノースが私道《しどう》を駆《か》けてくる。赤い髪《かみ》をたなびかせ、満面に笑みを浮《う》かべていた。足を止め、前かがみになって息を整えながら、モリガンに向けて傘《かさ》を振《ふ》った。モリガンは笑顔で手を振《ふ》り返した。

「モグ！」ジュピターは遠くから叫《さけ》んだ。「きみを連れ出しに来たんだ！」

モリガンが無意識のうちに――そして巧《たく》みに――ワンダーの金の糸を指先にからませていたもう一方の手にジュピターの視線《しせん》が留まり、彼《かれ》のうれしそうな笑みが困惑《こんわく》の表情に変わった。

第二一章
素晴らしいもの

ジュピターはなにひとつ尋《たず》ねなかった。その必要はなかった。彼《かれ》になにも言う暇《ひま》を与《あた》えず、モリガンはすべてをあわただしく、断片的《だんぺんてき》に語った。〈骨男《ほねおとこ》〉の集団のこと、馬に乗ったハンターのこと、〈盗《ぬす》まれた瞬間《しゅんかん》の博物館〉のこと、そしてスコールの予期せぬ登場のことを語った。手にいれた秘密《ひみつ》の能力と溺《おぼ》れた女性と死のスノードームのことを語った（〝ネバームーアを解読する〟の試験に全員が落第したことも――ごく簡単《かんたん》に――紛《まぎ》れこませたが、当然ながらジュピターの興味を引いたのはそのことではなかった）。

「スコール？」ジュピターは首を絞《し》められたような声で聞き返した。「きみは――彼《かれ》は……ここに、ネバームーアにいたのかい？　また？　どうしてそのことを言わなかった――」

「だってあなたはいなかったじゃない！」モリガンは彼《かれ》を遮《さえぎ》った。非難《ひなん》がましい口調にならないようにするのは難《むずか》しかった。ジュピターはたじろいだ。

「だがだれかに話すべきだった」ジュピターはモリガンを連れて、並木《なみき》の私道《しどう》をゲートに向かって歩いていく。「エズラ・スコールに教わったからと言って、丸一週間ひとりでワンダーを呼《よ》んでいたの？　そういうことは自分ひとりで抱《かか》えていちゃだめだ、モグ。危険《きけん》だ」

「シーッ」モリガンはあたりを見回し、だれも聞いていないことを確かめた。「ほかのだれに話せたっていうの？　長老には言えない。ミス・チェリーにも、ほかのだれにも。スコールがあたしに会いに来たことを知ったら、あたしと話したことを知ったら……どういうことになるか――」

「フェネストラ。フェンに話せたじゃないか。ジャックにだって！」

モリガンは反論《はんろん》しようとして口を開いたが、そのまま閉《と》じた。「あたし……そうか。そうだね、考えなかった」

「それはどこにあるんだ？　その博物館――なんていったたっけ？」

「〈盗《ぬす》まれた瞬間《しゅんかん》の博物館〉。エルドゥリチの近くだと思う。どこなのかがわかるまで、散々走ったの。でも、喜んでくれないの？　ワンダーを呼《よ》べるようになったんだよ」モリガンは喜びと信じられないという思いに目を大きく見開いた。「できるようになったの！　それにね、ジュピター、あたし上手なの」

「もちろんそうだろうとも」抑《おさ》えきれないかのように、ジュピターの口の端《はし》が笑みの形を作った。横目でモリガンを見ながら言った。「そう言っただろう？　〈ワンダー細工師《さいくし》〉は人のための力になれるんだ。オンストールドは間違《まちが》っているんだよ」

モリガンの浮《う》き立った気持ちが少ししぼんだ。「ううん。オンストールドは正しい」ふたりはゲートを抜《ぬ》け、〈ブロリー・レール〉の停留所に向かって歩いた。ジュピターは、モリガンをにらみつけている警備員《けいびいん》に機嫌《きげん》よく手を振《ふ》った。ジュニアの生徒は授業時間中にキャンパスを出てはいけないことになっているのだが、ジュピターが隣《となり》にいてはなにも言えないのだ。

「マシルド・ラチャンスの話を聞いていなかったの？　〈盗《ぬす》まれた瞬間《しゅんかん》の博物館〉は――」

「ワンダーによる行為《こうい》のひとつにすぎないよ」金属の枠《わく》が風を切りながら近づいてくると、ジュピターは傘《かさ》を持ちあげて飛び移る準備をし、モリガンにもそうするように促《うなが》した。「マシルド・ラチャンスも、〈ワンダー細工師《さいくし》〉のひとりにすぎない」

「スコールはどうなの？」モリガンは黒いオイルスキンの傘《かさ》を取りだし、銀の線細工がほどこされた取っ手をマントでさっと拭《ふ》いた。「オンストールドの本に載《の》っていたほかの人たちは？　タイラ・マグナッソンやオドゥブイ・ジェミティや――」

「そうだ！」ジュピターは我《わ》が意を得たりとばかりに叫《さけ》んだ。「彼《かれ》の名前を持ち出してくれてよかった。ぼくはそのために来たんだ。さあ、準備して――ジャンプ！」


高速で宙《ちゅう》を運ばれていきながら、話を続けるのは不可能だった。モリガンがいつもの停留所で金属の輪から傘《かさ》をはずそうとしてレバーに手を伸《の》ばすと、ジュピターがそれを止めた。

「ぼくの合図を待って」耳元を流れていく風音に負けまいとジュピターが声を張りあげた。まだ家に帰るわけではないようだ。

ふたりはそのまま長いあいだ乗りつづけ、傘《かさ》にぎゅっとしがみついているモリガンの腕《うで》が痛《いた》みはじめた。筋肉が燃えるように痛くなってきて、もう手を放してあとは運を天に任せるしかないとモリガンが思いはじめたころ、ジュピターが公園の片隅の柔らかそうな地面を指さして言った。

「あそこだ！」

レールが曲線を描《えが》きながら緑の地面の上を通り過ぎようとしたところでふたりは飛びおり、モリガンはいくらかぎこちなくはあったけれど、なんとか両脚《りょうあし》でおり立った。ジュピターはよろめき、芝生《しばふ》の上に膝《ひざ》をついた。

「見事な着地だ」背後《はいご》から面白がっているような声がした。「一〇点満点」

モリガンは驚《おどろ》いて振《ふ》り返った。「ここでなにをしているの？」

「あら、こんにちは、ジャック」木の陰《かげ》から現われたジャックが言った。「夏休み以来ね。どうしてた？　元気だったよ、訊《き》いてくれてありがとう、モリガン。きみは優《やさ》しいね。きみも元気だといいんだけど」

「こんにちは、ジャック」モリガンはぐるりと目をまわしながら言った。「どうしてた？」

「もういいよ。恥《は》ずかしくなる」ジャックは気取ったように笑うと、両手をポケットに突《つ》っこんで、かかとに体重を乗せた。ジュピターっぽい仕草だとモリガンは思った。

「ここでなにをしているの？」改めてモリガンは尋《たず》ねた。

「ぼくが呼《よ》んだんだよ」ジュピターが言った。「ジャックはぼくを手伝ってくれていたんだ。きみに見せたいものがある」ジュピターは膝《ひざ》のほこりをはらい、公園へと入っていく。モリガンとジャックはそのあとを追った。

「見せたいものって?」

「とても重要なものさ」ジュピターが答えた。彼《かれ》がなにかに熱中しているときにはいつもそうなるように、モリガンはその長い脚《あし》についていくために小走りにならなくてはいけなかった。

「数か月前にきみに約束したことだよ。素晴らしいものさ」

モリガンはジャックを見たが、ジャックは眉《まゆ》を吊《つ》りあげただけだった。自己《じこ》満足に浸《ひた》っているようだ。

その公園は……公園とは呼《よ》べないものだった。ジャングルみたいに木が生い茂《しげ》っていたし、芝生《しばふ》も少なくとも一年は刈《か》っていないようだ。けれど下生えのあいだからベンチの上部がのぞいていたから、かつてはちゃんとした公園だったのだろうとモリガンは思った。けれどいまはもうだれも手入れをしていなくて、自然がそのあとを引き継《つ》いで運営しているらしかった。

ジュピターはからまったつるや枝を押《お》しのけながら生い茂《しげ》った雑木林のあいだを進んでいき、モリガンとジャックのための道を作った。「ジャックとぼくは、きみから聞いたことを話し合ったんだよ、モグ。オンストールドの本と彼《かれ》が〈ワンダー細工師《さいくし》〉について書いたことを。証《しょう》拠《こ》を見つけるってきみに約束したよね?　ぼくたちは何か月も探《さが》して、ようやく見つけたんだ。ここだ」ジュピターは振《ふ》り返ってモリガンに微笑《ほほえ》みかけた。「ジェミティ・パーク」

木々が途《と》切《ぎ》れ、三人の前にびっしりとつたに覆《おお》われた高い石の壁《かべ》が現われた。ジュピターは上を指さした。モリガンが見あげると、はるか頭上に海賊船《かいぞくせん》のマストや観覧車《かんらんしゃ》や巨大《きょだい》なジェットコースターの線路が見えた。

「わお！　え、待って――これがジェミティ・パークなの？　本当に？」モリガンはとても入れそうにない石の壁《かべ》を見つめ、がっかりして言った。「それじゃあここは……本当に封鎖《ふうさ》されているの？」

「そうだ」ジュピターが答えた。「素晴らしいだろう？」

モリガンはぽかんとして彼《かれ》を見つめた。「全然」

「いや、素晴らしいんだ」ジャックが熱のこもった声で言った。「ぼくたちは謎《なぞ》を解いたんだ」決して入ることのできない秘密《ひみつ》の遊園地の外に立っているにしては、一生分のクリスマスが一度に来たような表情だった。「この場所について本になんて書いてあったか、もう一度話してくれないか。覚えている？」

モリガンはため息をついた。もちろん覚えている。オンストールドに三〇〇〇単語の小論文《しょうろんぶん》を書かされたうえ、ジオラマを作らされたのだ。落胆《らくたん》した顔で鍵《かぎ》のかかったゲートの外に立ち尽《つ》くす子供《こども》たちのジオラマまで。完成させるのに三日かかった。いまこうしてジェミティ・パークの壁《かべ》の外に立ってみると、当時の子供《こども》たちの失望が痛《いた》いほどよくわかった。

「オドゥブイ・ジェミティは、回転木馬やジェットコースターやウォータースライダーやありとあらゆる乗り物がある魔法《まほう》のアドベンチャー・パークを作ってほしいと、地元の実業家に依《い》頼《らい》された。そこで彼《かれ》はそのとおりにした。開園の日、ネバームーア中から人々が集まってきたけれど、ジェミティは姿《すがた》を見せなかった。公園を作るように依頼《いらい》した実業家がゲートを開けようとしたけれど、開けることができなかった。パークはだれのことも入れようとしなかった——だれひとり、ゲートをくぐることも、乗り越《こ》えることもできなかった。がっかりした子供《こども》たちとがっかりした親は家に帰り、ジェミティ・パークは今日までそのままになっている。パークを見て嫌《いや》な思いをすることがないように、周辺には木や生垣《いけがき》が作られて——ジュピター、なにをしているの？　そんなことはしちゃいけないと思う」

ジュピターは生垣《いけがき》や壁《かべ》を覆《おお》うツタの葉を引きむしってはうしろに放り投げている。モリガンになにかを見せようとしているらしいが、ちぎるとすぐにまた生えてくるので、簡単《かんたん》なことではなかった。

「きみの言うとおりかもしれないな」

「それでもやめないんだね」

「そういうことだ。ほら、早く」ジュピターは、腕《うで》に巻《ま》きつこうとしているひときわ強力なツタをつかみながら言った。「見て」

それは紫色《むらさきいろ》のダイヤモンドの飾《かざ》り板が取りつけられた小さな石碑《せきひ》だった。

ここにスペクタクルを設置する
〈ワンダー細工師《さいくし》〉オドゥブイ・ジェミティ作
キャンター・ファイナンス社最高経営責任者へイドリアン・キャンター後援《こうえん》
グレシャムの子供《こども》たちへの贈《おく》り物

東風の時代　七の冬

「グレシャムの――」

「子供《こども》たちへの贈《おく》り物だ」顔をくすぐるツタを払《はら》いのけながら、ジャックがわくわくしたように言った。「グレシャムっていうのは、この区の名前なんだ。アドベンチャー・パークを作るには、妙《みょう》なところだろう？」

「どうして？」

「まわりを見てごらんよ！　ネバームーアで一番貧しい区だ。昔からそうだった。ここにはほとんどなにもない。ワンダー地下鉄さえ、ここまでは来ていない。それなのに、この近辺で唯《ゆい》一《いつ》の緑地の真ん中に、封鎖《ふうさ》された巨大《きょだい》な秘密《ひみつ》の遊園地が隠《かく》されているんだよ」

「それはそうだけど。でも――」

「シーッ。聞いて」ジュピターが指を唇《くちびる》に当てた。モリガンとジャックは口をつぐんだ。最初に聞こえたのは鳥の声だ。それから木々のあいだを吹《ふ》き抜《ぬ》けるそよ風。やがて……

「だれかいる！」声がした。子供《こども》の声だ。悲鳴につづけて笑い声。それから……「あれは音楽？」

「回転木馬の音楽じゃないかな」ジュピターが言った。

モリガンはわけがわからなかった。「それって……ここは封鎖《ふうさ》されているわけじゃないってこと？」

「そういうこと」ジャックが答えた。「だれも入れないわけじゃない」

「どうしてわかったの？」

「グレイスマーク・スクールの友だちのサムが話してくれたんだ。彼《かれ》はグレシャムで育ってい て、素晴らしいパークがあるって言っていた。小さいころはよく遊んだけれど、いまはもう大きくなりすぎてなかには入れないんだそうだ──パークが入れてくれないらしい。だれも彼《かれ》の言うことを信じなかったけれど、ぼくはジュピターが言っていたこと──きみがジェミティ・パークについて彼《かれ》に話したこと──を思い出して、サムにここまで連れてきてもらった。本当だった。パークが入れてくれるのは一二歳《さい》以下で──」

モリガンは息を呑《の》み、すっくと背筋《せすじ》を伸《の》ばした。「それじゃああたしも──」

「──グレシャムに住んでいる人間だけだ」

「なんだ」モリガンはがっくりと肩《かた》を落とした。「それじゃあ、あたしたちはここになにしに来たの？」

「わからないの？」ジャックはいらだったように言った。「説明してあげてよ、ジョーヴ叔父《おじ》さん」

ジュピターは紫《むらさき》の飾《かざ》り板を力強く叩《たた》いた。「オンストールドは間違《まちが》っていたんだよ、モリガン。ジュピター・ジェミティ・パークについて、間違《まちが》っていた。オドゥブイは、不思議がいっぱいの遊園地を作っておきながら、だれもそこに入れようとしない非情なペテン師なんかじゃなかった。彼《かれ》は〈大失敗〉を作ったわけじゃない。素晴らしいものを作ったんだ──ごく一部の、それにふさわしい人たちのために。こういったものを一度も見たことのないグレシャムの子供《こども》たちのために。ネバームーアでもっとも貧しい地域《ちいき》の真ん中に。ほかのだれでもない、彼《かれ》らだけのためのものを作ったんだよ。

グレシャム議会の記録を調べてみた。このパークが作られた土地は、もともとアパート群があったんだ。東風の時代に、とてつもない金持ちだったヘイドリアン・キャンターが買収《ばいしゅう》するまではね。彼《かれ》は何百人という人間を家から追い出し、アドベンチャー・パークを作るためにすべての建物を取り壊《こわ》した。高額な入場料を取るつもりだったんだ。それはつまり、そのあたりに住んでいた人間はだれも入れないということだ。オドゥブイ・ジェミティは、それはあまりにも不公平だと考えたんだと思う。だからキャンターの要求どおりにパークを作ったものの、いくつか余分なルールを付け足したわけだ」ジュピターは笑った。「ヘイドリアン・キャンターはさぞ喜んだだろうね」

「本当ね」モリガンも笑いながらうなずいた。

三人は口をつぐみ、かすかに聞こえてくる音楽と笑い声に耳を澄《す》ました。締《し》め出されたことをこんなにうれしいとモリガンが思ったのは初めてだった。

どんよりした寒い夕暮《ゆうぐ》れがやってきて、冷たい風が顔を刺《さ》すようだったけれど、モリガンはまったく気にならなかった。黒い髪《かみ》は風にたなびき、目には自然に涙《なみだ》がにじんでくるものの、結団式の夜以来感じたことのない明るい気持ちだ。ジュピターとジャックといっしょにネバームーアのビジネス街を〈ブロリー・レール〉で通り抜《ぬ》けながら、飛び降《お》りる合図を待っているところだった。

「オンストールドは間違《まちが》っていた」風に負けじと叫《さけ》んだ。その言葉を口にするだけで、わくわくした。「オドゥブイ・ジェミティのことが間違《まちが》っていたなら、ひょっとしたら……」

そのあとをどう続ければいいのかわからなかった。オドゥブイ・ジェミティのことが間違《まちが》っていたなら、ひょっとしたら、なに？〈ワンダー細工師《さいくし》〉のことも間違《まちが》っていたかもしれない？少なくとも、その一部については？

モリガンは傘《かさ》を握《にぎ》る手に力をこめた。

あたしについて、間違《まちが》っていたかもしれない。

「まだ終わりじゃないんだよ、モグ」ジュピターが叫《さけ》び返し、歩道の脇《わき》のがらんとした区画を指さした。「あそこだ！　弁護士事務所のそば」

三人は、『マホーニー、モートン&マクロウ弁護士事務所』と看板《かんばん》のかかっているオフィスビルの前に、悠々《ゆうゆう》と着地した。ジュピターはふたりを連れてそのまま進み、名前のない脇道《わきみち》へと入っていく。突《つ》き当りのゲートを通り、暗くて細い地下道を抜《ぬ》け、その先の石畳《いしだたみ》の小さな中庭に入り、また細い地下道、べつのゲート、もう二か所の中庭、濡《ぬ》れた犬みたいなにおいのする汚《きたな》い裏通《うらどお》りを通って、ごく細い敷石《しきいし》の通路にやってきた。壁《かべ》に標識がかかっている。

ウェイバリー・ウォーク

注意！
〈奇妙《きみょう》な地理の研究団〉とネバームーア議会によって
この通りは
赤レベルの悪ふざけの道に指定されています
（危険度《きけんど》が大きく、ダメージを与《あた》える恐《おそ》れが高い悪ふざけ）
入るときには自己《じこ》責任で

モリガンは驚《おどろ》いた。「ジュピター、〈悪ふざけの道〉には入っちゃいけないって言ったのに」

「ルールっていうのは破るためにあるんだよ、モグ」ジュピターは片方《かたほう》の眉《まゆ》を吊《つ》りあげた。「だが、今回かぎりだ。いいね？　ぼくがいっしょにいるし、この〈悪ふざけの道〉がなにを隠《かく》しているのか、ぼくはよくわかっているからね」

「素晴らしいもの？」モリガンは笑顔で尋《たず》ねた。

「信じられないものさ」ジャックが応じた。

ウェイバリー・ウォークの悪ふざけは不快なものだった。進むほどにどんどん狭《せま》くなっていき、気がつけばモリガンは両側のレンガの壁《かべ》に押《お》しつぶされそうになっていた（〝ふたりとも、歩き続けるんだ！〟ジュピターが前方から叫《さけ》んだが、水風船みたいに頭が破裂《はれつ》するのではないかと思うくらい窮屈《きゅうくつ》そうだ）が、やがて突然《とつぜん》――

「〈滝《たき》のタワー〉！」通路の壁《かべ》からいきなり解放されてあえいでいると、滝《たき》の水音に負けないくらいの声でジュピターが叫《さけ》んだ。

ただの滝《たき》ではない――一ダースもの滝《たき》だ。もっとあるかもしれない。壮大《そうだい》に地面を打つ、頑《がん》強《きょう》な白い水のカーテンのような滝《たき》があるかと思えば、ガラスの鐘《かね》を鳴らすみたいな音と共に降《ふ》り注《そそ》ぐクリスタルのように優美《ゆうび》な滝《たき》もある。それは水のシンフォニーだった。なにもないところから落ちてきて、なにもないところへと消えていく滝《たき》が三次元に作りあげる、壮麗《そうれい》なきらめく摩天楼《まてんろう》だ。

モリガンは愕然《がくぜん》として、その場でいくらかふらついた。デシマ・ココロの作ったものは、想像とはまったく違《ちが》っていた。心底、驚《おどろ》いていた。あの通路を進んでいたときには、こんなものがあるとはまったく知らなかった。水の音などしなかったし、あんな陰気《いんき》な建物の先にこれほど壮大《そうだい》な美しいものがあることを想像させる、空気の変化も感じなかった。

それは、素晴らしく美しかった。

モリガンは信じられずに、ただ首を振《ふ》るばかりだった。「オンストールドは、これを〈大失敗〉って呼《よ》んだの」水音に負けまいとモリガンは声を張りあげた。不意にショックを通り越《こ》して、怒《いか》りを覚えた。「〈怪異《かいい》〉に近い〈大失敗〉って。でもこれは……これは……」

「そうだ」ジュピターが叫《さけ》んだ。「これは……そう、そのとおり」ジュピターとジャックは〈滝《たき》のタワー〉を呆《ほう》けたような畏怖《いふ》の表情で見あげていて、モリガンは自分も同じ表情をしているのだろうと思った。「なかに入ろうか？」

ジュピターが傘《かさ》を開き、ジャックとモリガンもそれに続き、三人は一番水が緩《ゆる》やかに落ちていると思える箇所《かしょ》をくぐった。それだけのことだった。オンストールドの本には、デシマ・ココロの建物に入ろうとすると、全身びしょ濡《ぬ》れになるか、押《お》し流されるか、溺《おぼ》れてしまうと書かれていた。けれど滝《たき》の向こう側に出た三人は傘《かさ》の水滴《すいてき》を払《はら》っただけで、どこも濡《ぬ》れてはいなかった。耳をつんざくほどの水音も聞こえなくなっていた。

〈滝《たき》のタワー〉の内側は、暗くてじっとりしていて洞窟《どうくつ》のようだろうとモリガンは想像していたけれど、そこは明るくて気持ちのいい場所だった。水のシートを通してひんやりした緑色の光が射《さ》しこんでいて、床《ゆか》に波のような模様《もよう》を描《えが》いている。建物は大きくて、がらんとしていた。静かだ。海のガラスで作られた大聖堂《だいせいどう》のようだった。

「どうしてだれもここを使わないの？　ここにあることを知らないの？」モリガンは声を潜《ひそ》めて尋《たず》ねた。神聖《しんせい》な魔法《まほう》の場所に足を踏《ふ》み入れたような気がしていたから、呪文《じゅもん》を解きたくなかった。

「わからない。だれが所有しているのかもはっきりしないんだ。まだ調べているところなんだよ」ジュピターはガラスのような水の壁《かべ》にそっと指を這《は》わせた。

「どうやって見つけたの？」

「うん、ちょっと時間がかかったよ。でも幸いぼくには、たくさんのことを知っているたくさんの知人がいるからね。それにぼくは知りたがり屋だし。そうだろう？」

三人は広々とした空間を進み、やがてジャックが石碑《せきひ》の前で足を止めた。そこにも紫色《むらさきいろ》のダイヤモンドの飾《かざ》り板が取りつけられていた。

ここに〈特異《とくい》な現象〉を設置する
〈ワンダー細工師《さいくし》〉デシマ・ココロ作
ヘルムート・R・ジェイムソン議員後援《こうえん》
ネバームーアの人々への贈《おく》り物
東風の時代　七の春

「〈特異《とくい》な現象〉」モリガンはつぶやいた。エズラ・スコールと会ったときの記憶《きおく》が一気に戻《もど》ってきた。「スコールは〈盗《ぬす》まれた瞬間《しゅんかん》の博物館〉のことをそう呼《よ》んだの。〈ワンダー〉による行《こう》為《い》の分類のための委員会〉は〈スペクタクル〉に分類したけれど、それは間違《まちが》いだってスコールは考えていた。委員会は本当の価値《かち》をわかっていないんだって」

ジャックはモリガンからジュピターに視線《しせん》を移し、再びモリガンを見た。眼帯をしていないほうの目を細くした。「なんの博物館だって？　いつスコールに会ったんだ？」

「でも、あたしには理解できない」モリガンはジャックの言葉を無視《むし》して言った。「オンストールドの本によれば、〈ワンダー〉による行為《こうい》の領域《りょういき》〉には五つの分類しかないはずなの――〈過失〉、〈失態〉、〈大失敗〉、〈怪異《かいい》〉、〈破滅《はめつ》〉。〈スペクタクル〉とか〈特異《とくい》な現象〉のことなんて、なにも書いてなかった。でもそれは間違《まちが》いなく存在《そんざい》する。だって……だって、あたしたちはいまそのなかにいるんだから」モリガンは両手をあげた。「オンストールドはどうしてそのことを知らないの？　ワンダーによる行為《こうい》について、本まで書いているのに！　どうして彼《かれ》はここが〈大失敗〉に分類されていると考えているの？」

「スコールがどうしたって？」ジャックはいくらか声を高くして繰《く》り返し、どうなっているのかを探《さぐ》ろうとするように、眼帯をずらした。

「いい質問だ、モグ。残念だがぼくにはわからない」ジュピターはひげをぼりぼり掻《か》いた。

「オンストールド教授に直接訊《き》いてみたらどうだろう」

「うん、訊《き》いてみる」モリガンは決意を固めた。これほど大きな誤解《ごかい》をしているのに、どうしてオンストールドは〈ワンダー細工師《さいくし》〉やワンダーによる行為《こうい》についての本を書くことができたの？　彼《かれ》は、〈滝《たき》のタワー〉やジェミティ・パークや本に出てくるほかのワンダーによる行《こう》為《い》を、自分の目で見たことがあるんだろうか？　「明日の朝一番に訊《き》いてみる」

「でも、優《やさ》しく訊《き》くんだよ」ジュピターが言った。「間違《まちが》っていると指摘《してき》されるのが好きな人間はいないからね。本まで書いたことに関してとなればなおさらだ」

「約束はできない」モリガンは険《けわ》しい顔で答えた。

沈黙《ちんもく》のなかモリガンはじっと考えこみ、ジュピターは無言で〈滝《たき》のタワー〉を感嘆《かんたん》したように見あげていたが、やがてジャックがたまりかねたように叫《さけ》んだ。

「だれかスコールのことを説明してくれる気はあるのかい？」

第二二章

裏切《うらぎ》りのタイムキーパー

「衣装《いしょう》はもう考えた？」

「衣装《いしょう》？」

「ハロウマスの衣装《いしょう》だよ」ホーソーンが言った。「明日なんだから」

「うん」モリガンはまばたきをして、なんとか会話に意識を向けようとした。ゆうべはほとんど寝《ね》ていなかったし、〈不平の森〉をプラウドフット・ハウスに向かって歩きながらも、心はここにあらずだった。「まだ考えていない」

「きみがなにに扮《ふん》すればいいか、ぼく考えたんだ」ホーソーンは注意深くあたりを見回してから、小声で言った。「〈ワンダー細工師《さいくし》〉！」

モリガンは顔をしかめた。「それって、最悪のアイディアだと思うけど」

「そうじゃないって。聞いてよ、だれもきみが本当に〈ワンダー細工師《さいくし》〉だなんて思わないよ。ただし——」

「ただし」モリガンは指を折りながら、数えあげていった。「あなた、ジュピター、ジャック、フェネストラ、ミス・チェリー、オンストールド教授、長老たち、スカラー・ミストレス、あたしたちのユニットのほかのメンバーとその後援者《こうえんしゃ》はべつとして」

「そう。でも、ほかはだれも知らない」

「それがだれにしろ、謎《なぞ》の脅迫者《きょうはくしゃ》を忘《わす》れてる。それからエズラ・スコールと――」

「とにかく」ホーソーンはあくまでも言い張った。「だからこそ、面白くなるんだよ！　それって――えーと、なんて言ったっけ？　ホーマーがこのあいだ言ってたんだ。その……アイロニックだって」

「それ、どういう意味？」

「意味は……よくわからないや。とにかく、きみが〈ワンダー細工師《さいくし》〉の格好でパーティーに現われたときのみんなの顔を想像してみてよ。黒い口、かぎ爪《づめ》、大きな古いマント……一番恐《おそ》ろしい衣装《いしょう》さ。ドカーン。とたんに注目の的だよ」

「ドカーン。とたんに大爆発《だいばくはつ》よ」モリガンは天を仰《あお》いだ。そもそもスコールの外見はまったく違《ちが》う。「それで、どのパーティーに行くの？」

「なんだって好きなのに行けばいいのさ！」ホーソーンは興奮《こうふん》を抑《おさ》えきれなくなったのか、飛びあがって頭上の枝に触《ふ》れた。「ユニット九一八は、フレディ・ローチの家でパーティーをするんだ。フレディは〝爬虫類《はちゅうるい》の世話〟の授業をいっしょに受けているんだけど、いいやつなんだよ。ホーマーの友だちもパーティーをやるんだ。顔をすっぽり隠《かく》すマスクをつけて、ずっと三メートル離《はな》れているって約束すれば連れていってくれると思うよ」

「でもあたしたちは〈黒のパレード〉で行進するんだよ。覚えている?」モリガンは体を震《ふる》わせながら言った。「あれには衣装《いしょう》なんていらない。黒い制服だけでいいんだから」

コートをぎゅっと体に巻《ま》きつけ、襟元《えりもと》までボタンを留めた。すっかり秋だ。〈結社《ワンソック》〉の壁《かべ》の外は、さわやかな空気と足の下でサクサクと気持ちのいい音を立てる落ち葉の季節だけれど、壁《かべ》の内側に入ると風は身を切るように冷たい。いつもの薪《まき》の煙《けむり》のにおいと腐《くさ》ったリンゴの甘《あま》ったるい香りが漂《ただよ》い、〈不平の森〉は赤と金色とオレンジ色が織りなす鮮《あざ》やかな天蓋《てんがい》に変わっていた(文句を言う木々はそのことにもとりたてて満足しているわけではないようだったけれど、彼《かれ》らが満足していることなんてあっただろうか?)。

「それは真夜中じゃないか! そうだ、だれがパーティーを開くのかきっとジャックが知っているよ。ジャックが――」

「ジャックはデュカリオンにいるはず。それにあたしもデュカリオンにいなきゃいけないと思う。フランクがハロウマスにどんなばかげたことをするつもりかは知らないけど」

「わお。ぼくも行っていい?」

「もちろん」

「いかしてるね。ぼくは海賊《かいぞく》になろうかな。悪鬼《あっき》でもいいな。それとも恐竜《きょうりゅう》とか。決められないや。ヴァンパイアはどうだろう。それとも……」

ホーソーンはプラウドウッド・ハウスに着くまでずっと、衣装《いしょう》のことをしゃべり続けていた。

モリガンの意見を求めているわけではないようだったので、聞いている必要はなかったから、彼女《かのじょ》にとっては好都合だった。

　ゆうべは遅くまで起きていて、オンストールドにどうやって切り出せばいいだろうと考えた。もちろんジュピターは正しい。間違《まちが》っていると指摘《してき》されるのは、だれだっていやなものだ。けれどそれって、間違《まちが》っていると指摘《してき》するべきじゃないっていうこと？

　オンストールドはこれまでずっと、許しがたいほど間違《まちが》った事柄《ことがら》をモリガンに教え続けてきた。明らかになにもわかっていない事柄《ことがら》の専門家《せんもんか》だと名乗り、これまでに存在《そんざい》した邪悪《じゃあく》だったり、愚《おろ》かだったり、役立たずだったりした〈ワンダー細工師《さいくし》〉と同じ失敗を繰《く》り返すのがモリガンの運命なのだと信じこませた。

　考えれば考えるほど、モリガンは腹《はら》が立ってたまらなくなってきた。〈滝《たき》のタワー〉やジェミティ・パーク、ほかにもだれかが探《さが》そうと思えば見つかるはずのネバームーア中にある数えきれないほどのワンダーによる行為《こうい》のことを考えて、午前中は怒《いか》りを募《つの》らせていた。

　肩《かた》を怒《いか》らせ、ぐっと顎《あご》をあげ、足音も荒《あら》くオンストールド教授の教室に乗りこんだ。亀《かめ》もどきの教師と、ごく真剣《しんけん》な議論《ぎろん》を交わすつもりだ。

「いったい……これは……なんの……騒《さわ》ぎだね？」モリガンが勢いよくドアを開けてつかつかと教室に入っていき、放り投げるようにして鞄《かばん》を机《つくえ》に置くと、オンストールド教授が尋《たず》ねた。

「あなたは間違《まちが》ってます」モリガンは自分の言葉に少なからず驚《おどろ》いた。どれほど怒《おこ》っていようとここまで直接的な言い方をするつもりではなかったのに。

「もう……一度……」

「ええ、言います」オンストールドが言い終えるのを待てずに、モリガンは言葉をかぶせた。モリガンの無礼さに驚《おどろ》いたのか、オンストールドのビーズのような目が大きくなり、口がわずかに開いた。モリガンは気にしなかった。やめるつもりはない。「あなたの考える〈ワンダーによる行為領域《こういりょういき》〉は間違《まちが》っています。あなたの本には、ワンダーによる行為《こうい》は邪悪《じゃあく》なものしかないと書いてある。過失、失態……それから……怪異《かいい》とかそんなものしかないと」

オンストールド教授はモリガンを見つめている。「それだけしか……」

「でもそれは本当じゃありません。〈特異な現象《とくい》〉はどうなんですか？ 〈スペクタクル〉は？」

モリガンは言葉を切り、オンストールドがなにか言うのを待った。ごわごわしたしわだらけの彼《かれ》の顔にはなんの表情も浮《う》かんでいない。

「〈滝《たき》のタワー〉は〈怪異《かいい》〉なんかじゃありません。あたしは知っているんです。だって見てきたから」

オンストールドの口があんぐりと開いた。「きみは……見た……」

「はい。素晴らしいものでした。飾《かざ》り板がありました。紫色《むらさきいろ》のダイヤモンドの飾《かざ》り板に〝ここに〈特異《とくい》な現象〉を設置する〟って書いてあったんです。〈怪異《かいい》〉ではなくて、〈特異《とくい》な現象〉って。ネバームーアの人々への贈《おく》り物でした。それに、ジェミティ・パークは完全に封鎖《ふうさ》されてはいませんでした。本来はあの場所の持ち主だった貧しい子供《こども》たちは入れるんです。

〈ワンダーによる行為《こうい》の分類のための委員会〉は、あのパークを〈スペクタクル〉に認定《にんてい》していました。グレシャムの子供《こども》への贈《おく》り物として。そう書いてある紫色《むらさきいろ》の飾《かざ》り板がありました」

オンストールド教授の動揺《どうよう》がどんどん大きくなっていくのがわかったが、モリガンはもう止まらなかった。どうしても彼《かれ》にわからせたくて、ろくに息継《いきつ》ぎもできない。「それがどういう意味なのか、わからないんですか？　あなたは間違《まちが》っていたんです、教授。あなたの本には、歴史上のあらゆる〈ワンダー細工師《さいくし》〉は愚《おろ》かだったか、邪悪《じゃあく》だったか、非情だったか、浪費的《ろうひてき》だったと書いてあります。でも、デシマ・ココロは役立たずじゃなかった――天才でした。オドゥブイ・ジェミティは非情じゃなかった――寛大《かんだい》で優《やさ》しかったんです」

「声を……落としたまえ」オンストールド教授は開いたままのドアに不安そうなまなざしを向けた。廊下《ろうか》を通る数人の人々が、この物音はなんだろうとものめ珍《めずら》しそうになかをのぞいていく。

「人に……聞かれる……」

「だれに聞かれてもかまいません」モリガンは怒《いか》りのあまり涙《なみだ》がにじんでくるのを感じて、裏切《うらぎ》り者の眼球を心のなかで罵《ののし》った。怒《おこ》っているはずなのに、どうして泣きたい気持ちになるんだろう？　こんなのは、あたしが伝えたいことじゃないのに。両手を強く握《にぎ》りしめた。「あたしの話をちゃんと聞いてくれるまでは、黙《だま》りません。わからないんですか？　ココロとジェミティについてあなたが間違《まちが》っていたとしたら、ほかの〈ワンダー細工師《さいくし》〉のことだって間違《まちが》っていたかもしれない。本当のことを調べてみる価値《かち》があるんじゃないんですか？　もしほかにもワンダーによる素晴らしい行為《こうい》があるなら、あなたは……」

モリガンの声が尻《しり》すぼみに途切《とぎ》れた。オンストールド教授がいささかも驚《おどろ》いた様子を見せていないことに不意に気づいたからだ。モリガンを嘘《うそ》つきと呼《よ》ぶこともなければ、どうやってそんなことを知ったのかと尋《たず》ねることもない。〈スペクタクル〉や〈特異《とくい》な現象〉という言葉を聞いて、当惑《とうわく》した表情すら浮《う》かべなかった。ただ、モリガンの言葉をほかのだれかに聞かれることを気にしただけだ。いまもまだちらちらとドアに目を向けている。

長く重苦しい沈黙《ちんもく》が広がった。

モリガンは教授の机《つくえ》の上の分厚い本を見おろし、色あせた表紙に手を乗せた。『過失、失態、大失敗、怪異《かいい》、そして破滅《はめつ》、ワンダーによる行為領域《こういりょういき》の要約歴史』モリガンがつぎに口を開いたとき、その声は壁《かべ》の時計が時を刻《きざ》む音に紛《まぎ》れて聞き取れないほどかすかだった。

「要約歴史。編集している。簡潔《かんけつ》にしている。短くしている」モリガンは、初めての授業でオンストールドが言った言葉を思い出していた。「最初から知っていたんですね？　あなたはわざと書かなかった。嘘をついた」

オンストールドはぜろぜろと喉《のど》を鳴らしながら、なにか言おうとした。しわだらけの唇《くちびる》のあいだで、唾《つば》が糸を引いている。「わたしは……修正したのだ」

「嘘をついた！」モリガンの声が高くなった。もう抑《おさ》えられない。「あなたはずっと嘘《うそ》をついていた。すべての〈ワンダー細工師《さいくし》〉は邪悪《じゃあく》だとあたしに信じこませようとした。でもそれが本当じゃないってわかっていたんだ。そうでしょう？」

「すべての〈ワンダー細工師《さいくし》〉……は、邪悪《じゃあく》……」

その言葉をもう二度と聞きたくなくて、もう耐《た》えられなくて、モリガンは本を開くとあわただしくページをめくって、オドゥブイ・ジェミティの章を開いた。

そしてそのページを引きちぎった。一章、全部を。奥歯《おくば》をかみしめながら細かく破き、紙吹雪《かみふぶき》のように床《ゆか》に散らした。

「嘘《うそ》は。やめてください」

モリガンの乱暴《らんぼう》な行為《こうい》に対してオンストールド教授がなにか言おうとしたちょうどそのとき、心配そうな、いくらか狼狽《ろうばい》しているような表情のヘンリー・ミルドメイが不意に教室に入ってきた。両手いっぱいの本と地図をぎこちなく抱《かか》え、落ちてきた前髪《まえがみ》が目にかかっていた。

「おっと！　すみません、オンストールド教授。前を通りかかったら、叫《さけ》び声が聞こえたもので」ミルドメイはモリガンから老いた亀《かめ》もどきに、そして床《ゆか》の上の紙屑《かみくず》に目をやり、眉間《みけん》にしわを寄せた。「なにか問題でも？」彼《かれ》が見ていたのはモリガンだったが、答えたのはオンストールド教授だった。

「なにも……問題は……ない、若者《わかもの》」その口調が同僚《どうりょう》の教師ではなく、生徒に話しかけるような口調であることにモリガンは気づいて、どういうわけかますますいらだちが募《つの》った。よくもミルドメイにそんな失礼なことができたものだ。それもこの若《わか》き教師はとても優秀《ゆうしゅう》で親切で、一方のオンストールド教授はひどい嘘《うそ》つきだというのに。「自分の……仕事に……戻《もど》りたまえ」

けれどミルドメイはまだ心配そうにモリガンを見つめている。「ミス・クロウ、きみは——
——」

「彼女《かのじょ》は……大丈夫《だいじょうぶ》だ」オンストールド教授がきっぱりと言った。「きみが……ここにいることは……大変……迷惑《めいわく》なのだよ」

ミルドメイの頰《ほお》がさっと赤らんだ。「わかりました、オンストールド教授。申し訳《わけ》ありません」最後にちらりと問いかけるようなまなざしをモリガンに向けてから、ミルドメイは頭をさげてきびすを返した。その拍子《ひょうし》にオンストールドの机《つくえ》の角に膝《ひざ》をぶつけ、彼《かれ》は痛《いた》みに悲鳴をあげた。持っていた本と地図が机《つくえ》の上に散らばった。彼《かれ》はさらに顔を赤くしながら落とした本と地図を拾いあげたものの、狼狽《ろうばい》していたせいかなにかにつまずき、抱《かか》えていたものを再び宙《ちゅう》に放り出す結果になった。

そんな混乱《こんらん》状態のなか、ひどく奇妙《きみょう》なことが起きていた。

モリガンは突如《とつじょ》として世界が停止したように感じていた。まわりの空気が糖蜜《とうみつ》みたいに濃厚《のうこう》になった気がした。時間の流れが恐《おそ》ろしいほどゆっくりになったような、あるいは時間が固体になってモリガンをそこから動かすまいとしているような。脳《のう》はこれ以上ないほど速く回転しているのに、眼球すらかたつむりのような速さでしか動いてくれず、見たくてたまらないものを見ることができずにいた。視界《しかい》の隅《すみ》にかろうじて見える部屋の向こう側では、ミルドメイも動けなくなっているようだ。本や地図が彼《かれ》のまわりで宙《ちゅう》に——時間のなかで——浮《う》いていた。

永遠にも感じられた。これは自分がしたことなのだろうか、〈ワンダー細工師《さいくし》〉としての邪《じゃ》悪《あく》な才能がまた自分を裏切《うらぎ》ったのだろうかと考えはじめたところで、モリガンはそれがだれの仕業であるかに気づいた。

モリガンの視線《しせん》の先で、オンストールド教授がいつもの亀《かめ》のような速さ（いまはそれが、モリガンの何倍、何十倍もの速度だった）で足をひきずりながら歩いて部屋を横切り、『要約歴史』の本を腕《うで》に抱《かか》えて部屋を出ていった。

オンストールドだ。彼《かれ》がしたことだ。彼《かれ》が時間を遅《おそ》くした。

しばらくすると、世界が動きを取り戻《もど》した。ミルドメイの本と地図がどさどさと床《ゆか》に落ち、彼《かれ》はまた机《つくえ》の角に膝《ひざ》をぶつけて悲鳴をあげた。

モリガンはあえぎながらドアに駆《か》け寄った。手遅《ておく》れだ。オンストールドはいなくなっていた。

「いったいどうやったの⁉」

マラソンを走ったみたいに息を荒《あら》らげているミルドメイが、片手《かたて》で胸《むね》を押《お》さえた。「驚《おどろ》いた。考えもしなかった……オンストールド教授は〈俗世《ぞくせ》の技能〉だとずっと思っていた。〈タイムキーパー〉だとは知らなかった。〈名前なき王国〉にまだ〈タイムキーパー〉が残っていたなんて知らなかった」

「〈タイムキーパー〉ってなんですか？」

「とても珍《めずら》しい天賦《てんぷ》の才だ」ミルドメイはオンストールドが出ていったドアを見つめたまま、目を丸くして首を振《ふ》った。「〈タイムキーパー〉には様々な種類がある――時間を操作《そうさ》する方法が違《ちが》うんだ。持続させたり、縮《ちぢ》めたり、ループさせたり、伸《の》ばしたり。オンストールドは時間を引き伸《の》ばすようだ。とても信じられないよ」

モリガンは怒《いか》りに鼻を鳴らした。「そのとおりなんでしょうね。事実だって捻《ね》じ曲げるんだから。そのうえ、本まで持っていったし！」

モリガンはこぶしで机《つくえ》を叩《たた》いた。不正の証拠《しょうこ》として、あの本を手に入れたかったのに。家に持って帰って、ジュピターといっしょにじっくり読んで、実は〝ネバームーアの人々への贈《おく》り物〟だったのかもしれない、ほかの〈失態〉や〈怪異《かいい》〉を見つけたかったのに。

「そうか。それで――それはなんの本なんだい？」ミルドメイは床《ゆか》に落ちた本や地図を集めながら、ぼんやりと尋《たず》ねた。モリガンも手伝った。

「ワン――」モリガンはすんでのところで口を閉《と》じ、丸めた地図をミルドメイに手渡《てわた》した。本のタイトルを話せば、自分が〈ワンダー細工師《さいくし》〉であることを彼《かれ》に悟《さと》られてしまうかもしれない。「忘《わす》れました。ばかみたいな歴史の本です」

「そうか……ふむ、きっと彼《かれ》が戻《もど》しに来るよ」ミルドメイは部屋を出ていこうとしたが、オンストールドの奇怪《きかい》な天賦《てんぷ》の才の影響《えいきょう》からまだ完全に回復していないみたいに、その表情には動《どう》揺《よう》とショックの色が残っていた。もっともだと思えた。モリガンの頭もまだ少しぼんやりしている。「ぼくはもう行かないと。授業の計画を立てないといけないからね。それじゃあ、ミス・クロウ」

「〈タイムキーパー〉？　わお。本当に？」

「ミルドメイはそう言ったの。それに確かにオンストールドは時間を引き伸《の》ばしたの……少なくとも、そんなふうに感じた」

モリガンは深呼吸《しんこきゅう》をして、壁《かべ》から吐《は》き出されたカモミールの煙《けむり》を吸《す》いこんだ。帰宅《きたく》したときのモリガンはひどい興奮《こうふん》状態で、すぐにでも一連の出来事を話したくて、ジュピターの名を大声で叫《さけ》びながら書斎《しょさい》を目指して走った。ジュピターは賢明《けんめい》にも、だれもいない〈煙《けむり》の応接室〉で話をしようと声をかけ、気持ちを落ち着ける煙《けむり》を出すようにとケジャリーに頼《たの》んだ。モリガンは怒《いか》り混じりにすべてをこと細かく語り、オンストールドが最初からすべてを知っていたことを聞いたジュピターが文字通り椅子《いす》から飛びあがったのを見ておおいに満足した。ジュピターが部屋のなかを行ったり来たりするのをやめて再び腰《こし》をおろすには、それなりの量のカモミールが必要だった。

「どうしてオンストールドは嘘《うそ》をついていたの？」その日、幾度《いくど》となく繰《く》り返した質問だったが、ジュピターにも答えることはできなかった。

「長老たちに話さなきゃいけない」やがてジュピターは言った。「だれよりも長老たちが知っておく必要がある」

「明日？」モリガンは期待をこめて尋《たず》ねた。

「明日だ」ジュピターはうなずいた。「〈黒のパレード〉の前に長老たちと話をするよ。フランクのパーティーのあとで。約束する」

第二三章
ハロウマス

ハロウマスの夜、デュカリオンは金色がかった不気味なオレンジ色に浮《う》かびあがっていた。ホテル中のあらゆる照明は消され、建物は魔《ま》女《じょ》の大釜《おおがま》のように真っ暗だ。入念に選んだいくつかの部屋でだけ、数百本のろうそくが灯《とも》されている。通りから見ると、ろうそくの灯《とも》された窓《まど》が歯をむき出した口と悪魔《あくま》の目のようで、デュカリオン全体がジャック・オー・ランタンになったみたいだ。ぞっとする光景だった。

「毎年言っていると思うが」ジュピターは前庭から自分のホテルを見あげながら、いかにも誇《ほこ》らしそうに言った。「これまでで最高だね、フランク」

「すごく不気味」モリガンが言い、隣《となり》でジャックがうなずき、マーサは熱心に手を叩《たた》きながら称賛《しょうさん》の声をあげた。

チャーリーはフランクの背《せ》中《なか》を叩《たた》いて言った。「今年のハロウマスは間《ま》違《ちが》いなく大成功だな、フランク。ホテル・オーリアナの連中はひっくり返るぞ」

ジャックはちらりとモリガンを見た。最大のライバルについて、ここでまた大騒《おおさわ》ぎされるのはごめんだったから、ふたりは固唾《かたず》を呑《の》んで彼《かれ》の反応を待った。

けれどフランクは青白い顔に自信たっぷりの笑みを浮《う》かべ、目と糸切り歯をデュカリオンのろうそくの明かりにきらりと光らせながら言った。「ハロウマスはわたしのものだからね。一風変わった恐怖《きょうふ》とおぞましい喜びをこれほどうまく表現できるのはわたしだけだよ」

モリガンは笑いをこらえながらほかの者たちの顔を見た。笑顔のマーサはぐっと唇《くちびる》をかんでいるし、ジュピターは急に咳《せき》が出たふりをして吹《ふ》き出したのをごまかしている。

「それで、今夜の予定はどうなっているんだい、フランク？」ろうそくが灯《とも》されたロビーへと戻《もど》りながら、ジャックが訊《き》いた。恐怖《きょうふ》の夜への期待を抱《いだ》いた宿泊客《しゅくはくきゃく》たちが、すでに仮装《かそう》して集まっている。真っ黒なカクテルが入ったグラスと、毛むくじゃらの蜘蛛《くも》と人間の指そっくりのカナッペが載《の》ったトレイをウェイターたちが配っていた。ジャックは今日の午後、学校から戻《もど》ってきたばかりだったので、モリガンやジュピターやほかの従業員《じゅうぎょういん》たちとは違《ちが》い、先週フランクがしつこいほどに繰《く》り返した、微《び》に入《い》り細《さい》を穿《うが》つハロウマスのプログラムを聞かされてはいなかった。「よく聞いてくれたね、ジャック」フランクは重々しく咳払《せきばら》いをした。「六時：デュカリオンの若《わか》い従業員《じゅうぎょういん》が、トリック・オア・トリートにやってくるチビどもに応対する」

「お菓子《トリート》はなんだ？」ジュピターが尋《たず》ねた。

「いつものだよ。骸骨《がいこつ》のゼリー。ウジ虫のスナック。チョコレートの目玉」

「いたずら《トリック》されたら？」

「そいつらを押《お》さえつけて、眉毛《まゆげ》を剃《そ》ってやろうかと思っている」

ジュピターはため息をついた。「だめだ、フランク」

「タールを塗《ぬ》って鳥の羽をくっつけるのは？」

「絶対にだめだ」

「おでこに刺青《いれずみ》？」

ジュピターは大きくため息をつくと、頰《ほお》をふくらませた。「集団訴訟《そしょう》を受けないようなものを考えられないのかい？」

フランクの顔がいくらか不機嫌《ふきげん》そうになり、すねたように肩《かた》をすくめた。「七時：ネバームーア室内管弦《かんげん》楽団が音楽室で葬送歌《そうそうか》を演奏《えんそう》する。八時：悪名高きヴァンパイア劇団《げきだん》『飢《う》えた役者たち』による『デス・アット・ファースト・バイト』の美しくもむごたらしいパフォーマンス。彼《かれ》らを説《と》き伏《ふ》せるのは本当に大変だったんだ。すごく秘密《ひみつ》主義だからね。それに普通《ふつう》の人間のためには絶対に演技はしないんだ」フランクはしたり顔で言った。「九時：第二舞踏場《ぶとうじょう》で不気味なディスコと仮装《かそう》コンクール――若《わか》い者たちはこういうのが好きだからね」

「ホーソーンはきっと喜ぶね。ダンスが好きだから」モリガンが言ったが、彼女《かのじょ》自身は若い者であるにもかかわらず、ディスコに行くつもりはまったくなかった。コンシェルジュの机《つくえ》のうしろにある時計に目をやり、ホーソーンはどうしたんだろうと考えた。日が落ちる前に来るはずだったのに、もう外は暗い。ふたりでトリック・オア・トリートに行くことになっていた。

初めジュピターはだめだと言ったのだが、何度も繰《く》り返し頼《たの》み、さらにジャックが渋々《しぶしぶ》ながらもいっしょに行くことに同意したので、許してくれたのだ。直前になってマーサが、なんだかわからない怪物《かいぶつ》にモリガンを仕立ててくれた。紫色《むらさきいろ》のパイプクリーナーと緑色のチュールをたくさん使った衣装《いしょう》で、すでに我慢《がまん》できないほどかゆかった。

「一一時頃《ごろ》には、宿泊客《しゅくはくきゃく》のほとんどが真夜中前の〈黒のパレード〉を見るためにダウンタウンに向かう」フランクが言葉を継《つ》いだ。「わたしは今年のパレードはあきらめて、ここデュカリオンで、**ほかでは決して見られない、極秘《ごくひ》の、招待客のみ**の真夜中のイベントの準備をする予定だ」フランクは思わせぶりに言葉を切った。モリガンが片方《かたほう》の眉《まゆ》を持ちあげてジャックを見ると、ジャックはにやりと笑った。「マーヴェラス・マラウを呼《よ》んだんだ」

「まあ」マーサが目を輝《かがや》かせた。「新聞で見たことがある！」

モリガンはマーヴェラス・マラウの名を聞いたことがなかった。「それってだれ？」

「フリー・ステート一の透視《とうし》能力者だ」フランクが答えた。

「彼《かれ》の広告によればね」ジャックがつぶやいた。

フランクはそれを無視《むし》してさらに言った。「マラウはデュカリオンの屋上で、交霊会《こうれいかい》を行ってくれることになっている。満月の下では、霊《れい》と波長が合いやすいんだそうだ」

「薄気味悪《うすきみわる》い昔ながらの交霊会《こうれいかい》か」ジュピターは感心したようだ。「まさに流行に乗っているじゃないか、フランク。死人と親交を持つのは、いまはやっているからね。もちろんばかげてはいる。自尊心《じそんしん》のある幽霊《ゆうれい》は、『ルッキング・グラス』誌《し》に広告を出し、自ら〝驚くべき《マーヴェラス》〟なんて名乗っている透視能力者《とうし》の前には姿《すがた》を現わさないだろうからね。だがそれでも、流行の最《さい》先端《せんたん》だよ」

「まあ、見ているといいさ、ジョーヴ」ヴァンパイアの小人は客に挨拶《あいさつ》をしようとぶらぶら歩きだしながら言った。「マラウは本物だ。社会欄《しゃかいらん》は当分、今夜のことを書きたてるだろうね」

前庭からタイヤのきしる音が聞こえてきたのはそのときだった。続いて正面の階段《かいだん》を駆《か》けあがる足音が響《ひび》いたかと思うと、黒い上着に頑丈《がんじょう》なブーツをはいた六人ほどの〈隠密《おんみつ》〉の警官《けいかん》たちが足早に入ってきた。彼《かれ》らを率いているのは、ごわごわした白髪《しらが》を短く刈《か》りこんだいかめしい顔の女性で、制服には金の肩章《けんしょう》がついていた。

「こんばんは、リヴァーズ警部補《けいぶほ》」ジュピターが挨拶《あいさつ》をした。にこやかではあるけれど、うんざりしているような表情だ。もしこの女性が悪い知らせを伝えるために来たのなら、ジュピターとジャック――〈隠密《おんみつ》〉が現われたときにそっと眼帯をはずしていた――はすでに感づいているはずだと、モリガンは気づいた。

「ノース大佐」警部補《けいぶほ》は、待機するよう部下たちに身振《みぶ》りで指示しながら言った。宿泊客《しゅくはくきゃく》の一部は警察官《けいさつかん》の突然《とつぜん》の乱入《らんにゅう》に動揺《どうよう》していたけれど、これもハロウマスのイベントの一部だと考えているのか、喜んでいる客も数人いた。警部補《けいぶほ》はジュピターを離《はな》れたところに連れて行き、小さな声で話しはじめたけれど、もちろんモリガンとジャックとチャーリーとマーサはそっと近づいて耳をそばだてた。「お邪魔《じゃま》をしてすみません。本部は使いの者を送ろうとしたんですが、直接お話したほうがいいと思いまして。悪い知らせです。三人です。今日、連れ去られました」

モリガンは胸《むね》をなにかにぎゅっとつかまれた気がした。連れ去られた。だれが？

ジュピターは目を細くして、赤いひげをこすった。「さらに三人がいなくなった？」

リヴァーズ警部補《けいぶほ》はうなずいた。「匿名《とくめい》の通報があったんです」警部補《けいぶほ》が声を潜《ひそ》めたので、モリガンとジャックとチャーリーとマーサはさらに体を寄せた。「戻《もど》ってきたんです、大佐。今夜です」

モリガンはジュピターの顔を見た。血の気が引いている。〈不気味なマーケット〉の話をしているのだ。モリガンは確信した。

「なるほど。それでこの……匿名《とくめい》の通報は、その場所まで教えてくれたんですか？　それはあまりに希望的観測すぎますか？」

リヴァーズ警部補《けいぶほ》は険《けわ》しい顔で首を振《ふ》った。「手の空《あ》いている者全員にそれらしい場所を探《さが》させていますが、ご存《ぞん》じのとおり、わたしたちは少数ですから」

「それらしい場所は少数ではないでしょうしね」ジュピターが言い添《そ》えた。

「そのとおりです。なので、〈カメムシ〉に――」警部補《けいぶほ》ははっと気づいて、小さく咳払《せきばら》いをした。「――失礼しました、ネバームーア警察《けいさつ》に協力してもらっています。それに、〈結社《ワンソック》〉の教職員の何人かにも捜索《そうさく》を手伝ってくれるようにお願いしました」

「教職員？　それはどうなんでしょう？」ジュピターが訊《き》いた。

「どうしてもとおっしゃるので。それに、気持ちは理解できましたから。同僚《どうりょう》のひとりがいなくなったんです。〈結社《ワンソック》〉の壁《かべ》の内側から連れ去られた。信じられますか？　ご自身の住居から連れ去られたんです。争ったあとがありました。一面に水と……骨《ほね》が飛び散っていた」

「骨《ほね》」ジュピターが繰《く》り返した。

「大腿骨《だいたいこつ》です」リヴァーズが意味ありげな表情になった。「数本の指と」

ジュピターがぐっと奥歯《おくば》を噛《か》みしめた。モリガンにはその理由がわかっていた。〈骸骨軍《がいこつ》団〉。〈骨男《ほねおとこ》〉。これではっきりした。彼《かれ》らが〈不気味なマーケット〉のために新たに三人を連れ去ったのだ。モリガンはその場に残された骨《ほね》の様子を思い浮《う》かべ、身震《みぶる》いした。

それだけじゃない。いまの話には、ほかにも気になるところがあった——

「水が飛び散っていたって……言いましたか？」モリガンは我慢《がまん》できずに警部補《けいぶほ》に尋《たず》ねた。

リヴァーズは横目でモリガンを見たものの、すぐにジュピターに視線《しせん》を戻《もど》した。「彼《かれ》の部屋の池の水です。池のなかから引きずり出したんだろうと考えています」

点と点がつながって、モリガンの顔が険《けわ》しくなった。「オンストールド教授のことを言っているんですか？　亀《かめ》もどきの？」

リヴァーズ警部補《けいぶほ》は唇《くちびる》を引き結んだだけで、モリガンを見ようとはしなかった。無言の肯《こう》定《てい》だとモリガンは受け取った。

オンストールドは実は誘拐《ゆうかい》されたわけではないのかもしれないと、考えずにはいられなかった。ペテン師であることをモリガンに暴露《ばくろ》されるのを恐《おそ》れて、自ら姿《すがた》を隠《かく》したのかもしれない。

そう考えて意地の悪い満足感を覚えたが、すぐに恥《は》ずかしさが取って代わった。

それだけではなかった。

頭の奥《おく》のほうでべつの恐怖《きょうふ》がちりちりしている。名前もつけられないくらいごくわずかな恐《きょう》怖《ふ》。

「ほかのふたりはだれなんですか？」モリガンはリヴァーズに尋《たず》ねた。

警部補《けいぶほ》はいらだったような顔でジュピターを見た。

「静かにして、モグ」ジュピターが言った。「警部補《けいぶほ》、ぼくにできることはなんでも言ってください。コートを取ってきます」

「いえ」リヴァーズは手をあげて彼《かれ》を押《お》しとどめた。「大佐には待機していただきたいんです。ここに残り、わたしたちがもう少し可能性を絞《しぼ》りこんだときに、すぐに動けるようにしていてくださると助かります。いまはまだ、干《ほ》し草のなかから一本の針《はり》を探《さが》すようなものですから。はっきりした手がかりをつかんだら、すぐに使いを送ります」ジュピターはうなずいた。

「それまで、〈輝かしき結社《ワンダラス・ソサエティ》〉のすべてのメンバーには自宅《じたく》にとどまるよう要請《ようせい》しています」

警部補《けいぶほ》は言葉を継《つ》いだ。「厳密《げんみつ》な外出禁止令が出ています。今夜は、〈結社《ワンソック》〉のメンバー全員に大変な危険《きけん》が迫《せま》っているんです」

「でも〈黒のパレード〉はどうなるんですか？」モリガンは愕然《がくぜん》として尋《たず》ねた。あたしとホーソーンの初めてのパレードなのに！　去年、黒いマントを着てろうそくを手にした〈結社《ワンソック》〉の人々が無言でネバームーアの通りを行進していくのを見て以来、ずっと楽しみにしていたのだ（ホーソーンはどこ？　かすかな不安が少しずつ大きくなっていた）。

「〈黒のパレード〉は中止になりました」リヴァーズ警部補《けいぶほ》が答えた。

胸《むね》に鉛玉《なまりだま》を撃《う》ちこまれたようだった。中止。初めての〈黒のパレード〉が。中止。中、止。一連の失《しっ》踪《そう》の背後《はいご》にいる何者か――結社のメンバーを狙《ねら》っている何者か――はいま、あらゆる人を支配していて、家を出ることすらできなくした。モリガンは怒《いか》りがむくむくと大きくなるのを覚え、同時にいままでは慣れたものに思える灰《はい》の味を喉《のど》の奥《おく》に感じた。

「それからノース大佐」リヴァーズ警部補《けいぶほ》はさらに言った。「〈輝かしき結社《ワンダラス・ソサエティ》〉のメンバーには、予定しているあらゆる集会や催《もよお》しを中止するように要請《ようせい》しています。今夜は、町に出て過ごすような夜ではありません。だれもがあなたに注目していますから、あなたがいい見本になってくださるといいのですが」

ジュピターは反論《はんろん》したいようだったが、考え直したらしかった。「もちろんです。従業員《じゅうぎょういん》にはすぐに伝えます。そのように発表します。それに今夜ぼくはずっとここにいて、警部補《けいぶほ》の連絡《れんらく》を待っていますから」

リヴァーズ警部補《けいぶほ》は小さくうなずくと、きびすを返して出ていき、部下たちもおとなしくそのあとを追った。

ジュピターはロビーの向こうに目を向けた。フランクが要望に応じて牙《きば》を出したり引っこめたりして、宿泊客《しゅくはくきゃく》たちを楽しませている。「悪い知らせを伝えなきゃいけないようだ」

モリガンの心は沈《しず》んだ。

〈黒のパレード〉はない。トリック・オア・トリートはない。またいなくなった人たちがいる。

そして、もう無視《むし》していられなくなった大きな大きな不安。

ホーソーンはどこにいるの？

「遅《おく》れてごめん！」入口から陽気な声がして、モリガンが見たこともないほど奇妙《きみょう》な生き物がさっそうと入ってきた。

腐《くさ》りかけた灰色《はいいろ》の皮膚《ひふ》には血が飛び散っている。鮮《あざ》やかな緑色のうろこがある手の先は緑色のかぎ爪《づめ》で、とげとげした尻尾《しっぽ》も同じ色だ。脚《あし》はボタンやボルトやボトルのキャップがついた銀色の四角い箱だった。この奇妙《きみょう》な装《よそお》いを締《し》めくくるのが、海賊《かいぞく》の帽子《ぼうし》と赤い錦織《にしきおり》のコートとフリルのついた白いクラバットと黒い眼帯だ。

モリガンは息を吐《は》き、ぱちぱちとまばたきをした。一番の友人が無事だったことにおおいに安堵《あんど》してはいたものの、彼《かれ》の格好にショックを受けてもいた。

「なにになるのか決められなかったんだ。だから母さんが海賊《かいぞく》でゾンビでロボットで恐竜《きょうりゅう》の衣装《いしょう》を作ってくれたんだよ。それで――」ホーソーンはモリガンの表情に気づいて不意に口をつぐみ、自分の姿《すがた》を改めて眺《なが》めた。「やりすぎかな？」

デュカリオンがこれほど重苦しい空気に包まれているのを見たのは初めてだった。〈隠密《おんみつ》〉が帰り、ホーソーンに事情を話したあと、ふたりが真っ先に向かったのはモリガンの寝室《しんしつ》だった。ユニット九一九のみんなの安否《あんぴ》を確かめ、今夜は自宅《じたく》にいなければならないことを知らせたかった。けれどWのマークは暗いままで、どれほど押《お》してもドアはびくともしなかった。いらだちと不安を抱《かか》えたふたりにできるのは、ロビーに戻《もど》って待つことだけだった。とりあえずモリガンは、かゆい衣装《いしょう》を脱《ぬ》ぐことができてほっとしていた（ホーソーンもかぎ爪《づめ》と尻尾《しっぽ》と銀のロボットの脚《あし》をはずしたけれど、どちらかというと渋々《しぶしぶ》という感じだった）。

ジュピターはブーツを履《は》き、コートを着て傘《かさ》を手にしたまま、〈隠密《おんみつ》〉から連絡《れんらく》があったらすぐに飛び出していける格好で、黒と白の格子縞《こうしじま》の床《ゆか》を行ったり来たりしていた。ジュピターが自分と同じくらい、じっとしているのも知らせが来るのを待つのも嫌《きら》いなことをモリガンは知っていた。それでも彼《かれ》は、ほかの人のために落ち着きを失わず、朗《ほが》らかでいようとしていた。

一方のフランクは激怒《げきど》していた。すべてが彼《かれ》の邪魔《じゃま》をしようとするホテル・オーリアナの策《さく》略《りゃく》ではないことを納得《なっとく》させるのに、優《ゆう》に一時間かかった。ようやくそれが〈輝かしき結社《ワンダラス・ソサエティ》〉の問題だとわかっても、機嫌《きげん》を直すことはなかった。

「〈結社《ワンソック》〉のメンバーの特典が、最悪の形でまた明らかになったわけだ」そうわめいてから、ジュピターとモリガンには小声で「悪く取らないでくれ」と言い添《そ》えた。仮装《かそう》した人々はすでにがっかりして帰路についていたし、デュカリオンに滞在《たいざい》している客たちは、中止になった催《もよお》しの埋《う》め合わせとして、ハッピーアワーがひと晩中《ばんじゅう》続くことになっているカクテル・バーの『ゴールデン・ランタン』に向かった。

「気にしていないよ」ジュピターが応じた。「ぼくもそのとおりだと思う」モリガンに向かって小さくウィンクをした。

「『飢《う》えた役者たち』は帰った」フランクはむっつりして言った。「わたしを笑っているんだろうな。冬の出し物の『夜の生き物』にわたしも出ないかと、昨日言われていたんだ。だがもう実現することはないだろう。それにマーヴェラス・マラウは取り乱《みだ》している。慰《なぐさ》めようもないくらいだ！〈クモの糸〉を通して、霊《れい》たちの落胆《らくたん》が感じられるんだそうだ。大勢の死人がわたしにも腹《はら》を立てているってことだ。マラウは悲しみを紛《まぎ》らわせるために、『ゴールデン・ランタン』に行ったよ」

ヴァンパイアの小人がすすり泣きはじめたので、マーサは彼《かれ》をふたり掛《が》けのソファに連れていき、慰《なぐさ》めようとして肩《かた》に手をまわした。フランクはマーサにもたれて泣きくずれ、それがあまりにも悲しそうで、あまりにも長く続いたので、ついにジュピターが根負けし、気を取り直して泣くのをやめれば、残っている宿泊客《しゅくはくきゃく》を集めて屋上で真夜中の交霊会《こうれいかい》を開いてもいいと彼《かれ》に告げた。

「〈隠密《おんみつ》〉がいま総出で、できるかぎりのことをしている。ぼくたちには彼《かれ》らからの知らせを待つことしかできないし、ハロウマスの残りを楽しんでもいいかもしれないな。そのあとはぐっすり眠《ねむ》って、明日のいまごろにはすべてが解決していることを祈《いの》るんだ」

フランクは即座《そくざ》にマラウを呼《よ》びに行き、マーサとチャーリーは準備が整っていることを確かめるために屋上に向かった。

「わたしはここに残りますよ、サー」ケジャリーが言った。「〈隠密《おんみつ》〉から連絡《れんらく》があったら、すぐにだれかを行かせます」

「頼《たよ》りになる男だ」ジュピターはモリガンとホーソーンとジャックに向き直った。「さあ、行こうか。今夜はハロウのイブだ。幽霊《ゆうれい》と話をしようじゃないか」

『ゴールデン・ランタン』の有能なバーテンダーたちと楽しい時間を過ごしていたマーヴェラス・マラウは、屋上で交霊会《こうれいかい》をはじめたときにはかなり酔《よ》っているようだった。

「霊《れい》たちは――ヒック――わたしたちのそばにいます」マラウは、宿泊客《しゅくはくきゃく》たちが作る大きな輪の中央に置かれたクッションに座《すわ》っていた。「いま、わたしたちのまわりにいるのです。ハロウのイブの今夜、生きる者と死者とのあいだの壁《かべ》がもっとも、ほ、ほそ……細くなる……」

マラウは言葉を切り、頭のなかでべつの言葉を探《さぐ》った。「薄《うす》く？」

フランクは交霊会《こうれいかい》の舞台《ぶたい》を見事にしつらえていた。屋上には冷たい風が吹《ふ》いているにもかかわらず、ゆらゆらと炎《ほのお》が揺《ゆ》れるだけで決して消えることのない数百もの先細の黒いろうそくが灯《とも》されている。全員が優雅《ゆうが》な黒いベルベットのクッションに座《すわ》り、そのまわりには人工の――美しくも不気味だった――白い霧《きり》が漂《ただよ》っている。

無料のカクテルを際限なく飲める六階に戻《もど》りたくてたまらない一部の宿泊客《しゅくはくきゃく》にとっては、意味のない演出だったけれど。

「年配の紳士《しんし》からのメッセージが届《とど》いています……ここにいる……だれかに」彼《かれ》は輪の半分に向かって曖昧《あいまい》に手を振《ふ》った。「Dのつく名前の紳士《しんし》。どなたかのお父さんかおじいさんですか？　おじい――ヒック――おじいさんかもしれませんね。ダレン？　デイヴィッド？　ドミニク？　ドゥ……ドゥディ？　ドログリー？　あー、ディレク？」マラウはあくまでも自分の作ったストーリーにこだわった。「ディグビー？　ドゥウェイン？」「まあ！」プラスチックのティアラと、〝もうすぐ花嫁《はなよめ》〟と書かれた鮮《あざ》やかなピンク色のサッシュをつけた若《わか》い女性が叫《さけ》んだ。ハロウマスを祝うことにあまり興味がない、騒々《そうぞう》しい若《わか》い女性グループの一員で、数をそろえるためにフランクが交霊会《こうれいかい》に呼《よ》んだのだ。マーヴェラス・マラウが死人と語り合っているときには汚《きたな》い言葉を叫《さけ》ばないようにと、すでに二度注意されていた。「ウェインかしら？　わたしの恋人の父親の名前がウェインなの。彼《かれ》なの？」

マラウはしばらく考えているようだった。「ええ、そうですね。あなたにメッセージがあります。彼《かれ》の息子の面倒《めんどう》をよく見てほしいと……言っています。互《たが》いを大切にするようにと」

女性グループは一斉《いっせい》に「おお」と声をあげ、〝もうすぐ花嫁《はなよめ》〟はうっすらと涙《なみだ》ぐんだ。「彼《かれ》はわたしをベンジーと結婚《けっこん》させたくないんだと思っていたわ」

「そんなことはありませんよ。これ以上の喜びはないと彼《かれ》は言っています。あなたたちふたりを天国から見守っていると」

女性の顔が曇《くも》った。「天国？　どういう意味かしら？　ウェインは死んでいないのに」

モリガンとホーソーンは必死で笑いをこらえていたが、もう限界だった。ホーソーンが大きく鼻を鳴らし、モリガンもとてもそれ以上耐《た》えきれなかった。おかしすぎて涙《なみだ》が出てきた。

輪の向こう側でジュピターがふたりを見て眉《まゆ》を吊《つ》りあげ、意味ありげにドアのほうに目を向けた。モリガンはくすくす笑いながらホーソーンの腕《うで》をつかんだ。立ちあがって交霊会《こうれいかい》から逃《に》げ出そうとしたときだった。マーヴェラス・マラウも立ちあがり、モリガンを指さして高らかな声で告げた。
「きみは火を噴《ふ》いた」
モリガンの喉《のど》に笑いがからまった。その場を離《はな》れたくてたまらないのに、根が生えたように
その場から動けなかった。
マラウは首を傾《かし》げ、なにかを問うように眉間《みけん》に小さくしわを寄せた。「きみは火を噴《ふ》いた」
その声は突如《とつじょ》として、威厳《いげん》のあるはっきりしたものになっていた。舌《した》がもつれることも、口ご
もることもない。「ドラゴンのように。楽しかったかい？」
モリガンは茫然《ぼうぜん》とした。横目でホーソーンを、それからジュピターを見ると、ふたりとも同
じくらいショックを受けている。交霊会《こうれいかい》の輪はモリガンたちのほうに向きを変え、全員が好奇《こうき》
心《しん》も露《あら》わにモリガンを見つめていた。
モリガンは顔がかっと熱くなるのを感じた。そんなことを認《みと》めるわけにはいかない。「いい
え、火を噴《ふ》いたことなんてない」
「いや、ある」マラウは淡々《たんたん》と告げた。「きみは火を噴《ふ》いた」
どうして彼《かれ》が知っているの？　彼《かれ》は、思っていたようないかさま師じゃなかったのかもしれ
ない。
「なにを言っているのかさっぱりわからないんだけど」モリガンはせいいっぱいの冷ややかな
声で反論《はんろん》した。
ジュピターが不意に立ちあがった。その動きは優雅《ゆうが》で無駄《むだ》がない。首をかしげ、モリガンの

顔を見つめながら、一歩前に出た。「わたしがなにを言っているのか、きみはよくわかっているはずだ」

モリガンはジュピターを見つめた。「ジュピター、いったい――」

「烈火《れっか》」〝もうすぐ花嫁《はなよめ》〟が言った。彼女《かのじょ》も立ちあがって、猫《ねこ》を思わせる優雅《ゆうが》な足取りでモリガンに近づいてきた。「〈人でなしの技の烈火《れっか》〉」

モリガンはごくりと唾《つば》を飲み、その言葉を頭のなかで繰《く》り返した。人でなしの技の烈火《れっか》。

「これって……これってどういうこと？」モリガンは〝もうすぐ花嫁《はなよめ》〟からジュピター、そしてマラウへと視線《しせん》を移し、再びジュピターを見た。「ジュピター、なにが起きているの？」

屋上にいるほかの人たちはひとりの人間のように一斉《いっせい》に立ちあがり、モリガンのまわりに集まりはじめた――ホーソーンすらも。肩《かた》と肩《かた》を触《ふ》れ合わせ、隙間《すきま》のない輪を作っている。その動きは、自然のものにしてはあまりにも滑《なめ》らかで、あまりにも正確だった。

彼《かれ》らは同時に口を開いて、話しはじめた。

「〈人でなしの技の烈火《れっか》〉」不気味なほど完璧《かんぺき》なユニゾンだった。一語一語、はっきりとした発音だ。「若《わか》い〈ワンダー細工師《さいくし》〉の最初の力の発現としては珍《めずら》しいが、前例がないわけではない。烈火《れっか》は熟達《じゅくたつ》した細工師《さいくし》が使えば恐《おそ》ろしい武器となる――」彼《かれ》らはほんの少し体をのけぞらせ、冷ややかなまなざしでモリガンを眺《なが》めた。「――だがもちろん、きみは熟達《じゅくたつ》には程遠い」

モリガンは、〈一三の魔女《まじょ》〉がこんなふうに薄気《うすき》味《み》悪《わる》いほど声をそろえて話していた、去年のハロウマスのことをありありと思い出していた。あれは彼女《かのじょ》とホーソーンが受けた〈輝かし《ワンダラス・》き結社《ソサエティ》〉の審査《しんさ》のひとつで、魔女《まじょ》たちは長老たちの指示を受けていた。

これも〈輝かしき結社《ワンダラス・ソサエティ》〉が関わっているの？　べつの試験？　いいえ、今夜そんなことをするはずがないとモリガンは思った。行方不明になっている人を〈結社《ワンソック》〉の半分の人間が探《さが》していて、残りの人たちは家に閉《と》じこもっている今夜は。悪ふざけをするような夜じゃない。

「あなたはだれ？」モリガンは訊《き》いた。「なにが望み？」

彼《かれ》らは一斉《いっせい》に首を片側《かたがわ》にかしげた。全員の口の端《はし》が見慣れた形に歪《ゆが》んだ。それを見て、モリガンは息が止まりそうになった。すくみあがるような恐怖《きょうふ》が胃《い》のあたりに溜《た》まってきた。

「あんたね」

あたりが静まり返った。ほんのわずかな風もないのに、なにも動くものもないのに、屋上にあるすべてのろうそくが唐突《とうとつ》に消えた。その芯《しん》から煙《けむり》が渦《うず》を巻《ま》いてたちのぼっていく。ひたとモリガンを見つめるまわりの人々の大きな目に、銀色の月明かりが反射《はんしゃ》した。

「あんたなんて怖《こわ》くないから」モリガンの声は震《ふる》えていた。

ホーソーンが輪から離《はな》れて一歩前に出ると、モリガンの肩《かた》に手を置いた。

「前にも言ったはずだ」ホーソーンのものではない冷ややかで確信に満ちた声だった。「きみは、もっとうまく嘘《うそ》をつくことを覚えなくてはいけないね、ミス・クロウ」

第二四章

人でなしの技の烈火《れっか》

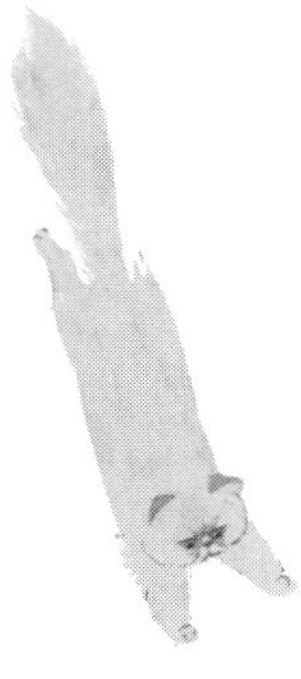

一番の友だちの口から発せられたエズラ・スコールの言葉に、モリガンははらわたをねじ切られるような気がした。

「やめて。彼《かれ》にかまわないで」

ホーソーンの口の端《はし》が持ちあがり、その顔に似合わない邪悪《じゃあく》な笑みを作った。「お断りだ」

ホーソーンは右手を持ちあげたかと思うと、自分を思いっきり引っぱたいた。モリガンは悲鳴をあげ、彼《かれ》が同じことをしようとして左手をあげると、飛びついてその手をつかんだ。

「やめて！　お願い、やめて——なにをしているの⁉」

ホーソーンの両手がばたりと落ち、顔から表情が消えて動きが止まった。頭を前に深く垂《た》れて、静かにうしろにさがった。まるでだれかが彼《かれ》のスイッチを切ったみたいだ。

交霊会《こうれいかい》のほかの客たちも一斉《いっせい》に同じ動きをした。両側にわかれて中央に道を作ったので、屋上の向こうの端《はし》までよく見えるようになった。

オーダーメイドの灰色《はいいろ》のスーツを着たエズラ・スコールが、なにげなさそうに手すりにもたれている。笑みを浮《う》かべ、じっとモリガンを見つめている。モリガンはぴくりとも動かなかった。逃《に》げろと本能はささやいていたけれど、ホーソーンやジュピターやほかの人たちを置いていくわけにはいかない。

「みんなになにをしたの？」声が震《ふる》えていることを意識しないようにしながらモリガンは言った。

「ちょっとしたお遊びさ」スコールは手のひらを下に向けた手を前に出し、かぎ爪《づめ》のように曲げて人形遣《にんぎょうつか》いが糸を操《あやつ》っているみたいに指を動かした。「教えてあげようか？」

モリガンはなにも言わなかった。心臓《しんぞう》が激《はげ》しく打っている。目を細めると、彼《かれ》のまわりで〈クモの糸〉がかすかに光っているのが見えた。かろうじて見える程度の金色の光のもやだ。そういうことだ。スコールはネバームーアにいるわけではない。彼《かれ》の肉体はここにはない。ほっとはしたものの、辻褄《つじつま》が合わないと思った。モリガンは屋上を進み、彼《かれ》に近づきすぎないように数メートル距離《きょり》を置いて足を止めた。

「どうやったの？〈クモの糸〉を通じてはなにもできないって、あんたがそう言ったんだよ」

スコールは祈《いの》るように両手を合わせ、その手を口元に持っていった。「そうだ。だがわかるかな——宇宙《うちゅう》の脅威《きょうい》というやつだ。やっているのはわたしじゃないよ。きみだ」

モリガンは彫像《ちょうぞう》のように黙《だま》って動かない人々を振《ふ》り返った。首を振《ふ》った。あたしがこんなことをするはずがない。どうやって？　どうしてこんなことをするの？

スコールはモリガンの疑《ぎ》念《ねん》に気づいたらしい。「もちろん、直接というわけじゃない。だがきみはワンダーが自分にどんどん集まるのをそのままにしていた。抑《よく》制《せい》することも、使うこともせずに。そのエネルギーはどこか行き場が必要なんだ。本来なら熟《じゅく》練《れん》した〈人でなしの技〉でワンダーを消費し、組み立てるべきなのに、長年きみに群がっていたワンダーは……ほら」スコールは戸《と》惑《まど》ったような笑顔でモリガンを示した。「ざわざわして、じりじりして、耐《た》えられなくなっている。ワンダーはもう待つことにうんざりしているんだ。きみがワンダーを使う勇気が持てずにいるあいだに、ワンダーのほうがきみを利用しているんだよ」

スコールはにやりと笑うと顔をのけぞらせ、これから口にする言葉を楽しんでいるかのように目を閉《と》じた。

「それどころか……きみを通じてわたしにワンダーを利用させてくれている」

モリガンの口のなかがからからになった。「嘘《うそ》！」それはまるで告発だった。すぐにでも振《ふ》り払《はら》いたかった。泥《どろ》を振《ふ》り払《はら》うように。「あたしはそんなことしていない。ありえない」

「いいや、ありえるんだよ」スコールが目を輝《かがや》かせた。うれしそうな柔《やわ》らかい笑い声が静かな夜にこぼれ落ち、モリガンの背《せ》中《なか》がぞくりとした。「わくわくしないかい？　きみはまるで灯台みたいに光っているんだ。ものすごく明るいうえにまったくの野放しだから、ほんの少し押《お》してやるだけで、いわゆる侵《しん》入《にゅう》不可能な〈クモの糸〉を突《つ》き破ることができる」スコールは目を閉《と》じてわずかに前のめりになると、両手を広げてぐっと宙《ちゅう》を押《お》した。その指のあいだから、ごく淡《あわ》い金色の光が放たれているのが見えた。見えるだけでなく、モリガンは感じることができた。スコールが〈クモの糸〉を押《お》すと、太陽のように温かくて優《やさ》しく歌っている純粋《じゅんすい》なエネルギーの波が伝わってきた。

「残念だよ」スコールは両手を突《つ》き出したまま、薄《うす》ら笑いを浮《う》かべた。「きみは、あの手裏剣《しゅりけん》投げと友人たちが自分自身を痛《いた》めつけたのは、きみがしたことだと信じていないんだね？　小さなマニフィカブが怒《いか》れる獣《けもの》に変わったのも？」スコールは声をたてて笑った。

「それからあたしが……火を噴《ふ》いたとき」記《き》憶《おく》のなかで煙《けむり》と灰《はい》の味がうごめいたので、モリガンはごくりと唾《つば》を飲んだ。「あれはあんただったの？　あんたがしたこと？」

「違《ちが》う。あの怒《いか》りの火花はきみが発したものだ。だがそれを解き放ったのはワンダーだよ」

スコールはしばし考えこんだ。「ワンダーは知性があって衝動的《しょうどうてき》だ。ワンダーを使い、指図する能力を持って生まれてきた人間に、使われ、指図されたがっている。だが注意しなければ――あまりワンダーを自由にさせてしまえば――ワンダーが逆にわたしたちを使うことになる」

モリガンは首を振《ふ》った。「わからない。いったいなにを言っているの？」

「きみが火を噴《ふ》いたのは、ワンダーがきみに火を噴《ふ》かせたかったからだと言っているんだ」スコールの目には狂信的《きょうしんてき》な光があった。モリガンのうなじが妙《みょう》な具合にぞくりとした。ワンダーに対するスコールの熱意が伝染《でんせん》してきたことに気づいて、少し気分が悪くなった。

「あの輝《かがや》かしき一瞬《いっしゅん》にきみがドラゴンになったのは、ワンダーがネズミでいることにうんざりしたからだ」

モリガンは鼻からひゅっと息を吸《す》った。彼女《かのじょ》には決して理解できないであろう目に見えない、わけのわからない力。そんなものに自分の意思が奪《うば》われるのはごめんだ。

「決して忘《わす》れてはいけないよ、ミス・クロウ——ワンダーは寄生物だ」スコールの穏《おだ》やかな声が屋上を流れていく。「ワンダーは敵《てき》だ。決して眠《ねむ》らない、休息することもない悪党《あくとう》だ。絶対に忘《わす》れないし、あきらめない。常に油断なく見張っている。きみが油断するのをずっと待っているんだ。なぜなら〈ワンダー細工師《さいくし》〉はワンダーを現実世界に結びつける唯一《ゆいいつ》の糸だからだ。わたしたちを介《かい》して初めて、ワンダーは存在《そんざい》すること、生きていることを経験できるんだ」

スコールは興奮《こうふん》してきたらしく、その場を行ったり来たりしはじめた——少し狂気《きょうき》じみているとモリガンは思った。

「自分が幽霊《ゆうれい》になったと想像してみたまえ！」スコールが声を張りあげた。暗闇《くらやみ》のなかにその声が反響《はんきょう》し、水を切る小石のように言葉が周辺の屋根の上に広がっていく。「だれとも話もできず、なにも触《さわ》ることもできずに、かつて暮《く》らしていた世界をさまようんだ。人々はきみの向こうを見つめ、きみの体を通り過ぎていく。そうなったらどんな気持ちになると思う？」

モリガンは心臓《しんぞう》がちくりと痛《いた》むのを覚えた。想像する必要などない。去年のクリスマス、生まれ育ったクロウの屋敷《やしき》に〈クモの糸線〉で戻《もど》ったときに、実際に経験していた。大勢の人がいるのに、祖母以外はだれも彼女《かのじょ》の姿《すがた》を見ることも声を聞くこともできなかった。父親は実際に、モリガンを通り過ぎて行った。

「孤独《こどく》」モリガンは静かに答えた。「まるで……まるで自分がいないみたいに」

「そのとおり。窓《まど》ガラスの向こうから世界を眺《なが》めているみたいなものだ。けれどある日《ひ》突然《とつぜん》、降《ふ》って湧《わ》いたみたいにきみは存在《そんざい》しはじめる。だれかがきみの声を聞くことができるからだ。きみの姿《すがた》を見ることができるからだ。ようやく友人ができる！　腹心《ふくしん》の友だ！　理解し合えるだれか。真実の愛。それがワンダーと〈ワンダー細工師《さいくし》〉の関係なんだ」

「ワンダーは敵《てき》だって、ついさっき言ったのに」モリガンは困惑《こんわく》した。

「結局は同じことなんだよ」うわべだけの穏《おだ》やかさに、冷ややかないらだちが透《す》けて見えた。

「ワンダーは……異常《いじょう》なほど、危険《きけん》なほど〈ワンダー細工師《さいくし》〉を愛している。そのエネルギーには行き場所が必要だ。今年きみは、もう少しで自分を燃やしてしまうところだったと気づいているかい、ミス・クロウ？　わたしがしたことは、きみの命を救ったのだと気づいているかい？」スコールは声をあげて笑った。「ほかにもきみのためにしたことはいくつもある」

「あたしのため？」モリガンは自分の耳が信じられなかった。

「そう、きみのためだ。手裏剣《しゅりけん》投げと彼女《かのじょ》の恋人《こいびと》に思い知らせてやったのはだれだと思う？　役立たずで嘘《うそ》つきの亀《かめ》をきみの前から消してやったのは？　お礼はけっこうだ」

なにか重たくて恐《おそ》ろしいものがずしんと胸《むね》に落ちてきたようだった。「〈不気味なマーケット〉」モリガンは押《お》し殺した声でつぶやいた。「あんただったんだ」

スコールは小さくお辞儀《じぎ》をした。「そのとおり」

「アルフィー、オンストールド教授……あんたが連れ去った。アンニマルみたいに売るために」

スコールは天を仰《あお》いだ。「まさか。それは骨が折れるからね。わたしはただ少しばかり、陰《かげ》で糸を引いただけだよ」そう言ってまた指を動かした。「人がどれほど簡単《かんたん》に操《あやつ》れるものかを知ったら、きみは驚《おどろ》くだろうね。きみの大切な〈結社《ワンソック》〉の頑強《がんきょう》な壁《かべ》の内側でも、わたしは協力者を見つけることができた。まあ、わたしには昔から、鎖《くさり》の一番弱い輪を見つける才能があるのだけれどね」

モリガンは険《けわ》しい顔になった。「〈結社《ワンソック》〉のなかのだれかが、あんたを助けていたっていうこと？　だれ？」モリガンは問い詰《つ》めたけれど、スコールは口にチャックをする素振《そぶ》りをしただけだった。

考えただけで気分が悪くなった。たとえバズ・チャールトンでも、そこまで恥《はじ》さらしなことはしないだろう。絶対に。

モリガンは首を振《ふ》った。そんなこと、信じない。

「そんなにショックを受けたような顔にならないでほしいね」スコールは眉間《みけん》にしわを寄せ、また手すりにもたれた。「喜んでいないふりもやめるんだな。そもそもきみのためにしたことなんだから。実を言えば、きみがもう少し喜んでくれると思っていたよ」

「なにを喜ぶって言うの？　人を傷《きず》つけても、あたしを助けることにはならない」

スコールの口の片隅《かたすみ》が持ちあがった。「〈結社《ワンソック》〉は、平穏《へいおん》が長く続きすぎた。少しばかり足元を揺《ゆ》らしてやりたくてね。認《みと》めたまえ、ミス・クロウ――彼《かれ》らが震《ふる》えるのを見て、気分がよくなかったかい？」スコールは身を乗り出し、声を潜《ひそ》めた。「火を噴《ふ》いたとき、きみのなかの邪悪《じゃあく》な部分は、彼《かれ》らの目のなかに恐怖《きょうふ》を見て喜んではいなかったかい？」

モリガンは無言だった。あの日のプラウドフット駅のことを思い出していた。自分の内側でむくむくと大きくなった怪物《かいぶつ》を。まるで電気のように血管を駆《か》けめぐり、彼女《かのじょ》をべつのものに変えたあの怒《いか》り。あの一瞬《いっしゅん》、モリガンは〈結社《ワンソック》〉でもっとも力のある人間だった。

プラットホームにいた人たちの怯《おび》えた顔を、いまもありありと思い浮《う》かべることができる。あたしは楽しんでいた？　自分が怯《おび》える代わりに、だれかの心に恐怖《きょうふ》を植えつけることが好きなあたしが、どこかにいた？

モリガンは顔を背《そむ》け、スコールの質問に答えまいとした。

「ああ、そうだと思った」それは、渇望《かつぼう》と危《き》険《けん》を形にしたジャッカルのような笑みだった。「きみが、いくらかでも本当の自分に気づいてくれてうれしいよ」スコールは月の光に照らされたネバームーアの地平線を見やった。「てっきりきみは、勇ましく出かけていったのかと思っていた。〝友だちはだれも見捨《みす》てない〟と考えているのかとね。わたしが間違《まちが》っていたようで、おおいにほっとしているところだ」

モリガンは片方《かたほう》の眉《まゆ》を吊《つ》りあげた。「オンストールド教授は友ゝゝだちじゃないし、どっちにしろ〈隠密《おんみつ》〉が教授を探《さが》しているもの。あたしの手助けなんて必要ない」

「甲羅《こうら》を背負《せお》ったやつのことじゃないよ」風が、スコールの面白がっているような穏《おだ》やかな声をモリガンの耳元まで運んできた。「さらわれたほかの人間のことを言っているんだ。催眠術《さいみんじゅつ》師《し》と予言者だ」

「カデンスとランベス」

モリガンは胃《い》をなにかにつかまれた気がした。

「カデンスとランベスをさらったのね」いくらか大きな声で繰《く》り返した。「あたしの友だちをさらった。それがどうしてあたしを助けることになるっていうの？」

スコールは乾《かわ》いた声で笑った。「わたしはそんなことはしない。残念ながら、〈結社《ワンソック》〉にいるわたしのあやつり人形――わたしの協力者――は、いささか欲張《よくば》りでね。〈結社《ワンソック》〉で浪《ろう》費《ひ》されるだけの天賦《てんぷ》の才を自分のものにできるなら、金に糸目はつけないと考えている人間が――フリー・ステートの内外に――いるんだよ。このふたつはとても便利な才能だからね。それに、もし噂《うわさ》が本当なら――」スコールは踵《かかと》の上で体を揺《ゆ》らしながら言った。「今夜のオークションには四つめの商品が出品されるらしい。かなりの人気だと思うよ」その声にはわずかに笑いが含《ふく》まれていた。「わたしもオークションに参加するかもしれない。クリスマスツリーの天辺には天使を飾《かざ》りたいとずっと思っていたからね」

「カシエル」モリガンはつぶやいたが、スコールには聞こえなかったようだ。

モリガンは両手を握《にぎ》りしめたが、無意味であることはわかっていた。スコールと戦うことはできない。彼《かれ》に対してはなにもできない。そもそもここにはいないのだ。

「あんたはマーケットの場所を知っている」モリガンは懸命《けんめい》に冷静さを保とうとしながら言った。「あたしの友だちの居場所を知っている。教えて」

スコールは片側《かたがわ》に首をかしげた。「もちろんだとも。わたしはそのために来たんだよ。だが、何事もただでは手に入らない。取引しようじゃないか」

「なにが望み？」モリガンは食いしばった歯のあいだから訊《き》いた。

スコールは肩《かた》をすくめた。「いつもと同じさ。きみに教えること」

「前にも言ったはず。あたしは絶対にあんたの仲間にはならない。あんたは怪物《かいぶつ》で人殺しなんだから」

「もっと恐《おそ》ろしい怪物《かいぶつ》ともっと大きな危険《きけん》が存在《そんざい》するんだよ、ミス・クロウ」スコールの目がきらりと光った。「わたしたちには、きみが想像もしたことがないような共通の敵《てき》がいるんだ。〈輝かしき結社《ワンダラス・ソサエティ》〉がきみのくびきをはずさなければ、成長する自由がきみに与《あた》えられなければ、きみはわたしが望むとおりの〈ワンダー細工師《さいくし》〉になれずに……いずれ恐《おそ》ろしいことが起きるだろう。きみだけではなく、わたしにとってもだ」

モリガンはまじまじと彼《かれ》を見つめた。共通の敵《てき》？　モリガンの唯一《ゆいいつ》の敵《てき》が彼《かれ》だ。

「そういうわけで、三回めのレッスンの時間だ。〈人でなしの技の烈火《れっか》〉」

モリガンはいらだって首を振《ふ》った。こうして、体のなかでむくむくと大きくなっていく怒《いか》りを感じるのは何度目だろう。「あたしの友だちは、いま助けを必要としているの。技を学んでいる暇《ひま》なんてない！」

ここから出ていかなくては。なにか恐《おそ》ろしいことが起きる前に、カデンスとランベスを見つけなくては。

「だめだ」スコールはきっぱりと告げると、もたれていた手すりから体を離《はな》し、悠然《ゆうぜん》とした足取りで二歩前に出た。モリガンは背後《はいご》の交霊会《こうれいかい》の輪が動くのを感じたけれど、振《ふ》り向かなかった。一秒たりともスコールから目を離《はな》したくない。「わたしもまったく同意見だ。きみの時間は残り少ない。きみのまわりに集まっているワンダーは、そろそろ限界だ。危機的《ききてき》なレベルになっている。ワンダーを導いて目的を与《あた》えてやらないと、きみを内側から焼き尽《つ》くしてしまう」スコールは険《けわ》しいまなざしのモリガンに応じるように、黒い目で彼女《かのじょ》をにらんでいる。「だがきみの命が危《あぶ》ないというだけでは十分でないのなら、もう少しやる気を出させてあげよう」

スコールはわずかに手を動かし、その指示に従《したが》ってモリガンのうしろにいた人たちは一斉《いっせい》に歩きだした。モリガンの脇《わき》を通り過ぎ、スコールも通り過ぎ、肩《かた》を寄せ合うようにして手すりの前に立ち、暗闇《くらやみ》を見つめている。

モリガンは、新しい時代の最初の日である〈有明時《ありあけどき》〉に、初めてホテル・デュカリオンに行ったときのことを思い出していた。楽しいひとときで、その締《し》めくくりとして——モリガンは大いに驚《おどろ》いた——すべての客が手すりの上に立ち、傘《かさ》を広げて宙《ちゅう》へと身を躍《おど》らせたのだ。果敢《かかん》に踏《ふ》み出す！　全員がふわり、ふわりと一三階下の地面に怪我《けが》ひとつなくおり立った。

スコールはモリガンの心の内を読んだかのように、両手をさっと上にあげた。全員がいきなり両足で飛びあがり、手すりの上にきれいに立ったので、モリガンは息を呑《の》んだ。

スコールはモリガンに微笑《ほほえ》みかけた。「みんな、傘《かさ》を持っていると思うかい？」

「だめ――やめて！　ホーソーン、おりて。おりて、ジュピター！」モリガンは手すりからおろそうとしてホーソーンの手を、それからジュピターの手を引っ張った。けれどどちらもぴくりともしない。怒《いか》りといらだちも露《あら》わにスコールを振《ふ》りかえった。「どうしてこんなことをするの⁉」

「言ったはずだ」その声はあまりに小さかったので、耳の奥《おく》で勢いよく流れる血液に邪魔《じゃま》されずに聞き取るには、彼《かれ》に近づかなくてはならなかった。「これはきみがしているんだ。もしきみが、いまごろなっているはずの〈ワンダー細工師《さいくし》〉の半分程度にまでなっていれば、わたしはこんなふうにきみの力を利用することはできなかった。いいかい、今年、きみがワンダーをコントロールできなかったおかげで、わたしはネバームーアに入るためのとても便利な窓《まど》を手に入れることができた。だがきみにコントロールの方法を教えると――なんであれ教えると――永遠にその窓《まど》は閉《と》じることになるだろう。お楽しみはここまでだ。わたしの長期的な計画のほうがはるかに大切なんでね。そのためにもきみには生きていてもらう必要がある」

「みんなを解放して」モリガンはうろたえた声にならないよう歯を噛《か》みしめ、両手を強く握《にぎ》った。

「喜んで」スコールは落ち着いた口調で応じた。「約束どおり、きみの友人の居場所も見せよう。だがまずは、その余ったワンダーの一部をコントロールして、〈人でなしの技の烈火《れっか》〉を生み出すやり方を学ばなければいけない。でなければ――」手すりに並《なら》んだなにも知らない夢遊病者たちを示した。「――予言者、催眠術師《さいみんじゅつし》、天使、そして教授は今夜、華々《はなばな》しくも不快な最期を迎《むか》えることになる。すべてはきみ次第だ、ミス・クロウ」

　モリガンはなにも言わなかった。なにも言えなかった。体のなかになにか重くて熱いものがある。胸《むね》に手を当てた。爆発《ばくはつ》しそうなほど息が荒《あら》い。

「それだ！」スコールが叫《さけ》び、モリガンを指さした。不意にその目が狂気《きょうき》じみたものになった。

「それだ。その感情だ。胸《むね》のなかのその炎《ほのお》。怒《いか》りと恐怖《きょうふ》の火花。それに集中するんだ。感じるんだ。きみのなかで揺《ゆ》らめき、燃えている怒《いか》り――それがい《・》い《・》〈烈火《れっか》〉だ。

目を閉《と》じて、自分の胸《むね》のなかに手を伸《の》ばすところを想像して。その炎《ほのお》をつかむところを、手の檻《おり》のなかに閉《と》じこめるところを想像するんだ。目を閉《と》じて。やるんだ」

　モリガンは渋々《しぶしぶ》目を閉《と》じた。心の目でそれが見えた。火花どころではない。かがり火だ。モリガンを内側から焼いていて、肺《はい》へと忍《しの》びこんだ炎《ほのお》が喉《のど》の奥《おく》を焦《こ》がしている。灰《はい》の味がした。

　モリガンは首を振《ふ》って、両手を握《にぎ》りしめた。

「できない」

「いや、できる。きみは〈ワンダー細工師《さいくし》〉だ。きみがその火をコントロールするんだ。その火は、きみの命令どおりに小さくも大きくもなる。ろうそくに火をつけるのか、町を焼くのか、きみが決めなくてはいけない」

　心の目に見えていた。鮮《あざ》やかな金色の炎《ほのお》があばら骨《ぼね》の内側で燃えている。スコールの言葉どおりに、その火を手で包む様を想像した――火をコントロールし、そっと消していく。炎《ほのお》がちりちりと音を立て、モリガンはきらめくワンダーが指のあいだから小さな花火のように四方に飛び散っていくところを想像して、たじろいだ。

「怖《こわ》がっていては、コントロールできない」スコールが叫《さけ》んだ。「きみはネズミじゃないんだ、モリガン・クロウ。ドラゴンだ。さあ、目を開けて。集中して。そして息を吐《は》く」

モリガンは言われたとおりにした。砂漠《さばく》を吹《ふ》き渡《わた》る風のような息が、肺《はい》から湧《わ》きあがってくる。あの日、〈結社《ワンソック》〉で危《あや》うくヘロイーズを焼き尽《つ》くしてしまうところだった、自分ではどうすることもできない荒々《あらあら》しい火の球とは違《ちが》う。これは、モリガンにもコントロールすることができた。

その瞬間《しゅんかん》、モリガンはなにをすべきかを悟《さと》っていた。ワンダーが自分に従《したが》いたがっていることがわかった。

一本の先細の黒いろうそくに視線《しせん》が止まり、モリガンはひと筋《すじ》の細い火を噴《ふ》いた。その火は正確にターゲットをとらえた。ろうそくに再び火が灯《とも》り、そしてまるで合図を待っていたかのように、モリガンの許可を待っていたかのように、屋上に並《なら》べられていた数百本のろうそくにまったく同時に火がついた。屋上は温かな光に包まれた。

モリガンの口から驚《おどろ》き混じりの笑い声が漏《も》れた。

これをやったのは、あたし。スコールじゃない。

スコールを振《ふ》り返った。黒い目にろうそくの光が反射《はんしゃ》していて、笑みとは言えないものの、その顔には確かに満足そうな表情が浮《う》かんでいる。

スコールは歌を口ずさんだ。歌とは言えないくらいのほんのわずかなハミングだったけれど、モリガンのうなじに鳥肌《とりはだ》を立てるには充分《じゅうぶん》だった。それに応じるように、暗闇《くらやみ》のどこかから長々とした遠吠《とおぼ》えが返ってきた。

「あたしはあんたの望みどおりにした」モリガンは用心深いまなざしをスコールに向けた。「約束したはず。あたしの友だちの居場所を教えるって、あんたは言った」

「それは違《ちが》うね。わたしは、きみの友だちの居場所を見せると言ったんだ。約束は守るつもりだよ」スコールが再びわずかに手を動かすと、手すりに立っていた人たちはうしろ向きに屋上に飛びおりた。こちらに向きを変え、無表情のまま、元の交霊会《こうれいかい》の輪へと戻《もど》っていく。また遠《とお》吠《ぼ》えが聞こえた。はるか下の道路から聞こえているようだとモリガンは思った。「それじゃあ、行こうか？」まるでふたりしてそこから飛びおり、〈不気味なマーケット〉まで飛んでいこうとしているみたいに、スコールは屋上の端《はし》を頭で示した。

モリガンはばかばかしいというように鼻で笑った。「頭がおかしいんじゃないの？　あたしはあんたとはどこにも行かない。カデンスとランベスのいるところを教えて」

スコールは小さく首を振《ふ》った。「お断りだ」

再び遠吠《とおぼ》えがした――さっきよりも近い。ホテルの前庭から聞こえているようだ。ほかの音も混じっていた。馬のいななきと石を打つひづめの音。

「あたしはあんたとは行かない」モリガンは繰《く》り返した。「あたしをばかだと思っているの？」

「そうだ。友人を助けるためにばかなことをするばかだと思っているよ」スコールは哀《あわ》れむような笑みを浮《う》かべた。「証明してあげよう」

スコールは左手をさりげなく動かした。すると……

なにもかもがあっと言う間のできごとで、モリガンには考える暇《ひま》すらなかった。凍《こお》りついたように動かない交霊会《こうれいかい》の輪からホーソーンがいきなり抜《ぬ》け出し、屋上の端《はし》に向かって全速力で走りはじめた。

「ホーソーン、だめ！」モリガンは悲鳴をあげた。本能と恐怖《きょうふ》に突《つ》き動かされ、そうしようと心を決めるより早く、ホーソーンのあとを追っていた。手すりに飛び乗ろうとしたホーソーンに手を伸《の》ばし、コートの裾《すそ》をつかんだものの、彼《かれ》の勢いを止めることはできずにそのまま前方へと引っ張られた。ふたりは屋上を飛び出し、下へ、下へ、下へと落ちていった。モリガンの悲鳴は冷たい秋の空気に呑《の》みこまれた。

第二五章
裏切《うらぎ》り者

地面がせりあがって、ふたりを迎《むか》えようとしている気がした。

モリガンは勢いよく落ちていきながら目を閉《と》じた。そうしていれば助かるとでも言うようにホーソーンのコートの裾《すそ》をしっかりとつかみ、衝撃《しょうげき》の瞬間《しゅんかん》を待った。ホテルの前庭に叩《たた》きつけられて、全身の骨《ほね》が砕《くだ》けるのを待った。

けれどその瞬間《しゅんかん》はやってこなかった。

不意に下の暗闇《くらやみ》から遠吠《とおぼ》えのコーラスが聞こえてきた。馬のいななきとひづめの音も。目を開けると、一〇〇もの燃える目がこちらを見あげているのが見え、馬と犬とハンターの黒い姿《すがた》が渦巻《うずま》く煙《けむり》から現われた。

モリガンとホーソーンの骨《ほね》は砕《くだ》けなかった。落下の速度が落ちることもなかった。ふたりは〈煙《けむり》と影《かげ》のハンター〉の形のない黒い雲のなかに落ちただけで、地面に激突《げきとつ》することはなかった。モリガンは再び影《かげ》の馬にまたがり、どこに向かっているのかを見て取ることもできないほどのすさまじいスピードでほぼ人気《ひとけ》のないネバームーアの通りを駆《か》けていた。ちらりと横を見ると、隣《となり》を走る馬にホーソーンが乗っている。いまなにが起きているのか、彼《かれ》はいくらかでも理解しているのだろうかと考えた。あやつり人形のような状態のホーソーンは、あたしと同じ恐怖《きょうふ》を少しでも感じている？

ようやく馬が止まり、ふたりは震《ふる》えながらも無傷《むきず》でその背中《せなか》からおりた。足の下はしっかりした地面だ。あたりを包んでいた黒い霧《きり》は晴れて、堂々とした石造りの建物が現われた。アーチ形の立派《りっぱ》な入口の上の石に刻《きざ》まれた文字を見て、モリガンの心は沈《しず》んだ。

盗《ぬす》まれた瞬間《しゅんかん》の博物館

モリガンは、地面にくずおれそうになるホーソーンの体を支えて、立たせようとした。「大《だい》丈夫《じょうぶ》？」

「……と思う。うん」ホーソーンはぼーっとしていたけれど、少なくとももう操《あやつ》られてはいない。「なにが――なにがあったの？　ここはどこ？」

〈煙《けむり》と影《かげ》のハンター〉はふたりから離《はな》れたけれど、いなくなったわけではなかった。近くで半分身を隠《かく》し、モリガンたちを見張っている彼《かれ》らの光る赤い目が見える。モリガンはあたりを見まわしてスコールの姿《すがた》を探《さが》したが、ここにはふたり以外だれもいないようだ。

モリガンは博物館を見あげた。ドアは開いていて、なかからざわめきが聞こえている。笑い声と話し声。シャンパングラスのぶつかる音。「ここは、あたしがこのあいだ、エズラ・スコールに連れてこられたところ。〈不気味なマーケット〉が今夜ここで開かれるんだと思う」

ホーソーンは喉《のど》を絞《し》められたみたいな妙《みょう》な声を出した。「でも、どうして？」

「スコールが屋上にいたの」モリガンが小声で言った。「交霊会《こうれいかい》に。覚えていない？」

ホーソーンは首を振《ふ》った。「わからない。帰ろうとして立ちあがったのは覚えている。笑っていたよね。そうしたら……急に夢を見ているみたいになった。なんか変な声が頭のなかにしていたんだ。でも静かな気持ちだった。ただ眠《ねむ》りたいだけだったんだ」

「それがスコールだったの。頭のなかの声はスコールだったんだよ」ホーソーンはそれを聞いて顔を青くしたが、モリガンはさらに言った。「スコールはあなたを屋上から飛びおりさせた。あたしは止めようとしたんだけど一緒《いっしょ》に落ちて、〈煙《けむり》と影《かげ》のハンター〉があたしたちを受け止めてここに連れてきた。ホーソーン、〈不気味なマーケット〉はこの建物のなかで開かれていて、カデンスとランベスとオンストールド教授が捕《つか》まっている……全部スコールがしたことで

──」

「ここから出るんだ！」かすれたような小さな声がして、ふたりはぎくりとした。「いますぐ！」

博物館から人影《ひとかげ》が現われ、ふたりに向かって足早に階段《かいだん》をおりてきた。モリガンはホーソーンの腕《うで》をつかみ、逃《に》げようとして身構《みがま》えたが、ホーソーンがそれを止めた。

「あれはミルドメイだと思うよ」ホーソーンは小声で言うと、いくらか声を張りあげて呼《よ》びか

けた。「ミルドメイ！　〈隠密《おんみつ》〉はもうここに来ているんですか？　もう見つけた――」

「逃《に》げるんだ」ミルドメイはふたりに近づきながら、押《お》し殺した声で言った。ふたりの腕《うで》を取り、開いたままの博物館のドアを振《ふ》り返りながら、そこから遠ざけようとした。モリガンは当《とう》惑《わく》しながらも、安堵《あんど》が胸《むね》に広がるのを感じた。ホーソーンとふたりだけで対処《たいしょ》する必要はなさそうだ。〈結社《ワンソック》〉の人間がここにいるのなら、応援《おうえん》もじきに来るだろう。暗がりまでやってくると、ミルドメイは足を止めた。「いますぐに逃《に》げるんだ」

「〈隠密《おんみつ》〉はもう来ているんですか？」モリガンはミルドメイの肩越《かたご》しに博物館のほうを眺《なが》めながら訊《き》いた。「いま閉鎖《へいさ》させているんですか？　なにか見つけたら、ジュピターに使いをよこすって言っていて――」

「お願いだ、ミス・クロウ、いますぐにここから離《はな》れるんだ。自分がどれほど危険《きけん》な立場にいるのか、きみはまったくわかっていない。だれかに見られたら――きみがここにいることを彼《かれ》が知ったら……」

「彼《かれ》って？」

「〈ワンダー細工師《さいくし》〉だ」ミルドメイが答えた。「わからないのかい？　彼《かれ》はきみをここにおびき出そうとした。ぼくが連れてくるようにと言われたんだが、でも……ぼくにはできなかった。もうそんなことはしないんだ」

モリガンは頭がくらくらした。「スコールがあなたにあたしをここに連れてくるようにって言ったんですか？　どうして彼《かれ》が――もうそんなことはしないって、いったいどういう意味――

――」

あ。

モリガンの口があんぐりと開いた。

〈結社《ワンソック》〉にいるわたしのあやつり人形。スコールはそう言った。わたしの協力者。

「あなただった！　ずっとスコールの手助けをしていたのは、あなただったんだ」

ホーソーンが小さく息を吸《す》った。ミルドメイはいまにも吐《は》きそうな顔をしている。汗《あせ》ばみ、青い顔で体を震《ふる》わせている。けれど否定《ひてい》はしなかった。

「ミス・クロウ……お願いだ」ミルドメイはうめくような声を呑《の》みこんだ。「信じてほしい。ぼくは自分のしたことを本当にすまないと――ぼくの役割《やくわり》は……」子犬のように額《ひたい》にしわを寄せ、手をもみしだきながら言った。本当に動揺《どうよう》しているように見えるとモリガンは思った。けれどどそれは自分がしたことを後悔《こうかい》しているからなのか、それとも見つかったことに動転しているのか、どちらだろう？　「ぼくは決して……ぼくが考えついたことじゃないんだ！　スコールに、彼《かれ》に無理やりやらされたんだ」

ミルドメイは片手《かたて》で髪《かみ》をかきあげた。震《ふる》える顎《あご》、潤《うる》んだ目。モリガンが感じたのは同情ではなく、嫌悪《けんお》だった。

「ぼくは弱かった。それは認《みと》める。ぼくは冷酷《れいこく》で嫉妬《しっと》深かった。ユニットで一番弱いのがぼくだっていうことは、だれもが知っていた。つまらない男だっていうことは。〝地図男〟、みんながぼくをそう呼《よ》んだ」ミルドメイの顔が醜《みにく》く歪《ゆが》んだ。「ぼくは重要な存在《そんざい》になりたかった。

だから〈ワンダー細工師《さいくし》〉が声をかけてきて、手を貸してほしいと言われたときは――ぼくだ、だれでもないぼくだ！――みんなを見返してやれると思った。スコールは、ウィンターシー共和国で一番力のある男だからね。彼《かれ》の王国にぼくの場所を用意するとスコールは約束してくれた。彼《かれ》の右腕《みぎうで》にしてくれると。どうして断れる？」ミルドメイは一度言葉を切った。「最初はちょっとした情報を流すだけだった。だれかが傷《きず》つくなんて知らなかった。信じてほしい」

「どんな情報？」

「珍《めずら》しい天賦《てんぷ》の才だ。持ち主はだれなのか。どこに住んでいて、どういう日課なのか、そういう情報だ。いつ――」そのあとの言葉はかろうじて聞き取れる程度だった。「――ひとりになるのか」

「言い換《か》えれば、だれをどうやって誘拐《ゆうかい》するかってことね」モリガンの声は怒《いか》りに震《ふる》えていた。

ミルドメイは黙《だま》って首のうしろを撫《な》でた。モリガンの顔を見ることもできずにいる。

ホーソーンは押《お》し殺したような妙《みょう》な声をあげた。奥歯《おくば》を噛《か》みしめたり、緩《ゆる》めたりを繰《く》り返していて、激《はげ》しい怒《いか》りを抑《おさ》えようとしているのがわかった。モリガンが知るかぎり、ホーソーンほど自分のまわりの人間を大切にする人はいない。

「おまえは〈骨男《ほねおとこ》〉がみんなをさらう手助けをしたんだ。マーケットで売るために」ホーソーンがミルドメイをなじった。「吐《は》き気がするよ」

ミルドメイは取り乱《みだ》していた。「頼《たの》むよ――きみたちを助けようとしているのがわからないのかい？　モリガン、〈ワンダー細工師《さいくし》〉はきみのことも罠《わな》にかけるようにぼくに命じた。でもぼくは断った。きみにそんなことはできない。一番優秀《ゆうしゅう》な生徒には。もう彼《かれ》に協力するのはやめた。だからいまここにいるんだ！　彼《かれ》が今夜きみを〈不気味なマーケット〉に連れてくることはわかっていたから、ここで待っていたんだ。きみを止めるために。きみまで売らせるわけにはいかなかった。だからぼくは――」

「でもカデンスが売られるのは止めなかったんだ！　ランベスも！」モリガンは激《はげ》しく怒鳴《どな》りつけ、それから声を潜《ひそ》めて言った。「どうしてなの、ミルドメイ？」

若《わか》い教師はすすり泣き、訴《うった》えるようなまなざしをモリガンに向けた。「すまない。説明できないよ。ぼくはただ……輪の外にいることに耐《た》えられなかった。ミス・クロウ、きみならそれがどういうものだかわかるだろう？　人と違《ちが》っていることが。ぼくたちは同類だよ。きみとぼくは――」

「モリガンはおまえとは全然違《ちが》う！」ホーソーンに辛辣《しんらつ》な口調で言われ、ミルドメイはたじろいだ。「モリガンは絶対に友だちを裏切《うらぎ》ったりしない」

ミルドメイはがっくりと膝《ひざ》をつき、体を震《ふる》わせながら両手で顔を覆《おお》った。しばらくは、彼《かれ》のすすり泣く声と博物館の中からかすかに流れてくる落ち着いた話し声だけが聞こえていた。

そして……だれかが手を叩《たた》く音。

「ブラボー、ヘンリー」暗がりから穏《おだ》やかな声がした。「なかなかのパフォーマンスだった」

ミルドメイはあわてふためいて立ちあがり、声のしたほうを振《ふ》り返った。口の片側《かたがわ》だけの邪《じゃ》悪《あく》な笑みを浮《う》かべたエズラ・スコールが明るいところに出てくると、ミルドメイは目を見開いた。スコールの拍手《はくしゅ》が通りに反響《はんきょう》している。ホーソーンがモリガンに体を寄せた。彼女《かのじょ》の腕《うで》をつかむ手に力がこもり、息が荒《あら》くなっている。ホーソーンは屋上で起きたことをなにひとつ覚えていないから、実際に〈ワンダー細工師《さいくし》〉と顔を合わせるのはこれが初めてなのだというこ
とにモリガンは気づいた。

「スコールは〈クモの糸〉でここに来ているだけなの」モリガンはスコールを包んでいる揺《ゆ》らめく光を見つめながら、できるかぎり勇敢《ゆうかん》な口調で言った。「あたしたちには触《さわ》れない」

「うん、でも〈煙《けむり》と影《かげ》のハンター〉は触《さわ》れる」ホーソーンはほとんど口を動かさずに言った。

それが合図だったかのように、まわりの暗がりから低くうなる声が聞こえた。モリガンは身震《みぶる》いした。

スコールが小さく口笛を吹《ふ》くと、真っ黒な毛皮と残り火のような目をした狼《おおかみ》たちが現われた。狼《おおかみ》に取り囲まれたミルドメイは小さくなってうずくまった。

スコールは嘲笑《あざわら》うようにミルドメイを見おろした。「ヘンリーは、きみをオークションから助けようとしたんだと信じてほしがっているんだよ、ミス・クロウ。だが、わたしがきみをここに連れてきたのは売るためではないことを彼《かれ》は知っている。すべてはきみを、このオークションを中止させた英雄《えいゆう》に仕立てあげるための計画だということをね。そうすればきみはようやく、だれもが恐《おそ》れる〈ワンダー細工師《さいくし》〉になれる。きみは、与《あた》えられた力を使うことを許されなければいけないんだ」スコールの声がいっそう大きくなった。「きみが集めていたワンダーがわたしのように退屈《たいくつ》する前に。きみの命を奪《うば》ってしまう前に」

モリガンはその鋭《するど》い口調にぎくりとした。喉《のど》の奥《おく》のどこかで心臓《しんぞう》が激《はげ》しく打っている。「お願いだ、モリガン」目を赤く腫《は》らしたミルドメイが懇願《こんがん》するように言った。「彼《かれ》の言うことに耳を貸すんじゃない。逃《に》げるんだ。いいから逃《に》げるんだ」

「おやおや、たいしたものだよ、ミスター・ミルドメイ。まったく見事だ」スコールは狂人《きょうじん》のように甲高《かんだか》い声でくすくす笑った。「ヘンリーは、きみが〈不気味なマーケット〉を中止させると都合が悪いと思っているんだよ、ミス・クロウ。このマーケットではかなり稼《かせ》いでいるんだろう、ヘンリー？　きみはネバームーアでもっとも裕福《ゆうふく》で、もっとも悪辣《あくらつ》だという評判を得ようとしているわけだ。それを邪魔《じゃま》されたくないんだろう？」スコールは言葉を切り、まっすぐにモリガンを見つめながらゆったりした口調で言った。「わたしの言っている意味がわかるかな、ミス・クロウ？　彼《かれ》は、きみを引き留めておこうとしているんだ。オークションが終わるまできみを遠ざけておいて、そのあいだにきみの友人を売って、たんまりと謝礼をもらうつもりでいる。彼《かれ》は、ひとつ商品が売れるごとに分け前を受け取っているんだ」

モリガンはまじまじとミルドメイを眺《なが》めた。スコールが話し続けるうちに、奇妙《きみょう》な変化が起きていた。涙《なみだ》に汚《よご》れた少年っぽい顔――泣いていたせいで赤らみ、苦悩《くのう》に歪《ゆが》んでいる――にゆったりした表情が浮《う》かびはじめていた。ミルドメイがシャツの袖《そで》で涙《なみだ》を拭《ふ》いた。一度大きく鼻をすすると、その顔に見慣れた恥《は》ずかしそうな笑みが浮《う》かんだ。

いつものミルドメイだとモリガンは思い、うなじがぞくりとするのを感じた。それなのに、まったくミルドメイらしくない。まるで見知らぬ他人を見ているようだった。

ミルドメイはくすくす笑って、腕時計《うでどけい》を見た。肩《かた》をすくめた。

「うん、目的は果たしたと思うな」その声にはいつものような誠実《せいじつ》さがあった。「いまごろはもう売れているはずだ。つきあってくれてありがとう、ミス・クロウ。きみはいつだってだれよりも気配りのできる生徒だったからね」ミルドメイは笑いながら深々とお辞儀《じぎ》をした。

モリガンは怒《いか》りのあまり、涙《なみだ》がこみあげるのを感じた。言葉が出ない。考えることすらできなかった。歯をむき出し、怒《いか》り狂《くる》うアンニマルのようになりながらミルドメイに飛びかかり、地面に押《お》し倒《たお》した。

「裏切者《うらぎりもの》!」叫《さけ》びながら、再びつかみかかろうとした。だれに聞かれようとかまわない。怒《いか》りが全身で煮《に》えたぎっているのが感じられる気がした。ホーソーンがあいだに割《わ》って入り、モリガンを引き離《はな》した。

「言っておいたほうがいいと思うが、これは〈結社《ワンソック》〉のばかげた試験ではないんだよ、ミス・クロウ」スコールはモリガンたちから少し離《はな》れた、影《かげ》との境目に立っていた。「これは現実だ。失敗すれば、現実の結果が待っている。時間がないよ」

荒《あら》い息をつきながら、モリガンは地面に倒《たお》れているミルドメイを見つめ、目を見開いているホーソーン、そして〈盗《ぬす》まれた瞬間《しゅんかん》の博物館〉へと視線《しせん》を移した。建物のなかから聞こえていたざわめきがいくらか静かになっている。もう手遅《ておく》れだろうか?「ホーソーン、行こう」

「ミルドメイが逃《に》げるよ」ホーソーンが言った。「〈隠密《おんみつ》〉を呼《よ》んでこないと――」

「カデンスとランベスとほかの人たちを助けるのが先」モリガンは突如《とつじょ》としてパニックを起こ

したらしいミルドメイを眺《なが》めた。低いうなり声があたりに反響《はんきょう》している。〈煙《けむり》と影《かげ》のハンター〉が暗がりから姿《すがた》を現わした。

モリガンとホーソーンは走りだした。博物館の階段《かいだん》までやってきたところで、ぞっとするような遠吠《とおぼ》えが聞こえて振《ふ》り返った。暗闇《くらやみ》のなかに炎《ほのお》のように光るいくつもの赤い目が見えた。

「友人のヘンリーはわたしが面倒《めんどう》を見ておくよ」影《かげ》のなかからスコールの冷ややかな声が響《ひび》いた。「心配は無用だ」

第二六章
オークション

ふたりは階段《かいだん》を駆《か》けあがり、博物館の玄関《げんかん》ホールに入った。このあいだと同じようなマスクの並《なら》んだテーブルがあるだけで、あとはがらんとしている。モリガンは目についた最初のマスク――悲鳴をあげている悪鬼《あっき》だった――を手に取り、急いで頭からかぶった。

「ほら」ホーソーンに宮廷《きゅうてい》の道化師のマスクを手渡《てわた》した。「これをつけて。早く」

「彼《かれ》、どうなると思う？」笑っているゴムのマスクも、不安そうなホーソーンの声をごまかすことはできなかった。

「だれのこと？　ミルドメイ？」モリガンは、好きだった教師の運命など気にかけていないふりをした。開いたままのドアをちらりと振《ふ》り返って言った。「ろくなことじゃないね」

ふたりは声のするほうへと進んでいき、メインホールに通じる控《ひか》えの間に入った。ここを駆《か》け抜《ぬ》け、一刻《いっこく》も早くオークションが行われているに違《ちが》いないホールに入りたかったけれど、注意を引くべきでないことはよくわかっていた。そこここにマスクをつけた客がいて、お酒を飲み、笑い、時折立ち止っては、あたかも芸術作品を鑑賞《かんしょう》するかのようにスノードームを眺《なが》めている。

そこにいる人々よりモリガンは優《ゆう》に頭ひとつ分は背《せ》が低かったけれど、紛《まぎ》れこむのは驚《おどろ》くほど簡単《かんたん》だった。幸いなことにホーソーンはこの夏のあいだに雑草のようににょきにょきと背《せ》が伸《の》びていたし、何時間もドラゴンに乗る訓練をしているせいか、肩幅《かたはば》もぐっと広くなっていて、ほかの大人と比べてもそれほど見劣《みおと》りはしない。モリガンはほっとした。

「これって、いかれているよ」落ち着いているふりをして、せいいっぱいゆっくりと控《ひか》えの間を歩いていると、ホーソーンがマスクの下でつぶやいた。「このスノードーム――これがなんなのかがわかっていると……」

モリガンは吐《は》き気がして答えられなかった。このあいだは、どうしてすぐに気づかなかったんだろう？　いくつかはわかりにくかったから誤解《ごかい》しても仕方がないけれど、死と破壊《はかい》のシーンであることが明らかなスノードームもある。野生生物がいっぱい集まっている泉《いずみ》に向かって、土煙《つちけむり》を巻《ま》きあげながら暴走していく象の群れ。村を丸ごと飲みこもうとしている津波《つなみ》。大砲《たいほう》の弾《たま》が向かってくる、泥《どろ》と血まみれの戦場。モリガンは首を振《ふ》った。

「素晴らしいね」タキシード姿《すがた》の恰幅《かっぷく》のいい男性が、近くのスノードームを眺《なが》めながらつぶやいた。のっぺりした白いマスクのせいで、死そのもののように見える。「すべて本物なんだよ。本当の人間がこのなかにいるんだ」

男性はガラスを叩《たた》き、動物園の檻《おり》のなかをのぞきこむようにドームに顔を寄せた。「死の直前の瞬間《しゅんかん》を捉《とら》えているんだ。競売人が話してくれた。まったく驚《おどろ》くじゃないか」

「まあ。面白いわね」一緒《いっしょ》にいる女性はそれほど興味がなさそうだった。「わたしたちの声が聞こえていると思う？」

「いい質問だね」男性はまたガラスを叩《たた》いた。人々がふたりのまわりに集まってきた。「おい、そこのきみ、死んだ男――わたしの声が聞こえるかね？　イエスなら一度、ノーなら二度まばたきをするんだ」彼《かれ》がものすごく面白いことを言ったかのように、まわりの人々はどっと笑った。

「死にかけている男でしょう」女性は品のない笑い声をあげた。「まだ完全に死んだわけじゃないんだから。そこが大切よ！」

モリガンは胃《い》がむかむかした。ホーソーンがしきりに肘《ひじ》を引っ張るので、スノードームのなかは見ないと固く心に決め、ただひたすら前だけを見て歩き続けた。けれどメインホールの入り口までやってきたところで、どうにも我慢《がまん》できなくなって振《ふ》り返った。

錦織《にしきおり》のジャケットと長い黒のブーツを履《は》いた、一六歳《さい》か一七歳《さい》くらいの少年がいた。馬で石畳《いしだたみ》の道を走っていたときに、馬が驚《おどろ》いたかなにかしたに違《ちが》いない。馬は白目をむいて、二本脚《にほんあし》で立っていた。少年も同じくらい怯《おび》えているように見える。鞍《くら》から放り出され、石畳《いしだたみ》に激突《げきとつ》する寸前《すんぜん》だ。あの角度で、あの勢いで落ちればどうなるかは……

モリガンは唾《つば》を飲み、まばたきして涙《なみだ》をこらえた。

耐《た》えられなかった。なにもかもがあまりに不公平で、吐《は》き気がした――〈盗《ぬす》まれた瞬間《しゅんかん》の博物館〉に、ミルドメイの裏切《うらぎ》りに、〈不気味なマーケット〉そのものに。自分のなかに野生の生き物がいて、外に出ようとうごめいている気がした。スコールの言葉が聞こえた。

きみはネズミじゃないんだ、モリガン・クロウ。ドラゴンだ。

死に囚《とら》われた人たちをなんとかして助けたかった。ミルドメイに裁《さば》きを受けさせたかった。この場所の不快感を吹《ふ》き払《はら》いたかった。マスクをつけたあの愚《おろ》か者たちに笑うのをやめさせたかった。けれどモリガンはそういった思いをすべて押《お》し殺し、怒《いか》りにしっかりとふたをした。

「カデンスとランベス」自分に言い聞かせるようにつぶやいた。「友だちを助けるために来たんだよ。気を取られちゃだめ」

モリガンは目を閉《と》じ、胸《むね》のなかに手を伸《の》ばしてそこにある炎《ほのお》をつかむところを想像しながら、そっとその火を抑《おさ》えこんだ。ほんの少しだけ。

スノードームに囚《とら》われた人たちにはしばらく待っていてもらおう。


はるかに広い二番めのホールに足を踏《ふ》み入れたとたん、ホーソーンは思わず息を呑《の》み、咳《せき》をしてごまかしながら何気なさそうに天井を指さした。モリガンは上を見あげて、ぞくりとした。ホールは、オークションの商品を目立たせるように設《しつら》えてあった。すべての客からよく見えるように――そして商品が逃《に》げられないように――演壇《えんだん》はどれも高くしてある。演壇《えんだん》をおろすには、太い鎖《くさり》と滑車《かっしゃ》を使うほかはないようだ。髑髏《どくろ》のマスクをかぶった野蛮《やばん》そうな男ふたりが、それぞれの演壇《えんだん》を警備《けいび》していた。

巨大《きょだい》な水槽《すいそう》に入れられていたアルフィーのように、演壇《えんだん》にはそこに乗せられた人間の天賦《てんぷ》の才を嘲笑《あざわら》うような趣味《しゅみ》の悪いディスプレイが施《ほどこ》されていた。一番奥《いちばんおく》のオンストールド教授は、大きな時計の分針《ふんしん》に鎖《くさり》でくくりつけられている。いまは一一を指しているから、とりあえずほぼ直立だ。何時間くらい、ああしているのだろうとモリガンは考えた。分針《ふんしん》は何回回転した？　そのあいだ、頭に血が集まったり、元通りになったりを繰《く》り返してきたことになる。オンストールドはあとどれくらい耐《た》えられるだろう？

モリガンたちの右側の壁沿《かべぞ》いの演壇《えんだん》に乗せられたカデンスは、キラキラした紫色《むらさきいろ》のシルクのゆったりしたドレスを着て、重たそうな金のアクセサリーを山ほどつけている。隣《となり》には大きな金のランプが置かれていて、モリガンはあれはいったいどういう意味だろうと思いながらしげしげと眺《なが》めた。

「ランプの精の格好をさせられている」ホーソーンは不快そうに言った。「みんなは催眠術師《さいみんじゅつし》のことをそんなふうに思っているってこと？　人の願いをかなえてまわっているって？　カデンスに会ったことがないんだな」

ホーソーンがいつからかカデンスを覚えているようになっていたことに、モリガンは不意に気づいた。なにが変わったんだろう？　〝催眠術《さいみんじゅつ》を識別する〟の授業がようやく実を結んだんだろうか？　それとも彼《かれ》とカデンスがついに友だち――らしきもの――になったから？

ホーソーンは首を伸《の》ばして、ホールを見まわした。「見て！　あそこ。あれは彼《かれ》？　ジュピターが探《さが》していた人？」

ホーソーンはほぼ真上を見あげていた。天使（天空の生き物と、モリガンは心のなかで訂正《ていせい》した）がそこで宙《ちゅう》に浮《う》いているように見える。けれどよく見れば、両方の翼《つばさ》の付け根に結びつけた太いロープで天井から吊《つ》るされているのがわかった。両手を背中《せなか》で縛《しば》られ、翼《つばさ》はもっとも印象的な角度に無理やり広げられている。そのまわりでゆらゆらと揺《ゆ》れているのは、切りだしたベニヤ板に綿を貼《は》りつけたものを釣《つ》り糸で吊《つ》るした偽《にせ》の雲だ。安っぽい演劇《えんげき》の小道具のようだった。

モリガンは目を凝《こ》らした。カシエルではない。カシエルがどんな姿《すがた》なのかは知らないが、あそこにいるのが彼《かれ》でないことはわかっていた。

イスラフェルだったから。

モリガンは首を振《ふ》った。いまはあれこれと考えている時間はない。

「カデンスは手を縛《しば》られているよ」ホーソーンは顔をしかめて告げた。「口にはテープが貼《は》られている。催眠術《さいみんじゅつ》をかけられないようにするためかな？」

ホーソーンの言ったとおりだ――イスラフェルの口にもテープが貼《は》られているのは、歌わせないためだろう。

ホールの反対側では、オンストールドの演壇《えんだん》からランベスの演壇《えんだん》へと人々が移動していた。ランベスは彼女《かのじょ》の頭には大きすぎる精巧《せいこう》な金の王冠《おうかん》をかぶせられて、演壇《えんだん》の中央に置かれた玉座《ぎょくざ》に座《すわ》っている。入札者《にゅうさつ》たちを見つめるその目は大きく見開かれ、あたかも鮫《さめ》でいっぱいの海に落ちないためにはそれにしがみつくしかないかのように、玉座《ぎょくざ》の肘掛《ひじか》けを握《にぎ》りしめていた。

なにかを繰《く》り返しつぶやいている。

モリガンは目を細くして、ランベスがなにをつぶやいているのかを読み取ろうとした。祈《いの》っているの？　助けてと懇願《こんがん》している？　心臓《しんぞう》を締《し》めつけられる気がした。恐怖《きょうふ》に震《ふる》えている、かわいそうなランベス。

「お集まりください、みなさん。こちらです」競売人が叫《さけ》んだ。優《やさ》しい陽気な声がホールに響《ひび》き渡《わた》った——けれどその顔にかぶっているのは、狼《おおかみ》のマスクだ。

繰《く》り返すごとに、ランベスの声は大きくなり、ますますパニックにかられていくようだった。

モリガンはかろうじてその言葉を聞き取った。

「呼《よ》んでいる。死にかけている。凍《こお》りついている。燃えている。飛んでいる」ランベスは玉座《ぎょくざ》の上で震《ふる》えながら、同じ言葉を幾度《いくど》となく繰《く》り返していた。「呼《よ》んでいる。死にかけている。凍《こお》りついている。燃えている。飛んでいる」

ホーソーンは眉間《みけん》にしわを寄せた。「どういう意味だろう？」

「最後の商品の競《せ》りをはじめる前に、改めてこのささやかなオークションに来てくださったみなさまにお礼を申しあげます。みなさまはわたしたちが知るかぎり、もっともたちが悪く、もっとも裕福《ゆうふく》な人々ですから、ここにお迎《むか》えできたことを心よりうれしく思っております」ひどい冗談《じょうだん》だったが、人々はどっと笑い、長々と拍手《はくしゅ》をした。ホーソーンがモリガンの腕《うで》をぎゅっとつかんだ。落ち着けとあたしに言っているの？　それとも自分を落ち着かせようとしている？

「最後の商品」モリガンは胸《むね》が締《し》めつけられるのを感じながら言った。「ほかの人たちはもう売れたっていうことね」案の定、近くにいた警備員《けいびいん》たちが太い鎖《くさり》を引っ張ってカデンスの演壇《えんだん》をおろしはじめた。

モリガンは、パニックの冷たい手につかまれた気がした。どうすればいい？　なにができる？　カデンスを助けようとすれば正体がばれてしまい、ランベスを見殺しにすることになる。かといってランベスを助けに行けば――どうにかしてあの高さまでたどり着くことができたとしても――カデンスはその前に連れ去られてしまうだろう。それにオンストールドはどうする？　イスラフェルは？

モリガンはこれほど自分を無力だと感じたことはなかった。〈人でなしの技〉をモリガンに実際に使わせるために、スコールがこの状況《じょうきょう》をお膳立《ぜんだ》てし、どうしようもない立場にモリガンを置いた。けれど、あたしのわずかばかりの力でいまなにができるというの？　ワンダーを呼《よ》ぶことはできる。ろうそくに火をつけることはできる。けれどチャールトン・ファイブを追い払《はら》ったのはスコールの力だし、マニフィカブを変身させたのもスコールだ。あたしにはなにができるの？

ワンダーを呼《よ》べる。モリガンは自分に言い聞かせた。**それならできる。まずはそこから。**

「**〈有明時《ありあけどき》〉の子供《こども》は陽気で優《やさ》しい**」モリガンは静かに歌いだした。声が震《ふる》えている。ホーソーンが驚《おどろ》いて振《ふ》り返った。「**〈宵闇時《よいやみどき》〉の子供《こども》は邪悪《じゃあく》で野蛮《やばん》――**」

「モリガン――？」

「シーッ」モリガンは目を閉《と》じた。ワンダーは応えていない。感じられない。どうして？

「〈有明時《ありあけどき》〉の子供《こども》は夜明けと共にやってくる」

狼《おおかみ》のマスクの競売人は客に呼《よ》びかけている。「さぞお待ちかねだったと思います。そのうんざりするほど重たい財布を開きたくてうずうずされていることでしょう――」

「〈闇宵時《やみよいどき》〉の子供《こども》は風と嵐《あらし》を連れてくる……」

「――それでは、はじめましょう。〈不気味なマーケット〉史上、もっとも期待の高い商品です。ラミア・ベサリ・アマティ・ラ王女」

モリガンは歌うのをやめた。ホーソーンは体を凍《こお》りつかせた。

王女？

「ファー・イースト・サンのラ王家の一員であるラミア王女は、王位継承権《けいしょうけん》第四位です。彼女《かのじょ》が近い未来の予言ができることを知った王家の人々は、我《われ》らが〈輝かしき結社《ワンダラス・ソサエティ》〉の風変りな友人たちに教育を任せようと考えました」人々からやじが飛んだ。「そうすることで、彼《かれ》らはいま国を治めているウィンターシー党《とう》を裏切《うらぎ》ったのです。共和国にいるわたしの情報源《じょうほうげん》によれば、ラミア王女は病弱でベッドに臥《ふ》せっていることになっているそうです。彼女《かのじょ》の祖母である進取的なアマ女王は村の浮浪児《ふろうじ》に金を払《はら》い、王宮で孫娘《まごむすめ》のふりをさせているといいます！」

モリガンは自分の耳が信じられなかった。ランベスはフリー・ステートの住人ではなかった。ウィンターシー共和国にある四つの州のひとつから来た人間だった。モリガンと同じように。ランベスはここにいてはいけない人間だ！　そのうえ、王女さまだ！

「ちょっと上品ぶっていると思っていたんだ」ホーソーンが小声で言った。

「シーッ」

モリガンの父親はウィンターシー党《とう》で働いていたから、それがなにを意味するのか、モリガンには見当がついた。それが本当なら――ランベスが本当にファー・イースト・サンの王家の人間で、ウィンターシー党《とう》の法律《ほうりつ》に反して密出国《みつしゅっこく》したのなら――彼《かれ》らが考えている以上に、ランベスの身は危《あぶ》ない。共和国の人間はフリー・ステートの存在《そんざい》を知ることすら、許されていないのだ。

「**朝の息子はどこに行くの？**」モリガンは歌った。体の震《ふる》えがひどくて、まともに言葉が出てこない。

競売人の言葉が、モリガンの疑念《ぎねん》を裏《うら》づけた。「ウィンターシー党《とう》に見つかれば、ラ王家は大変なことになるでしょう」彼《かれ》が首を切り落とされる真似をすると、人々は面白そうに笑った。「ウィンターシー共和国では、反逆罪はもちろん死刑《しけい》です。つまり、この商品はいっそうの価《か》値《ち》があることになります――可能性は無限です」

「なにかしないと」ホーソーンが言った。「あいつらの気を逸《そ》らせることとか、なにか……なにか！　モリガン、頼《たの》むよ」

けれどモリガンは聞いていなかった。「**風が温かい太陽のもとへ**」ぎゅっと目を閉《と》じ、競売人を、ホーソーンを、醜悪《しゅうあく》な客たちを意識から締《し》め出し、自分のまわりの空気に集中しようとした。「**夜の娘《むすめ》はどこに――**」

モリガンは歌うのをやめた。ワンダーが来ている。集まっている。

最初はごくかすかだった――空気がわずかに波立っているだけだ。指先が小さくうずくだけ。

やがてモリガンは目を開けた。まるで太陽の上に立っているみたいに、世界が金色に明るく輝《かがや》いている。

「ラミア王女の大変貴重《きちょう》で役に立つ天賦《てんぷ》の才を手にいれたあとは」競売人は悪意に満ちた笑みを浮《う》かべた。「彼女《かのじょ》の家族に身代金を要求してもいいですし、脅迫《きょうはく》の種にするために手元に置いておいてもいい。それともウィンターシー党《とう》に売って、ラ王家が転覆《てんぷく》するのを眺《なが》めることもできます！　なんでもお好きにどうぞ。ですが、もちろん価格は高くなります。一五〇〇〇クレドからはじめましょう。どなたかおられますか？」

以前の感覚とは違《ちが》っていた。この部屋で初めてワンダーを呼《よ》んだときは、手のなかの生々しいエネルギーはすぐに彼女《かのじょ》が支配できるものではなくなった。呼《よ》んだはいいもののどうすればいいのかわからなかったし、ワンダーはそのことを知っていた。モリガンにはなにもできないことを、どういうわけかワンダーはわかっていて反抗《はんこう》した。

今回は違《ちが》う。今回は調和していた。

いまモリガンのまわりに集まっているワンダーは、彼女《かのじょ》の意思に同調していた。今夜起きたあらゆること――今年起きたあらゆること――に対するモリガンのもっともな怒《いか》りは、ようやく目的を与《あた》えられたのだ。ミルドメイの強欲《ごうよく》さと裏切《うらぎ》りを思った。死の瞬間《しゅんかん》に人々を閉《と》じこめたマシルド・ラチャンスの残酷《ざんこく》さを思った。人形の糸を操《あやつ》るように、モリガンに終止符《しゅうしふ》を打たせるべく、この悪夢のような場面を演出したエズラ・スコールを思った。天賦《てんぷ》の才を、人の命を売買する権利《けんり》があると考えている人々の平然とした悪意を思った。

一番近くにあったスノードームが砕《くだ》け、その中身が勢いよくホールに流れこんできた。車に乗った若者《わかもの》たちだ。コントロールを失った車は隣《となり》のスノードームに激突《げきとつ》した。

ふたつめのスノードームがそのなかに閉《と》じこめていた悲劇《ひげき》――荒《あ》れ狂《くる》う嵐《あらし》の海に転覆《てんぷく》する船――を床《ゆか》にぶちまけるまで、競売人と入札者《にゅうさつ》たちはなにが起きているかに気づいてすらいなかった。船は床《ゆか》を滑《すべ》り、隣《となり》のスノードームを道連れにした――蜂《はち》の群れに襲《おそ》われた女性だ。そしてつぎのスノードーム――岩石なだれが山小屋の屋根を押《お》しつぶそうとしていた。そしてもうひとつ、さらにもうひとつ。

モリガンは連鎖《れんさ》反応を引き起こしていた。スノードームのなかの悲劇《ひげき》よりも、もっと大きな惨事《さんじ》が起きようとしていることに、モリガンはすぐに気づいた。死の瞬間《しゅんかん》から解放されたスノードームは次々とほかを巻《ま》きこんでいく。ホールはあっという間に大混乱《だいこんらん》になった。暴走する象たちは、人々をふたつに分断した。悲鳴の合唱のなか、ホホジロザメが砕《くだ》けたガラスの檻《おり》から飛び出した。

オークションの客たちは安全な場所を求めて逃《に》げまどったが、混乱《こんらん》は激《はげ》しくなるばかりだった。スノードームは次から次へと割《わ》れていく――怒《いか》れる群衆《ぐんしゅう》、命を賭《か》けた決闘《けっとう》、壮絶《そうぜつ》な戦場。

モリガンは、一瞬《いっしゅん》のうちに恐怖《きょうふ》の場と化したホールを茫然《ぼうぜん》と見つめていた。

あたしはなにをしたの？

気を逸《そ》らそうとしただけなのに。友人たちを助けるだけでなく、スノードームに囚《とら》われた人々を解放して、安らかに眠《ねむ》らせてあげられると思っただけなのに。これはただの破壊《はかい》ではなく――狂気《きょうき》だった。どうやってランベスとカデンスを助けることができるというの？　ふたりの近くに行くことすらできない。自分自身を助けることもできなさそうだ。

「モリガン！」

近くにあったスノードームが割《わ》れて、モリガンがこれまで見たこともないほどの巨大《きょだい》で恐《おそ》ろしい波となってふたりに襲《おそ》いかかってくると、ホーソーンがしっかりとモリガンの体をつかんだ。ふたりは互《たが》いにしがみつき、なすすべもなくただ目の前の大きな水の壁《かべ》を見つめた。押《お》しつぶされるのを待つしかできることはない。とても助からない。

そのときすべてが……止まった。

耳をつんざくような悲鳴、アンニマルたちの咆哮《ほうこう》、押《お》し寄せる水、唐突《とうとつ》にそのすべてが静まりかえった。ふたりの頭の上の津波《つなみ》はほぼ停止しているくらいにまで速度を落とし、その緊張《きんちょう》感《かん》に震《ふる》えているかのようだ。モリガンに聞こえるのは自分の心臓《しんぞう》の音とホーソーンの荒《あら》い息遣《いきづか》いだけだった。

ホールの向こう側から聞こえる弱々しい苦しげな声が沈黙《ちんもく》を破った。

「急げ！　あまり……長くは……もたない」

第二十七章
彼《かれ》ほど素晴らしい歌い手はいない

オンストールド教授は、時計の文字盤《もじばん》にしばりつけられたまままっすぐモリガンを見つめ、濡《ぬ》れたような目で一度だけゆっくりとまばたきをした。

これで二度目だ。オンストールドは時間の流れを遅《おそ》くした。まるで宇宙《うちゅう》の巨人《きょじん》が地球を指で押《お》さえて、自転を止めているかのようだ。

モリガンがオンストールドの類《たぐい》まれな能力を見るのはこれが二度目だったけれど、今回は……今回のほうがはるかに奇妙《きみょう》だった。

前のときは、本や書類や壁《かべ》で時を刻《きざ》む時計、そしてミルドメイとモリガン自身も時間のなかで身動きができなくなった。

けれど今回、あたりの大混乱《だいこんらん》はすべてが凍《こお》りついているにもかかわらず、モリガンには――彼女《かのじょ》にしがみついたままのホーソーンも――その影響《えいきょう》が及《およ》んでいないようだ。津波《つなみ》はふたりの頭上で砕《くだ》けようとしたところで止まっている。目がくらむほどの光と共に雷《かみなり》が落ち、モミの大木は真っ二つになる寸前《すんぜん》だ。マスクをつけたお洒落《しゃれ》な装《よそお》いの人たちが動けなくなっていて、いままさに破滅《はめつ》を迎《むか》えようとしている。天井に届《とど》きそうなほどの高さの氷山が、進路にあるものをなにもかも押《お》しつぶそうとしている。そのすべての盗《ぬす》まれた瞬間《しゅんかん》が巨大《きょだい》な活人画と化していた。巨大《きょだい》なスノードームだ。

「どうなっているの?」ホーソーンの声が、静かなホールに反響《はんきょう》した。呼吸《こきゅう》があまりに激《はげ》しくて速いので、過呼吸《かこきゅう》になるのではないかとモリガンは不安になった。「きみがやったの? 時間を止めたの?」

「ううん」あわただしいハロウマスのせいで、オンストールドの天賦《てんぷ》の才の話をホーソーンにしていなかったことにモリガンは気づいた。「オンストールド教授なの。これが教授の天賦《てんぷ》の才」

ホーソーンはその事実をすんなりと受け止めた。

「それで、どうやってみんなを助ける?」ホーソーンは波の下からモリガンを連れ出すと、逃《に》げようとして固まっているマスク姿《すがた》の客たちのあいだを進んだ。「ぼくがあのチェーンをのぼってランベスのところまで行くから、きみはカデンスを助けるんだ。それから――」

「違《ちが》う」モリガンは立ち止まった。「そうじゃない――ちょっと待って」

ランベスの言葉が頭のなかで繰《く》り返されていた。

呼《よ》んでいる。死にかけている。凍《こお》りついている。燃えている。飛んでいる。

あれは、恐怖《きょうふ》のあまり口走った意味のない言葉じゃなかった。わかっているべきだったのに。

ランベスの心のなかのレーダーはなにかを映《うつ》していた。ランベスはそこで見た奇妙《きみょう》な光景を、彼女《かのじょ》に理解できる形で説明していたのだ。

呼《よ》んでいる。モリガンはワンダーを呼《よ》んだ。

死にかけている。ここにいるだれもが死にかけている。百もの違《ちが》う形で。

凍《こお》りついている。オンストールドは時間を凍《こお》らせた。

残るのは――

「燃えている。飛んでいる」モリガンはつぶやいた。

その言葉を口にしたとたん、モリガンはすべてを理解した。なにをすればいいのかをはっきりと悟《さと》っていた。予言者のランベスがつぎにすべきことを教えてくれていたのだ。

「ホーソーン」モリガンは言った。「カデンスを助けに行って。カデンスの演壇《えんだん》は地面近くまでおろされてる――のぼって、縄をほどいて、彼女《かのじょ》を外に連れ出して。来た道を戻《もど》って、博物館の外に出るの。できるだけ遠くまで行って」

ホーソーンは首を振《ふ》った。「きみはどうするんだ？」

「あたしはまずイスラフェルを助けなきゃいけない。説明している時間はないの」モリガンは強情そうなホーソーンの顔を見て、もっときつい口調で言った。「ホーソーン、行って！　カデンスを助けて。オンストールドはいつまでも時間を止めていられないんだから」

「でもランベスはどうするんだ？　オンストールドは？」

「あたしがなんとかするから。いいから行って」

信じていないことは明らかだったけれど、それでもホーソーンはくるりと向きを変え、混沌《こんとん》の合間を全速力でカデンス目指して駆《か》けだした。

モリガンは、翼《つばさ》の付け根――肩甲骨《けんこうこつ》の中央部分――に結びつけたロープで宙《ちゅう》に吊《つ》るされているイスラフェルを見あげた。

ステップ四。燃えている。

大丈夫《だいじょうぶ》、できる。今夜スコールが屋上に現われる前であれば、決して信じることはなかっただろう。けれどいまはわかっていた――ワンダーがいっしょにいる。モリガンを助けたがっている。

目を閉《と》じ、胸《むね》のなかに閉《と》じこめられた炎《ほのお》を、はじけるエネルギーを思い浮《う》かべた。ゆっくり考えている時間も、うまくいくかどうかを心配している時間もない。心配するようなぜいたくは、いまはできない。モリガンが心を決めると炎《ほのお》は明るさを増した。目を開き、火を噴《ふ》いた。

爽快《そうかい》なほどに正確だった――力の源《みなもと》と完璧《かんぺき》にひとつになっているという感覚。イスラフェルの翼《つばさ》を結わえているロープは、モリガンが狙《ねら》ったまさにその箇所《かしょ》が燃えた。それでもオンストールド教授の力のおかげで、落下することなくそのまま宙《ちゅう》に浮いている。初めての成功に浮《う》き立つような自信が全身を駆《か》けめぐり、モリガンはつぎに彼《かれ》の手首を縛《しば》っているロープを狙《ねら》った。二度めの炎《ほのお》はどうにか――奇跡的《きせきてき》に――願ったとおりの結果を出した。彼《かれ》の肌《はだ》を焦《こ》がすことすらなかった。

猶予《ゆうよ》はない。時間そのものが揺《ゆ》れているように、空気が震《ふる》えるのが感じられた。オンストールドの力はもうそれほど長くはもたないだろう。

「イスラフェル」モリガンは力強い声で呼《よ》びかけた。自分の声が聞こえていることも、まわりでなにが起きているのかに彼《かれ》が気づいていることもわかっていた。オンストールドの教室で、彼女《かのじょ》自身が経験している。世界が止まり、体も動かなかったけれど、頭のなかは影響《えいきょう》を受けなかった。「よく聞いてください。まもなく体が動くようになります。そうしたらランベス――ラミア王女のところまで飛んでいって、彼女《かのじょ》をここから連れ出してほしいんです」モリガンはランベスの演壇《えんだん》を示した。もちろんイスラフェルはなにも答えなかったけれど、彼《かれ》が理解していることは間違《まちが》いない。濃《こ》い茶色の目はじっとモリガンを見つめている。

ぜいぜいとあえぐ声がうしろから聞こえた。ホーソーンが、半分ひきずり、半分抱《かか》えるようにして彫像《ちょうぞう》のようなカデンスを連れて戻《もど》ってきていた。

「外に逃《に》げてって言ったのに――」

氷山がきしむ身の毛がよだつような音にモリガンの声はかき消された。まるで世界が終わろうとするかのような音だ。時間が再び動きはじめていた。いまはごくゆっくりだが、次第にスピードを速めている。

「行って！」モリガンはホーソーンを怒鳴《どな》った。

「いやだ！」ホーソーンは譲《ゆず》らなかった。「きみを置いてはいかないよ」

カデンスは徐々《じょじょ》に自分を取り戻《もど》しはじめていた。ぐらぐらと体が揺《ゆ》れ、危《あや》うく巻きぞえになって転びかけたところでホーソーンが受け止めた。

頭上で羽ばたく音がした。イスラフェルも動けるようになって、宙《ちゅう》を飛んでいるのだ。モリガンに言われたとおり、まっすぐランベスの演壇《えんだん》に向かっている。

「ホーソーン、行って」モリガンは再度促《うなが》した。「カデンス、ホーソーンをここから連れ出して。わたしは大丈夫《だいじょうぶ》だから。すぐにあとから行く。約束する」

ホーソーンはぎゅっと唇《くちびる》を結び、青い顔でモリガンを見つめていたが、やがて渋々《しぶしぶ》うなずくと、カデンスと一緒《いっしょ》に控《ひか》えの間へと走っていった。

もちろん嘘《うそ》だった。大丈夫《だいじょうぶ》なはずがない。

けれど、やるほかはなかった。老いたオンストールド教授はモリガンを嫌悪《けんお》しているにもかかわらず、最後に残った力を振《ふ》り絞《しぼ》って、モリガンと友人たちを助けるために時間を止めてくれたのだ。そのオンストールドをどうして残していけるだろう？

「いま行きます」勢いを取り戻《もど》しつつある混乱《こんらん》のなか、どうやってあそこまで行こうかと考えながらモリガンはオンストールドに呼《よ》びかけた。オンストールドの演壇《えんだん》を動かす鎖《くさり》のところまでたどり着けたら……それからどうする？　わからなかった。

雷《かみなり》に打たれた木が目の前に倒《たお》れてきて、モリガンは悲鳴をあげた。頭を直撃《ちょくげき》されるのは免《まぬが》れたものの、オンストールドがいる側に行く道をふさがれた。

オンストールドはかろうじて頭を持ちあげた。モリガンを見つめ、しわだらけのがさがさした口からひとことだけ絞《しぼ》り出した。

「逃《に》げろ」

モリガンは首を振《ふ》った。頭が混乱《こんらん》している――彼《かれ》を助ける方法があるはずだ。絶対に！

オンストールドは力なくうなずいた。どんどん弱っている。

「行け！　逃《に》げろ」彼《かれ》が命じた。

モリガンは落胆《らくたん》した。絶望の涙《なみだ》でまぶたの裏《うら》が熱くなった。あそこまで行くのは無理だ。オンストールドはもう助からない。彼《かれ》もそれを知っていて、モリガンを道連れにするまいとしている。あたしを助けようとしている。

ふたりは最後に見つめあい、それから、モリガンはきびすを返して走りだした。怪物《かいぶつ》の巣窟《そうくつ》から逃《に》げだすネズミのように、メインホールのすさまじい混乱《こんらん》のなかを体をかがめて小走りに駆《か》け抜《ぬ》ける。控《ひか》えの間を通りすぎ、玄関《げんかん》ホールからひんやりした夜のなかへと走り出た。一ブロック先で身を寄せ合い、息を整えようとしているホーソーンとカデンスに合流するまでモリガンは足を止めなかった。ひと握《にぎ》りのオークションの客たちも逃《に》げ出していて、あたりの暗い通りに姿《すがた》を消した。

モリガンは博物館を振《ふ》り返った。あのなかは危険《きけん》と惨事《さんじ》に満ちているというのに、ここからではその気配すら感じられない。内部の混乱《こんらん》が終息し、スノードームから解放された人々がようやく安らげるのはいつになるだろうとモリガンは考えた。

羽ばたきの音が水を打ったような静けさを破った。ランベスを抱《だ》いたイスラフェルがモリガンの隣《となり》にふわりと着地した。ランベスはひどく動揺《どうよう》していたけれど、無傷《むきず》だ。

「ありがとう」モリガンは荒《あら》い息をつきながらお礼を言った。「〈隠密《おんみつ》〉を……呼《よ》んでこなければいけないの。手を貸してもらえますか？」

「きみたちはここから離《はな》れなくてはいけない」イスラフェルが言うと、ホーソーンとカデンスはぎくりとした。彼《かれ》の話し声はモリガンの記憶《きおく》どおりだった。失くしたものを思い出させるような声。黒い翼《つばさ》に走る金色の筋《すじ》に博物館から漏《も》れる光が反射《はんしゃ》して、彼自身《かれじしん》が光を放っているように見えた。疲《つか》れているようだ。あの夜、オールド・デルフィアン音楽堂でジュピターが言っていたことを思い出した。イスラフェルのような人間は人の感情を取りこむんだ。「みんな一緒《いっしょ》に、ホテル・デュカリオンに帰りたまえ。それから——よく聞いて、大切なことだ——走っているあいだ、耳をふさいでいるんだ。両手でしっかりと耳を押《お》さえて、少なくとも三ブロック離《はな》れるまでは、そのままにしていなくてはいけない。わかったかい？」

モリガン以外は面食らったような顔をしながらもうなずいた。

一行は走りだした。三人の背中《せなか》を追いかけていたモリガンは、ふと足を止めた。

本当にこのまま帰ってもいいんだろうか？〈盗《ぬす》まれた瞬間《しゅんかん》の博物館〉は崩壊《ほうかい》しようとしている。魔法《まほう》が閉《と》じこめていた様々な死のシーンは、ドミノ倒《だお》しになった。なかにいたオークションの客たちは……彼《かれ》らは最悪の人間だとわかってはいたけれど、それでも……こんな最期を迎《むか》えるほどのことをしただろうか？　他人の惨事《さんじ》に巻《ま》きこまれるのを放っておくの？　あたしはなにかするべきじゃない？

それにオンストールド教授は？　この数か月、彼《かれ》はモリガンを非難《ひなん》し、〈ワンダー細工師《さいくし》〉がどれほど邪悪《じゃあく》かを語り続けてきた——それでも最後はモリガンと友人たちのために、自分を犠牲《ぎせい》にした。自分の命よりも〈ワンダー細工師《さいくし》〉の命を救うことを選んだのだ。

「モリガン・クロウ」その声に振《ふ》り返ると、イスラフェルが翼《つばさ》をリズミカルにゆっくりとはばたかせながら、ふわりと宙《ちゅう》に浮《う》いていた。その顔は険《けわ》しかったけれど、モリガンを見つめる目には優《やさ》しさと……なにかがあった。モリガン自身、途方《とほう》に暮《く》れることがしばしばあったから、彼《かれ》が困惑《こんわく》していることがわかった。「きみは今夜わたしの命を助けてくれた。きみに借りができた」イスラフェルは口を一文字に結んでモリガンを見つめた。もっとなにか言いたいのだけれど言うべきかどうかわからないのか……それともふさわしい言葉が見つからないのかもしれない。彼《かれ》は深々とため息をついた。「このことは〈結社《ワンソック》〉の人間には話さないほうがいい。わたしはきみに借りを作るべきではなかった」

モリガンはなにを言えばいいのかわからなかった。

「ことが複雑になる。わかるだろう？」イスラフェルは意味ありげな表情を浮《う》かべた。「わたしたちどちらにとっても」

モリガンにはわからなかったけれど、イスラフェルはすでに宙《ちゅう》に舞《ま》いあがり、窓《まど》でちらちらと明かりが揺《ゆ》れている博物館のほうへと戻《もど》り始めていた。ガラスが割《わ》れる音が聞こえ――またスノードームが割《わ》れたのだろう――鮮《あざ》やかなオレンジ色の火の球が崩《くず》れる波に飲みこまれた。窓《まど》からしみ出す煙《けむり》は悪魔《あくま》のようだ。かすかに聞こえる悲鳴に、モリガンのうなじの毛が逆立った。

「どこに行くの？」モリガンはイスラフェルに呼《よ》びかけた。涙《なみだ》がこみあげてきて、声が喉《のど》にからみついた。イスラフェルはあのなかに戻《もど》るつもり？　あの大混乱《だいこんらん》に彼《かれ》も囚《とら》われてしまうの？

「あの人たちを助けるつもりですか？」

「いいや」イスラフェルが答えた。「彼《かれ》らは助けるに値《あたい》しない」風に乗って運ばれてきた低い悲しげな声は、自分でもあることを知らなかったモリガンの心の一部に突《つ》き刺《さ》さった。

「それならいったい――」

「帰るんだ」

通りの向こうでホーソーンとカデンスとランベスがモリガンの名を呼《よ》んでいるのが聞こえた。モリガンは両手で耳を押《お》さえ、向きを変えて走りだそうとしたけれど、再び足を止めた。振《ふ》り返ると、イスラフェルが博物館の階段《かいだん》に舞《ま》い降《お》りるところだった。ドア口から漏《も》れる雷《かみなり》の光に、黒い人影《ひとかげ》が浮《う》かびあがった。彼《かれ》はなにをするつもりだろうとモリガンは考え、そして……思いだした。

彼《かれ》ほど素晴らしい歌い手はいない。

あの夜、オールド・デルフィアン音楽堂でジュピターが言ったことを思い出した。完璧《かんぺき》で完全な平穏《へいおん》をもたらしてくれると、ジュピターは言っていた。孤独《こどく》や悲しみは遠い記憶《おく》で、心は満たされていて、世界に二度と失望することはないという気になるんだ。

イスラフェルは彼《かれ》らを救えない。

歌うことしかできない。

イスラフェルの歌は聴《き》かないようにとジュピターは言った。聴《き》いてはいけないとモリガンはわかっていた。

けれどこのチャンスを逃《のが》したら、つぎはあるだろうか？

モリガンは耳を押《お》さえていた手をおろした。彼女《かのじょ》の名を呼《よ》ぶ友人たちの声に混じって、波や大砲《たいほう》の音に混じって、新たに聞こえてきた近づいてくるサイレンの音に混じって……イスラフエルの甘《あま》く天上のもののような声を初めて聴《き》いた。

ほんの一瞬《いっしゅん》だった。ほんのひと声だった。

そのひと声のことを思い出そうとしたとき――何日も何週間も何年もたってから――蘇《よみがえ》ってくるのは冬の最中《さなか》の太陽の暖かさや、顔も知らない母親に抱《いだ》かれる感触《かんしょく》だろう。生きるものを一度も傷《きず》つけたことがないし、傷《きず》ついたこともない、これからもありえないという喜びに満ちた確信や、雨あがりの土の香りだろう。

そのあとのことも思い出すに違《ちが》いない。石畳《いしだたみ》を駆《か》けてくる足音と、素早く耳を覆《おお》ってすべての音を遮断《しゃだん》した力強い手の感触《かんしょく》。見あげた先にあった、大きな青い目ともじゃもじゃの赤い髪《かみ》。

もう安心だと知って、意識を失う瞬間《しゅんかん》のほろ苦い感覚。

第二八章
窓《まど》を閉《と》じる

「五人逮捕《たいほ》した。暇《ひま》をもてあました金持ちが数人といかがわしい政治家がひとり」ジュピターはため息をついた。「もっと大勢いたんだが、あの混乱《こんらん》のなかでまんまと逃《に》げられてしまった。まるでゴキブリだよ。逮捕《たいほ》した人間に尋問《じんもん》しても、刺激《しげき》を求めて行っただけだと主張するばかりだ。だれひとりとして、競《せ》りに参加したとは言わないだろうな」

ジュピターは〈煙《けむり》の応接室〉のデイベッドにごろりと転がった。壁《かべ》は優《やさ》しいレモン色の煙《けむり》(ドアに貼《は》ってあるスケジュールによれば、〝頭をはっきりさせ、生への熱意を高める〟らしい)を吐《は》き出していて、そのおかげでモリガンの頭のなかの霧《きり》もゆっくりと晴れてきていた。あれほどの大惨事《だいさんじ》のあとだったから、モリガンの生への熱意には少しばかり刺激《しげき》が必要だ。いまは、ただ壁《かべ》を見つめることと団子《だんご》入りチキンスープを食べることにしか興味を持てない。

ジュピターはレモン色の煙《けむり》を大きく吸《す》いこみ、疲《つか》れた様子で目をこすった。ランベスとカデンスとホーソーンをそれぞれの家に送っていき、モリガンをデュカリオンに連れ戻《もど》したあと、ジュピターは〈隠密《おんみつ》〉の捜査《そうさ》に協力するために、またすぐ〈不気味なマーケット〉に戻《もど》っていったのだ。いまは昼過ぎだったが、彼《かれ》は一睡《いっすい》もしていなかった。

デュカリオンの屋上で催眠《さいみん》のような状態から覚め、モリガンとホーソーンがいなくなっていることに気づいたジュピターは、〈不気味なマーケット〉が関わっていると即座《そくざ》に悟《さと》った。考えられるあらゆる人間——〈探検者同盟《たんけんしゃどうめい》〉の仲間、ユニットのメンバー、フェネストラ、フランク、ケジャリー、デイム・チャンダー、マーサ、チャーリー、ジャック——を呼び集め、〈カメムシ〉と〈隠密《おんみつ》〉と共に町中のもっとも暗く、もっとも秘密《ひみつ》めいていて、もっとも危険《きけん》な場所を調べた。どれも徒労《とろう》に終わったが、〈盗《ぬす》まれた瞬間《しゅんかん》の博物館〉の所在地を告げる匿名《とくめい》の垂《た》れこみがあった。さびれて荒廃《こうはい》した地域《ちいき》の入り組んだ裏通《うらどお》りの奥《おく》に、それはあった。通報したのがだれなのかはわからないままだ。おそらくスコールだろうとモリガンは思ったが黙《だま》っていた。

モリガンは立ちあがって、ジュピターに紅茶《こうちゃ》を注いだ。「でも逮捕《たいほ》された人たちは刑務所《けいむしょ》に行くんでしょう？」

ジュピターはモリガンが差し出したカップをありがたく受け取った。モリガンはジュピターの向かいの肘掛《ひじか》け椅子《いす》に座《すわ》り、クッションを抱《だ》きかかえた。「彼《かれ》らを告発する容疑《ようぎ》がないんだよ、モグ。不正行為《こうい》をしていたという証拠《しょうこ》がなにもない。金のやり取りをしていたという記録がないんだ。ブラックマーケットは違法《いほう》だが、実際の取引の証拠《しょうこ》がない——博物館が破壊《はかい》されてしまったからね。彼《かれ》らはみんな、ただのパーティーだと思っていたと言っているんだ」ジュピターは喉《のど》の奥《おく》でうなるような声を立てた。「くずどもだ」

「ミルドメイは？」

「あいつもくずだ」ジュピターは苦々しい顔になった。「いなくなった。跡形《あとかた》もなく姿《すがた》を消した」

「〈煙《けむり》と影《かげ》のハンター〉」モリガンはそれしか言わなかった。あの夜のことはすでにジュピターに話したけれど、彼《かれ》がそのうちのどれくらいを〈隠密《おんみつ》〉に伝えたのかはわからない。「ハンターたちは……」そのあとを言葉にすることはできなかった。なにを言うつもりだったのかも、自分でよくわかっていなかった。ミルドメイを殺したと思う？　ネバームーアから追い出したと思う？

「おそらくね」ジュピターはモリガンが言葉を濁《にご》したことに気づかないふりをして言った。「証拠《しょうこ》はなにも見つからなかったが……」ジュピターもその先の言葉を呑《の》みこみ、ごまかすように紅茶《こうちゃ》を飲んだ。「なんとも言えないよ。うまく逃《に》げたのかもしれない。利口な男なら――彼《かれ》がかなりずる賢《がしこ》いことは確かだ。あれだけの人間をだましていたんだからね――いまごろは遠くまで逃《に》げているだろうし、これからも逃《に》げ続けるだろう。だが心配いらないよ、モグ。〈隠密《おんみつ》〉はあきらめていないからね。いずれは彼《かれ》を見つけて、裁《さば》きを受けさせるさ」

モリガンはしばらく無言だった。「あたしはミルドメイが好きだったの。知る……前は」

「わかっている」

「お気に入りの先生だった」

「ふたりの先生のうちのね」ジュピターが指摘《してき》した。「でも、わかるよ」

モリガンが頭のなかを整理しているあいだに、ジュピターはほとんど紅茶《こうちゃ》を飲み終えていた。

「あたしに優《やさ》しくしてくれた」モリガンはようやく口を開いた。「ミルドメイは。面白かったし、授業は楽しかったし、あたしにも得意なことがあるんだって思えた。オンストールド教授は……あたしを憎《にく》んでいた。ずっとひどい態度で、あたしは自分がひどい人間みたいな気にさせられた」喉《のど》にできた塊《かたまり》をごくりと飲みこんだ。「でも、ミルドメイは〈不気味なマーケット〉を開いていた。あたしたちみんなを裏切《うらぎ》っていた。オンストールドはあたしの命を助けてくれた」

ジュピターは黙《だま》って聞いていた。

「どうしても……理解できないの」モリガンは顔をしかめてジュピターを見た。どう説明すればいいのかわからなかったけれど、ジュピターは促《うなが》すようにうなずいた。「同じ人がしたこととは思えない。ミルドメイもオンストールドも」

「ぼくにはなにも言えないよ、モグ」ジュピターはため息をついた。「勇敢《ゆうかん》ないじめっ子もいれば、親切な臆病者《おくびょうもの》もいる」

「最後は親切じゃなかったけど」モリガンは、正体がばれたときにミルドメイがどんなふうに肩《かた》をすくめたかを思い出していた。あの恥《は》ずかしそうな笑顔を。きみはいつだってだれよりも**気配りのできる生徒だったからね**。「人間のくず」

ジュピターは立ちあがり、うろうろと歩きはじめた。鼻の付け根をつまんだ。「ぼくがわからないのは、スコールはネバームーアに入ることもできないのに、どうやってこれだけのことを企《たくら》んだかなんだ。やつが〈クモの糸〉を使っているのは間違《まちが》いないいんだね？」

「うん」モリガンは答えた。「言ったでしょう？　ミルドメイが手伝っていたんだって」

「〈不気味なマーケット〉はそうだ。だが……きみが説明したようなことは、ミルドメイにはできない。屋上でぼくたちを操《あやつ》ったみたいなことは。彼《かれ》はあの場にすらいなかったってきみは言ったね？」

「そう」スコールに聞かされたことを思い出して、モリガンは胸《むね》の内側をなにかにつかまれた気がした。「ジュピター、あたしなの。スコールは……あたしが窓《まど》を作ったんだって言っていた」

ジュピターは足を止めた。「窓《まど》？」

「ネバームーアに入るための窓《まど》。あたしは〈人でなしの技〉の使い方を知らないから、あたしのまわりに集まっているワンダーには行き場がないんだって。ものすごく明るくなっているから、〈クモの糸〉を通じて少し押《お》してやるだけでよかったって。スコールはそうやって、あたしを通じてワンダーを利用していたの。最初に〈不気味なマーケット〉に行ったとき、マニフィカブがああなったのもそれで説明できる。あれはあたしだった。っていうか……あたしを通してスコールがしたことだった。屋上でみんなを操《あやつ》ったのも、それに……」モリガンは言葉を切った。ヘロイーズと手裏剣《しゅりけん》のことはジュピターに話していない。けれどモリガンがそれ以上言う前に、ジュピターがうめいた。

「ばかだ」ジュピターはデイベッドにがっくりと座《すわ》りこんだ。両手で顔をこすっているせいで、声がこもっている。「ばかだ、本当にばかだ」

「だれのこと？　スコール？」

「違《ちが》う、ぼくだ。わかっていたのに」ジュピターは赤紫色《あかむらさきいろ》に染《そ》まった顔で、漠然《ばくぜん》とモリガンに向けて手を振《ふ》った。「きみ。ワンダー。臨界質量《りんかい》。きみのまわりにどんどん増えているのはわかっていた――あまりにまぶしくて、フィルターをかけなきゃいけないことも時々あった。そうしないと、きみを見ているだけで目がつぶれそうだった」

モリガンの目が倍の大きさになった。「そんなことができるの？」〈目撃者《もくげきしゃ》〉としてのジュピターの能力の幅《はば》と深さは、いまだに謎《なぞ》だ。

「ああ、できる。なのにぼくはなにもせずに、無視《むし》していたんだ」ジュピターは額《ひたい》にしわを寄せ、モリガンを見つめてため息をついた。「若《わか》い〈ワンダー細工師《さいくし》〉には普通《ふつう》のことなんだろうと思っていた。モグ、信じてほしい、どういうことになるのか、ぼくにはまったくわかっていなかったんだ。スコールが――」

「そんなことわかってる！」モリガンが遮《さえぎ》っていった。「ばかなこと言わないで。あなたのせいじゃない」

「いや、ぼくのせいだ――少なくとも一部は。きみがどれほど危険《きけん》な立場にいるのか、わかってなきゃいけなかった。スコールがきみを利用するだろうと気づいていなきゃいけなかった。目の前に起きていることに集中しているべきだったのに、ここ数か月、ぼくはほかのこと――

カシエルとパキシマス・ラックとアルフィー・スワン——ばかりに気を取られていたんだ」

「カシエル!」モリガンは背筋《せすじ》を伸《の》ばした。「彼《かれ》のこと、すっかり忘《わす》れていた! どうなったの? パキシマス・ラックは?」

「〈隠密《おんみつ》〉はパキシマスの手がかりはつかんだ。共和国の国境を越《こ》えて追っているよ——これは極秘だけれどね。だがカシエルについては」ジュピターは困惑《こんわく》したように肩《かた》をすくめた。

「さっぱりわからない。限度額以上に〈探検者同盟《たんけんしゃどうめい》〉の資金を使って、王国の内外で彼《かれ》を探《さが》してみたんだが。いまは〈天空観察グループ〉に任せてある。ぼくたちほど力の及《およ》ぶ範囲《はんい》は広くないが、彼《かれ》らは空を調べられるからね。情報はくれることになっている」

「それじゃあ、カシエルが行方不明になっているのは、スコールや〈不気味なマーケット〉とは関係ないって考えているの?」

ジュピターはすぐには答えなかった。レモン色の煙《けむり》を吸《す》いながら、しばらく床《ゆか》を見つめていた。

「そうだ」ようやくジュピターが口を開いた。「関係ないと思っている」

「イスラフェルは落ちこんでいる? ふたりはいい友人なの?」

「カシエルは誰《だれ》の友人でもないんだ」ジュピターはひゅっと息を吸《す》うと、我《われ》に返ったかのように背筋《せすじ》を伸《の》ばし、話題を戻《もど》した。「どうにもわからない。どうしてスコールはあれだけで我慢《がまん》したんだ? 本当にきみがネバームーアに入るための彼《かれ》の窓《まど》だったなら——きみを通して力を使えたなら——ほぼどんなことでもできたはずだ! 恐《おそ》ろしい犯罪を犯すことも、きみをネバームーアから出ていかせることも！」そのことに気づいて、ジュピターは目を見開いた。「いい、まやつはどこにいる？　どうしてきみを解放したんだろう？」

午前中ずっとモリガンはそのことを考えていた。「スコールはおかしなことを言っていた」

「面白いっていう意味かい？　それとも――」

「妙《みょう》だっていうこと。スコールとあたしには共通の敵《てき》がいるって言っていた」モリガンは眉間《みけん》にしわを寄せて、スコールの言葉を思い出そうとした。「あたしは、スコールが望むとおりの〈ワンダー細工師《さいくし》〉になる自由を与《あた》えられるべきだって言った。まもなく、恐《おそ》ろしいことが起きるからって。それに、あたしに力の使い方を教えれば窓《まど》が閉《と》じてしまうけれど、長期的な計画のほうが大切なんだって。あたしには生きていてもらう必要があるとも言っていた」

「モグ」ジュピターは硬《かた》い声で言った。「スコールはきみを惑《まど》わそうとしているんだ。恐《おそ》ろしい敵《てき》があたりをうろついていて、きみにはその敵《てき》を倒《たお》す手助けができると信じこませようとしている。スコールはきみを怯《おび》えさせたいんだ。そうすればその恐怖《きょうふ》を使ってきみを支配できるから」

「わかってる」モリガンは実際に感じている以上に確信に満ちた声で応じた。肘掛《ひじか》け椅子《いす》の上で向きを変え、一方の肘掛《ひじか》けの上からだらりと脚《あし》を垂《た》らした。「でも、〈クモの糸〉の窓《まど》のことは正しいんでしょう？　スコールが二度と窓《まど》を使えないように、あたしは〈人でなしの技〉をきちんと学ぶべきかもしれない」

ジュピターはなにも言わなかったけれど、突如《とつじょ》として活気づいたのがわかった。なにか思いついたのだろう、目がきらきらと輝《かがや》いている。

「ジュピター？」モリガンが声をかけた。

ジュピターは勢いよく立ちあがった。「傘《かさ》を取っておいで」


プラウドフット・ハウスに向かうあいだにこれからなにをするつもりなのかをジュピターから聞かされたモリガンは、去年の〈特技披露審査《とくぎひろうしんさ》〉のときのような、〈闇宵時《やみよいどき》〉に死ぬのを待っていたときのような、毒蛇《どくへび》がいっぱいにはいったバケツに片手《かたて》を突《つ》っこんだときのような、吐《は》き気がしそうなほどの不安でいっぱいだった。

ジュピターは、スカラー・ミストレスのオフィスのドアを強くノックした。返事を待とうともせずなかに入り、部屋で唯一《ゆいいつ》の机《つくえ》の向こう側に立っているミズ・ディアボーンにつかつかと近づいていく。モリガンは、スカラー・ミストレスと決して目を合わさないようにしながら、そのうしろをそろそろとついていった。

「ミセス・マーガトロイドと話がしたいんです」

ディアボーンは驚《おどろ》いたようにジュピターを見つめている。「なんですって？」

「マーガトロイド。彼女《かのじょ》と話がしたい。いますぐに」モリガンは、ジュピターの顎《あご》の筋肉《きんにく》がぴくぴくしていることに気づいた。かろうじて礼儀《れいぎ》を保っているけれど、それにもひびが入りはじめている。「緊急《きんきゅう》なんです」

「見てわかるでしょうが、彼女《かのじょ》はいません」ディアボーンは冷たい声で応じた。

「マーガトロイド」ジュピターはまっすぐディアボーンを見つめながら繰《く》り返し、パンと手を叩《たた》いた。「マーガトロイド！　あなたがそこにいるのはわかっているんだ。出てきてください。話がしたい」

モリガンは顔をしかめた。ジュピターはなにをしているの？　殺されたいの？

「ノース大佐、よくもそんなことを！」ディアボーンは険《けわ》しい口調で言った。「彼女《かのじょ》だろうとわたしだろうと、そんな要請《ようせい》に応じると思うのなら――」

「ぼくがどう思っているかを教えましょうか」ジュピターの大声に、オフィスの前を通りかかった〈結社《ワンソック》〉のメンバー数人が、興味深そうな視線《しせん》をこちらに向けた。「あなたはこの一年、ぼくの生徒の教育を妨害《ぼうがい》して駆《か》け引きをしてきた。〈ワンダー細工師《さいくし》〉に対するあなたの根拠《こんきょ》のない恐怖《きょうふ》は、あなたが想像もできないくらいモリガンに害を及《およ》ぼした――彼女《かのじょ》を、〈輝かしき結社《ワンダラス・ソサエティ》〉のほかの人々を危険《きけん》にさらしたんです。そのうえ、後援者《こうえんしゃ》とスカラー・ミストレスのあいだにあるべき信頼《しんらい》まで壊《こわ》した。ぼくは今後、モリガンの教育についてはもっと口を出させてもらいます。マーガトロイド、出てきてください」

「やめて――マリス、だめ――」

ディアボーンの顔が歪《ゆが》んだ。不快そうに首をまわし、全身の筋肉《きんにく》を震《ふる》わせ、手の指に力をこめた。骨《ほね》がぽきぽき、ばきばきと鳴る聞き慣れた音がして、恐《おそ》ろしいマーガトロイドが唐突《とうとつ》に現われた。ひび割《わ》れた紫色《むらさきいろ》の唇《くちびる》が、笑みとも脅《おど》しともどちらとも取れる表情を作っている。落ちくぼんだ灰色《はいいろ》の目を細くして、ジュピターを見つめた。

い？」

「無礼だね」〈不可解なスカラー・ミストレス〉はしわがれた声で言った。「なにが望みだ

ジュピターはいささかもためらわなかった。「モリガンはあなたの学校に入れるべきだと言いましたよね。あの日〈長老の間〉で、ぼくたちではだめだと」

マーガトロイドは疑《うたが》わしそうに下唇《したくちびる》を突《つ》き出した。「そうだったかね？」

「そうです。だれかがモリガンに〈人でなしの技〉を教えなくてはいけないと、あなたは言った。あなたは正しかった。い、い、い、い、より危険な存在から学ぶ前に、〈輝かしき結社《ワンダラス・ソサエティ》〉のだれかが教えなくてはいけないと」ジュピターは意味ありげにマーガトロイドを見た。「ぼくの言っている意味が――」

「彼《かれ》が戻《もど》ってきたということだね」マーガトロイドはモリガンに直接尋《たず》ねた。「スコール。あんたに会いに来たんだね？」

モリガンはマーガトロイドの濁《にご》った灰色《はいいろ》の目に鋭《するど》く見つめられて、思わず顔を背《そむ》けた。代わりにジュピターを見ると、彼《かれ》はうなずいた。

「は、はい」

「あんたになにかを教えた、そうだね？」

「は、はい」

マーガトロイドはそれを聞いても驚《おどろ》いた様子も、怯《おび》えた様子も見せなかった。尖《とが》った茶色い歯のあいだから息を吸《す》っただけだ。「だと思った。あんたが〈不気味なマーケット〉を中止さ

せたと聞いたからね。なにか厄介《やっかい》なことを学んだんだろうと思っていた」モリガンは非難《ひなん》とも取れる言葉を聞いてむっとしたけれど、マーガトロイドは満足そうに小さくうなずいて言った。

「いいことだ」

「えーと……ありがとうございます」

マーガトロイドはため息をつくと、嘲笑《あざわら》うようにプラウドフット・ハウスのドアを眺《なが》めた。

「だからわたしは警告《けいこく》したんだ。ばかな老いぼれ三人組。こういうものを押《お》しこめようとしても災《わざわ》いを招《まね》くだけだと、最初から言ったのに。花火がいっぱいに入った壺《つぼ》に蓋《ふた》をするみたいなもんだ。危険《きけん》だよ」

「それじゃあ、彼女《かのじょ》を引き受けてくれますね？」ジュピターが念を押《お》した。「モリガンがディアボーンの学校の一員じゃないことはあなたもわかっているはずです。彼女《かのじょ》はぼくたちと同じ、〈不可解な技能の学校〉に属しているんだ」

モリガンは恐怖《きょうふ》に胃《い》をつかまれた気がした。ジュピターが彼女《かのじょ》にとって最善《さいぜん》のことをしてくれているのはわかっているけれど、でも本当にこれがいい考えだと思っているんだろうか？スカラー・ミストレスがディアボーンだというだけでも充分《じゅうぶん》なのに、マーガトロイドのほうがもっと恐《おそ》ろしいことは、全世界が賛成してくれるはずだ。

それでも。その恐怖《きょうふ》には、ごくかすかなべつの感情も混じっていた。それが正しいとどこかでささやく小さな声。つまるところ、〈ワンダー細工師《さいくし》〉でいることのどこがありふれているというのだろう？

マーガトロイドも同じことを考えていたようだ。「まあ……この子は〈不可解な技能〉ではないね」

「〈俗世《ぞくせ》の技能〉でもありません」ジュピターが淡々《たんたん》と応じた。

「確かに」マーガトロイドは品定めするようにモリガンを眺《なが》め、鼻を鳴らした。ぐっと顔を寄せ──モリガンは寄せすぎだと感じた──神経を逆なでするようなざらざらした声で言った。

「グレゴリア・クインは、あんたをあの神聖《しんせい》な殿堂《でんどう》にしまいこんでおけると思った。そうすれば、フリー・ステートにとって問題にはならない、〈輝《ワンダラス・》かしき結社《ソサエティ》〉が片付《かたづ》けなきゃならない面倒《めんどう》にはならないと。ばかだと言ったんだ──爆竹《ばくちく》は見えるところに置いておくのが、一番安全なんだよ」

〈輝《ワンダラス・》かしき結社《ソサエティ》〉が片付《かたづ》けなきゃならない面倒《めんどう》。モリガンはその言い方も気に入らなかったので、まばたきもせずにマーガトロイドの顔をじっと見つめた。

「ふむ」マーガトロイドはしっかりとうなずいた。「いいだろう。わたしがこの小さなけだものを預《あず》かるよ」

モリガンはそのことをどう受け止めるべきかわからずにいたけれど、ジュピターの体からは力が抜《ぬ》け、深々と安堵《あんど》のため息を漏《も》らした。

「ありがとうございます、スカラー・ミストレス」

マーガトロイドは、しなびた手をどうでもいいと言うようにひらめかせて、ふたりを追い出した。ジュピターと一緒《いっしょ》に廊下《ろうか》を歩いていると、マーガトロイドの魔女《まじょ》のような笑い声が聞こえてきた。

「おやおや、ダルシーはさぞ怒《おこ》るだろうねえ」

第二九章
最後の要求

翌朝《よくあさ》、〈結社《ワンソック》〉の全員が、プラウドフット・ハウスの裏《うら》にあるきれいに刈《か》りこまれた庭園に呼《よ》び集められた。クイン長老、ウォン長老、サガ長老がいかめしい顔でバルコニーに現われた。

「もっとも年を重ねた教員であり、〈結社《ワンソック》〉の名誉《めいよ》あるメンバーでもあるヘミングウェイ・Q・オンストールド教授が悲劇的《ひげきてき》な死を遂《と》げられたことは、みなさんすでにご存《ぞん》じでしょう」

クイン長老はマイクを使っていて、その声は隅々《すみずみ》まではっきりと届《とど》いた。「素晴らしい勇気と自己犠牲《じこぎせい》の精神を見せてくれたオンストールド教授に、大いなる感謝を捧《ささ》げましょう。また、〈不気味なマーケット〉の存在《そんざい》と、そこに出品するために〈結社《ワンソック》〉のメンバーを誘拐《ゆうかい》していたのが、わたくしたちの仲間のひとりだったという許しがたい事実を知らない人間は、もうここにはひとりとしていないはずです」

怒《いか》りに満ちた低いざわめきが起きた。

ミルドメイを許す者はひとりもいないと言っていいだろう。少なくとも、モリガンと友人たちは許さない。ここよりは、〈煙《けむり》と影《かげ》のハンター〉と一緒《いっしょ》にいるほうが彼《かれ》にとっては安全かもしれない。

ホームトレインを降《お》りたユニット九一九の生徒たちはまっすぐここに来て、小さく固まった。モリガンとホーソーンはほかの生徒たちにせがまれて、ハロウマスの夜の話をすでに一〇回はしていたけれど、話の一部については何度でも聞きたいらしかった。もちろんモリガンはエズラ・スコールには触《ふ》れず、すべてはミルドメイがひとりで画策《かくさく》したことだと思わせるようにした。

ミス・チェリーはモリガンたちのそばを離《はな》れなかった。この二日間というもの、カデンスとランベス、そしてモリガンとホーソーンのことをひたすら構《かま》おうとした。カデンスはいらだっているふりをしていたけれど、実は喜んでいることをモリガンは知っていた。いまミス・チェリーは腕《うで》を組んで生徒たちのうしろに立ち、まるで母熊のようにユニットを守っていた。

一方のランベスはだれともひとこともしゃべらず、いつにも増してみんなから距離《きょり》を置いているようだった。なにを考えているのだろうとモリガンはいぶかった。だれも彼女《かのじょ》の秘密《ひみつ》を暴かないことを――モリガンもホーソーンもカデンスも――〝ラミア王女〟がわかっていてくれればいいと思った。ふたりきりになれたらそう言おうと心に決めた。

クイン長老は言葉を継《つ》いだ。「わたくしたちの仲間によって、〈輝《ワンダラス・ソサエティ》かしき結社〉の名誉《めいよ》がこれほどまでに傷《きず》つけられるのは、本当に久しぶりのことです。あの裏切者《うらぎりもの》――その名前を二度と口にすることはありません――を必ず見つけだし、裁《さば》きを受けさせます。約束します。

明日の午後、〈長老の間〉で告別式を行い、勇敢《ゆうかん》な友人であり同僚《どうりょう》であるオンストールド教授に最後のお別れをします。彼《かれ》に敬意《けいい》を表したい人はぜひ参列してください。さて、ほかにも話しておかなければいけないことがあります。ふたりのジュニアの生徒が……」

手のなかになにかが押《お》しこまれるのを感じて、モリガンの意識はそちらに向いた。振《ふ》り返ったけれど、人があまりにも多すぎて、ずっとうしろのほうでローブがひるがえるのが見えただけだった。

手のなかにあったのは折りたたまれた紙で、モリガンの名前が記されていた。

「……わたくしたちの一員となるのにふさわしい勇気と機知で――」

「ぼくたちのことだ」ホーソーンがモリガンの耳元でささやいた。「勇気と機知。陽気でかっこいいを忘《わす》れているな」

けれどモリガンはもうクイン長老の話を聞いていなかった。震《ふる》える手でその紙を開き、二度読んだ。

モリガン・オデール・クロウ

わたしたちはユニット九一九の秘密《ひみつ》を守った。

けれどおまえにはおまえの秘密《ひみつ》がある。

時計が時刻《じこく》を知らせる前に
〈ワンダー細工師《さいくし》〉であることを全員に告白しろ。
さもなくば、共和国からの密入国者《みつにゅうこくしゃ》
ラミア・ベサリ・アマティィ・ラ王女についての真実を暴露《ばくろ》する。
〈輝かしき結社《ワンダラス・ソサエティ》〉に
世界に告白しろ。

心臓《しんぞう》をつかまれた気がした。心が追いつくまでにしばしの間が必要だった。

脅迫者《きょうはくしゃ》はあたしのことを言っていたわけじゃなかった！　暴露《ばくろ》すると脅《おど》していたのは、あたしの秘密《ひみつ》じゃなかった。ランベスのことだった。

胃《い》に重たいものを入れられた気分だった。ユニット九一九は脅迫者《きょうはくしゃ》からモリガンを守った。いやでたまらないことであっても、それぞれが与《あた》えられた要求をこなした。

今度はあたしの番だ。モリガンは目を閉《と》じ、怒《いか》りと恐怖《きょうふ》を呑《の》みこんだ。だれがこんなことをしているのかを突《つ》き止めると、さらに固く心に決めた。絶対に逃《に》がさない。

「ほら、モリガン」ミス・チェリーが促《うなが》すようにモリガンの肩《かた》をつかみ、そっと前に押《お》した。

「え、なに？」

「クイン長老があなたの名前を呼《よ》んだのよ。あなたとホーソーンを」モリガンは満面に笑みを浮《う》かべている案内人を見あげたけれど、笑みを返すことはできなかった。「さあ、行きなさい」

大勢の人々のあいだをホーソーンのあとについて進み、長老たちが笑顔で立っているところまで白い大理石の階段《かいだん》をあがっていくあいだ、モリガンは胸《むね》のなかでなにかがねじれ、暗くよどんでいくのを感じていた。顔に血がのぼり、耳の奥《おく》がわんわんと鳴っている。

長老たちの近くまでやってきたところで、プラウドフット・ハウスの時計塔《とけいとう》の鐘《かね》が鳴りはじめた。九時だ。鐘《かね》は九回鳴る。モリガンの頭のなかを様々な考えが駆《か》け巡《めぐ》った。

ひとつ。

階段《かいだん》の下にいる黒いマントの人々が、両手をあげて大きな拍手《はくしゅ》を送った。ホーソーンは手を振《ふ》って応えながら、モリガンを振《ふ》り返って濃《こ》いピンク色に染《そ》めた頬《ほお》をうれしそうに緩《ゆる》めた。モリガンの足取りが重いのを照れているのだと勘違《かんちが》いして、軽くつついた。

「ほら」ホーソーンが言った。「きみが頑張《がんば》ったんだ」

ふたつ。

重苦しい雰囲気《ふんいき》はあっという間にお祝いムードに変わった。祝われているのはモリガンだ──モリガンとホーソーン。大勢のなかにジュピターの誇《ほこ》らしげな、いまにも涙《なみだ》ぐみそうな顔を見つけて、モリガンの口がからからになった。この雰囲気《ふんいき》を壊《こわ》せと言うの？ 雰囲気《ふんいき》だけじゃない──すべてを壊《こわ》すことになる。〈結 社《ワンソック》〉で楽しい日々を過ごすチャンスは奪《うば》われる。彼女《かのじょ》自身だけでなく、ユニット全部が。

三つ。

一年の初めにクイン長老から聞かされた言葉が、モリガンの脳裏《のうり》にはくっきりと刻《きざ》まれていた。

もしもだれかが——だれであっても——わたくしたちの信頼《しんらい》を裏切《うらぎ》ったことがわかったら……あなたたち九人全員が〈輝かしき結社《ワンダラス・ソサエティ》〉から除名《じょめい》されることになります。永遠に。

モリガンは自分の人生を台無しにしようとしている。そしてほかの八人の人生も。

四つ。

ユニットのみんなはモリガンを許さないだろう。モリガンが何者であるかを知れば、〈結社《ワンソック》〉の人間全員が彼女《かのじょ》を憎《にく》むだろう。たいまつと大きな三つ又《また》熊手を持った人々が彼女《かのじょ》をキャンパスから追い払《はら》わなければ、運がいいと言えるくらいだ。

五つ。

でも……ランベス。オークションで玉座《ぎょくざ》に座《すわ》っていた、怯《おび》えたラミア王女の姿《すがた》がよみがえった。家族の背信行為《はいしんこうい》や、ウィンターシー党《とう》が事実を知ったら家族全員になにをするかに競売人が触《ふ》れたとき、その顔に浮《う》かんだ恐怖《きょうふ》を思い出した。

六つ。

心のなかに狼《おおかみ》のマスクの競売人を思い浮《う》かべることができたし、優《やさ》しそうな陽気な声も聞こえてきた。ウィンターシー共和国では、反逆罪はもちろん死刑《しけい》です。胃《い》がひっくり返りそうな気がした。

七つ。

だれもが家族のはずだった。生涯《しょうがい》の忠実《ちゅうじつ》。それが〈輝かしき結社《ワンダラス・ソサエティ》〉の約束だ。けれどミルドメイはそれを裏切《うらぎ》った。〈結 社《ワンソック》〉の聞こえのいい幻想《げんそう》——ここは、だれもが互《たが》いをかばい合い、悪いことはなにひとつ起きない安息の地——は、モリガンのなかではとっくに粉々に砕《くだ》けていた。ランベスは安全ではない。彼女《かのじょ》の秘密《ひみつ》が明らかになれば。モリガンは、彼女《かのじょ》たちを助けるために最後の力を振《ふ》り絞《しぼ》ったオンストールド教授のことを思った。

友だちではなく自分の秘密《ひみつ》を守ることを選択《せんたく》したら、もうだれにも顔向けができなくなる。

やるほかはない。

モリガンは震《ふる》える手で手紙を握《にぎ》りしめた。

八つ。

拍手《はくしゅ》と歓声《かんせい》が収《おさ》まると、クイン長老は再びマイクに歩み寄った。「このふたりの子供《こども》たちは、驚《おどろ》くべき業績を残しました。わたくしたちが持つ価値観《かちかん》をまさに——」

「あたしは〈ワンダー細工師《さいくし》〉です」モリガンはクイン長老の言葉にかぶせるように言った。

九つ。

時計が時刻《じこく》を知らせ終えた。

ホーソーンが喉《のど》を絞《し》められたような驚《おどろ》きの声を漏《も》らしたのが聞こえた。モリガンはここにいる全員に聞こえるように、脅迫者《きょうはくしゃ》に有無を言わせぬように、さらに大声で叫《さけ》んだ。「あたしは

〈ワンダー細工師《さいくし》〉です！」

朝が息を止めたようだった。

人々のあいだから、不意に自信なさげなくすくす笑いが聞こえた。さらにもうひとりの笑い声。モリガンがそんな告白をした理由はわからないけれど、それを面白いと思う許可をもらったみたいに、庭園に曖昧《あいまい》な笑い声が広がった。やがてそこここでざわめきが起きたかと思うと、笑い声はあっと言う間に消えた。

モリガンの言葉の意味を理解するにつれ、みんなが静まりかえった。

モリガンはなにも言わなかったし、長老たちも無言だった。

「ありえない！」うしろのほうで叫《さけ》び声がして、これが冗談《じょうだん》などではなく、長老たちは危険《きけん》な存在《そんざい》を仲間に入れる許可を与《あた》えたという事実に気づいた人々が、一緒《いっしょ》になって声をあげはじめた。だれもが信じたくないと思っている。「嘘《うそ》だ！」

モリガンはユニットの仲間たちを見た。ショックで茫然《ぼうぜん》としている顔と怒《いか》りに赤く染《そ》めている顔。だれもが凍《こお》りついたようになっているなか、人々をかきわけるようにしてバルコニーに向かってくる人間がいた。ジュピターだ。驚《おどろ》いてはいるものの、その表情は険《けわ》しい。あたかも彼《かれ》には一歩先が見えていて、なにか悪いことが起きるとわかっているみたいだ。モリガンはますます怖《こわ》くなった。

けれどクイン長老が手をあげて彼《かれ》を止めた。ジュピターは階段《かいだん》の下で立ち止った。つかの間長老たちに用心深いまなざしを向けていたが、やがてなにかに気づいたようだ。その目に浮《う》かんでいた恐怖《きょうふ》が消え、モリガンには判別できないなにかに変わった。

「さて」クイン長老の声が拡声装置《かくせいそうち》で流れた。「みなさん、今朝はもうひとつ祝うことがあるようです」

モリガンの頭は混乱《こんらん》した。クイン長老のか細い体を見つめながら、なにか言おうとして口を開き、そのまま閉《と》じた。もうひとつ祝うこと？　クイン長老はわたしが言ったことを聞いていなかったの？

「ユニット九一九はたったいま、五つめにして最後の審査《しんさ》に合格しました」クイン長老は満足そうにうっすらと微笑《ほほえ》んだ。「みなさんも一年めの生徒だったとき、〈忠誠心《ちゅうせいしん》の審査《しんさ》〉に取り組んだことを、よく覚えているはずです。もちろん、それぞれのユニットで審査《しんさ》の内容は異《こと》なりますが、目的は同じです。誓《ちか》いをどれほど守れるかの審査《しんさ》です」

人々の顔に理解の色が広がっていく。九一九のメンバーたちもクイン長老の言葉を受け入れたのがわかった。モリガンは、隣《となり》であんぐりと口を開けているホーソーンの顔を見た。「これで、ユニット九一九の最終審査《しんさ》は終了《しゅうりょう》です。わたくしたちはあなたたちを――改めて、より大きな誇《ほこ》らしさと共に――〈輝《ワンダラス・ソサエティ》かしき結社〉に迎《むか》えたいと思います。ユニット九一九、様々な危険《きけん》や困難《こんなん》に直面したときにあなたたちが見せた互《たが》いへの忠誠心《ちゅうせいしん》は、死ぬまであなたたちの財産となるでしょう。あなたたちは生涯《しょうがい》の兄弟姉妹となったのです。そうなると誓《ちか》ったからではなく、そうであることを証明したのです」

モリガンの突拍子《とっぴょうし》もない告白が冗談《じょうだん》なのか、あるいは審査《しんさ》の一部なのか、それとも目の前にいるのが本当に、〈輝かしき結社《ワンダラス・ソサエティ》〉の一員となったここ百年あまりで初めての――エズラ・スコール以来の――〈ワンダー細工師《さいくし》〉なのかをいまだに判断できず、人々は当惑《とうわく》しているようだった。モリガンは、彼《かれ》らの困惑《こんわく》が警戒心《けいかいしん》や疑念《ぎねん》や笑いや怒《いか》りへと変わるのを眺《なが》めていた。どう考えればいいのか、だれもまだわかっていないようだ。

「サガ長老とウォン長老とわたくしから改めて言っておきますが、〈結社《ワンソック》〉は長年、多様な、ときに危険《きけん》な才能を育《はぐく》んできたとはいえ、不健全な力を故意に招き入れたことは一度もありません。それどころか、〈不気味なマーケット〉を壊滅《かいめつ》させ、ふたりのメンバーの命を救ったミス・クロウは、善《ぜん》の力の持ち主であることを証明したのです――役に立つ、興味深い力を持つ善人《ぜんにん》で、わたくしたちの一員として喜んで迎《むか》え入れたい人間であることを。彼女《かのじょ》は〈ワンダー細工師《さいくし》〉かもしれませんが、今日以降《いこう》は、わたくしたちの、い、い、いいいい〈ワンダー細工師《さいくし》〉なのです」

クイン長老の言葉に応じたのは、不安そうな冷たい沈黙《ちんもく》だった。

「改めて言っておきますが」クイン長老は鋭《するど》い口調でさらに言った。「みなさんの誓《ちか》いはそれぞれのユニットのメンバーだけでなく、最年長の者から最年少の者まで、〈結社《ワンソック》〉のメンバーであるあらゆる人間に適用されます。モリガン・クロウに関することは、〈結社《ワンソック》〉のなかだけに留めておいてください。みなさんひとりひとりが誓《ちか》いを守り、外部の人間からこの秘密《ひみつ》を守ってくれることを信じています。忘《わす》れてはいけません。兄弟姉妹たち、生涯《しょうがい》の忠実《ちゅうじつ》」

人々は声を揃《そろ》えて応じた。「**常につながっていて、どこまでも真実**」

クイン長老は満足そうにうなずいた。

「よろしい。さて」ユニット九一九の残りのメンバーを手招きした。「最年少の生徒たち、こっちへ――そう、急いで。ユニット九一九のもっとも重要な節目《ふしめ》の日を、みなさんと共に祝いましょう」

祝うような雰囲気《ふんいき》とは言えなかったけれど、クイン長老の指示といかめしい視線《しせん》を受けて人々がひとしきり心のこもっていない拍手《はくしゅ》をしたところで、その日の会合は終わりになった。

その場から四方へと散っていく人々の視線《しせん》はすべてモリガンに注《そそ》がれていた。

いまの出来事で、モリガンは頭が真っ白になっていた。ホーソーンもなにが起きたのかよくわかっていないみたいで、怒《おこ》っているような面白がっているような、妙《みょう》な声を出していた。

残っているのは、ユニット九一九のメンバーだけだった。会合が終わると、ミス・チェリーは階段《かいだん》を駆《か》けあがり、メンバーひとりひとりを抱《だ》きしめてから、急いでホームトレインに戻《もど》っていった。その場にいた後援者《こうえんしゃ》たちは自分の生徒にお祝いの言葉をかけ、心をこめて握手《あくしゅ》をした。ジュピターはうれしそうな顔をしようとしたが、怒《いか》りのまなざしを長老たちに向けながらその場を去っていったことにモリガンは気づいていた。

そしていま生徒たちは、授業に行く気にはなれず、かといってなにを言えばいいのかもわからないまま、バルコニーの上でぎこちなく身を寄せ合っていた。

「あたしにはわからないよ」サディアがようやく口を開いた。「みんなの前で打ち明けさせるつもりだったなら、どうしてモリガンの秘密《ひみつ》を守るようにあたしたちを脅迫《きょうはく》したわけ？　やり方が汚《きたな》いよね」

「あれは審査《しんさ》だったんだよ、サディア」マヒアが言った。

「審査《しんさ》だったっていうのはわかってる、マヒア」サディアがマヒアの口調を真似て言った。

「あたしが言いたいのは……これってあんまり……」

「意地が悪い？」カデンスが言った。

「それ！　ものすごく意地が悪いよ。あたしたちみんなにもだけど、とりわけモリガンに」

だれもがその言葉に驚《おどろ》いて顔をあげた。なかでも一番驚《おどろ》いたのがモリガンで、危《あや》うく喉《のど》をつまらせるところだった。ホーソーンは実際につまらせて、咳《せき》でごまかさなくてはならなかった。

「なんて書いてあったんだい、モリガン？」アーチが興味深そうに眉間《みけん》にしわを寄せ、モリガンが持っている手紙を示した。「あんなことをきみにやらせるなんて」

モリガンは手紙を握《にぎ》りしめた。「それは――言えない」

マヒアが笑った。「え？　どういうことだい、きみは――」

「言えないの」

「ばかを――」

「わたしのことなんでしょう？」うしろからランベスの静かな声がした。みんなの前に出てきた彼女《かのじょ》は、惨《みじ》めそうな、けれど決然とした表情を浮《う》かべている。全員が黙《だま》りこんだ。「クイン長老は、わたしたちのユニットはみんな〈忠誠心《ちゅうせいしん》の審査《しんさ》〉に合格したって言ったけれど、それは間違《まちが》っている。わたしは不合格だった。

あなたたちはみんな、自分よりも兄弟姉妹を優先《ゆうせん》することを選んだ。でもわたしは黙《だま》っていることを選んだの。守っているのはモリガンの秘密《ひみつ》だってあなたたちが信じこんでいるのを、そのままにしていた。きっとそのとおりだって自分に言い聞かせていたけれど、でも……心の底では……わ、わ、わたしの秘密《ひみつ》かもしれないって考えていた」

「どんな秘密《ひみつ》なんだい、ランベス？」アーチが優《やさ》しく尋《たず》ねた。

ランベスは心を落ち着かせるように、深々と息を吸《す》った。「わたしの名前はランベス・アマラじゃない。本当は……ラミア・ベサリ・アマティ・ラ王女。ファー・イースト・サン州のシルクランズに暮《く》らすラ王家の一員なの」ランベスは言葉を切り、アーチたちの驚《おどろ》いた顔を見まわした。「ラム。ただのラムって呼《よ》んで」

ラムの優雅《ゆうが》で落ち着いた告白を聞きながら、奇妙《きみょう》だとモリガンは感じていた。ラムはユニットのなかでも一番小柄《こがら》なのに、いまは三メートルにも背《せ》が伸《の》びたみたいに見える。彼女《かのじょ》には本物の威厳《いげん》があった。

「ファー・イースト・サン」サディアの顔がまだらに赤くなった。「共和国から来たの？」

「ええ」

「きみってスパイなの？」フランシスが尋《たず》ねた。

ホーソーンはばかにしたように天を仰《あお》いだ。「フランシス、彼女《かのじょ》はスパイなんかじゃないよ。王女なんだから」

「両方かもしれないじゃないか！　ネバームーアにはウィンターシー共和国のスパイが大勢い

るって、伯母《おば》さんが言っていたんだ。それ以外に、どうしてここに来る理由がある？」

「やめてくれよ！」

「わたしはスパイじゃない」ラムが言った。「天賦《てんぷ》の才の使い方を学ぶために、家族がわたしをここに来させたの。この力のせいで吐《は》き気がするくらいひどい頭痛《ずつう》があった。〈結社《ワンソック》〉に来て、見えるものと折り合いをつける方法を学んだ。

でも……わたしはここに来るべきじゃなかった」ラムの目が赤く潤《うる》み、声が震《ふる》えた。「共和国の人間が国境を越《こ》えてフリー・ステートに入るのは違法《いほう》だわ。フリー・ステートが存在《そんざい》することすら、知らないことになっているんだから。ウィンターシー党《とう》に知られたら、わたしの家族は全員が刑務所《けいむしょ》に送られるか、それとも……もっとひどいことになるかもしれない。ずっとずっとひどいことに」ラムは震《ふる》えていた。「だから、このことは秘密《ひみつ》にしておかなきゃいけないってお祖母さまに言われていたの。そうしないと、家族みんなを危険《きけん》にさらすことになるから。でもわたしは嘘《うそ》がすごく下手だから、みんなとはあまり話さないようにしようって決めていたの。ごめんなさい」

「だれにも言わない」モリガンはメンバーの顔を順に見ながら言った。「このことはあたしたちだけの秘密《ひみつ》。そうだよね？　兄弟姉妹だものね？」

「生涯《しょうがい》の忠実《ちゅうじつ》」ほかの生徒たちが声を揃《そろ》えて言った。

ラムは、ほっとすると同時にどこか忙然《ぼうぜん》とした様子で鼻をすすった。口を開いてなにか言おうとしたそのとき――

「なにをしているんです」下の庭園から冷ややかな声がした。ディアボーンがモリガンたちをにらんでいる。「なにをさぼっているのか知りませんが、全員授業があるはずでしょう？」

九人はあわててプラウドフット・ハウスに駆《か》けこみ、それぞれの授業へと運んでくれる真鍮《しんちゅう》の丸いレールポッドを目指して、廊下《ろうか》を走った。

モリガンはわざと時間をかけ、必要もないのに制服のしわを伸《の》ばした。

ホーソーンが眉《まゆ》を吊《つ》りあげて言った。「そうか。幸運を祈《いの》っているよ」

「ありがとう」モリガンはぞくぞくしながら、新しい白いシャツの袖《そで》を調節した。「お昼に会える？」

「うん」ホーソーンは〈先端科学《せんたんかがく》〉部に向かうポッドに乗りこみながら応じた。「メモをいっぱい取るのを忘《わす》れないでよ。あそこがどれくらい奇妙《きみょう》なのかを知りたいんだ。それからどうにかして、マーガトロイドにあの氷のやつをもう一回やらせてみてよ。あれはクールだったよね」ドアが閉《し》まりかけ、ホーソーンはその隙間《すきま》から顔を突《つ》き出しながら叫《さけ》んだ。「わかった？　クールって言ったんだ」

「わ、わかった」

モリガンは鼻を鳴らし、ポッドのドアを押《お》さえて待っているラムとカデンスを振《ふ》り返った。

「来るの、来ないの？」カデンスに言われ、彼女《かのじょ》が〝地下六階：不可解な技能の学校〟とラベルのついたレバーを引くと同時に、モリガンはポッドに飛び乗った。

訳者あとがき

「ネバームーア2　魔法学園の危機」をお届けいたします。

厳しい試験を突破し、〈輝かし き結社《ワンダラス・ソサエティ》〉の一員となることができたモリガンでしたが、求めていたものが手に入ったわけではありませんでした。モリガンが求めていたもの――それは家族でした。一生裏切ることのない兄弟姉妹。なにがあろうとずっと自分を愛してくれる人。呪われた子供として、実の父親からも邪魔もの扱いされながら一一年間生きてきたモリガンでしたから、当然のことかもしれません。結団式で兄弟姉妹となる八人の仲間と顔を合わせ、それぞれが忠実を約束する誓いの言葉を述べますが、当然ながらそれだけで家族になれるはずもありません。それどころか、モリガンが〈ワンダー細工師〉であることを知らされた仲間たちは（ホーソーンは別として）、彼女によそよそしい態度を取るのでした。

〈輝かし き結社《ワンダラス・ソサエティ》〉での授業が始まると、モリガンの落胆はいっそう大きくなっていきます。生徒たちの教育の責任者のひとりミス・マーガトロイドが、モリガンの授業を制限したからです。モリガンが受けられる授業はただひとつ、〝ワンダーによる凶悪な行為の歴史〟だけでした。

ほかの仲間たちが、〝忍び、回避、隠蔽〟とか〝人間の心臓を（一時的に）止める方法〟とか〝素人のための偵察技術と爆弾処理の基礎〟といった興味深い授業を受けているあいだ、モリガンはこれまで存在した〈ワンダー細工師〉たちの愚かだったり、邪悪だったりする所業をこれでもかというくらい教わらなくてはいけなかったのです。

数週間がたち、ユニットの仲間たちともいくらか打ち解けて、兄弟姉妹とは言えないまでも友人にはなれたかもしれないとモリガンが思い始めたころ、その希望を打ち砕くようなことが起こります。メンバーの秘密をばらされたくなければ、言うことを聞けという内容の脅迫状がユニット宛てに届いたのです。モリガンが〈ワンダー細工師〉であることは、ユニットの仲間とその後援者たち、あとはごく一部の人間しか知りませんでしたから、当然ながら秘密というのはそのことだとモリガンたちは考えました。やがて仲間たちには屈辱的だったり、恐ろしかったりする要求が届き始め、そのせいで再びモリガンとのあいだに溝ができてしまうのでした。

ようやく〈輝かしき結社《ワンダラス・ソサエティ》〉の正式な一員となったモリガンですが、本当の冒険はここから始まると言ってもいいかもしれません。前巻では、〈煙と影のハンター〉から無事に逃げられるのかとか、四つの審査に合格してネバームーアに残ることができるのかといったところではらはらしましたが、本書ではそれ以上の危険がモリガンを待ち受けています。〈ワンダー細工師〉としての能力にも少しずつ目覚め始め、今後の展開にますます期待が高まるところです。

モリガンの兄弟姉妹たちとなるユニット九一九の仲間たちは、〈特技披露審査〉で類まれなる天賦の才を披露した子たちばかり。前巻でちらりと登場していますから、そうそう、こんな子がいたと思い出していただけるでしょうか。催眠術を駆使するカデンスの力は圧巻ですが、個人的には料理で人の感情を左右できるフランシスがわたしのお気に入りです。語学の天才であるマヒアにも羨望のまなざしを向けてしまいます。みなさんはどんな天賦の才が欲しいと思うでしょう？

さて、様々な試練を経て、モリガンはユニットの仲間たちとも信頼関係を築くことができたようですが、次巻では奇妙で恐ろしい病気がネバームーアに蔓延します。そしてその裏には〈ワンダー細工師〉であるエズラ・スコールの存在があるらしいという噂が……。もうひとりの〈ワンダー細工師〉として、モリガンはまたもや難しい立場に立たされることになりそうです。次巻をどうぞお楽しみに。

訳者略歴　翻訳家　ロンドン大学社会心理学科卒業，訳書に『ドレスデン・ファイル』ブッチャー，『鉄《くろがね》の魔道僧』ハーン，『ネバームーア』タウンゼント，『歴史は不運の繰り返し』テイラー（以上早川書房刊）他多数

ネバームーア２
魔法学園《まほうがくえん》の危機《きき》

2020年11月10日　初版印刷
2020年11月15日　初版発行

著者　ジェシカ・タウンゼント
訳者　田辺千幸《たなべちゆき》
発行者　早川　浩
発行所　株式会社早川書房
東京都千代田区神田多町２－２
電話　03－3252－3111
振替　00160－3－47799
https://www.hayakawa-online.co.jp

印刷所　株式会社亨有堂印刷所
製本所　大口製本印刷株式会社

Printed and bound in Japan

ISBN978-4-15-209977-8 C0097

ハヤカワ・ジュニア・ミステリ

そして誰《だれ》もいなくなった

And Then There Were None

アガサ・クリスティー
青木《あおき》久恵《ひさえ》訳《やく》

46判並製

全世界で1億《おく》部、突破《とっぱ》！
読者の予想《よそう》を裏切《うらぎ》る衝撃《しょうげき》のラスト!!

その十人が孤島《ことう》の屋敷《やしき》に集まったとき、おそるべき死のゲームがはじまる。不気味《ぶきみ》な童謡《どうよう》の歌詞《かし》にあわせて一人また一人と殺《ころ》されてゆく。犯人《はんにん》は何者か？　そして生き残《のこ》るのは誰《だれ》か？

ハヤカワ・ジュニア・ミステリ

名探偵《めいたんてい》ポアロ ナイルに死《し》す

アガサ・クリスティー

Death on the Nile

佐藤耕士《さとうこうじ》訳《やく》

46判並製

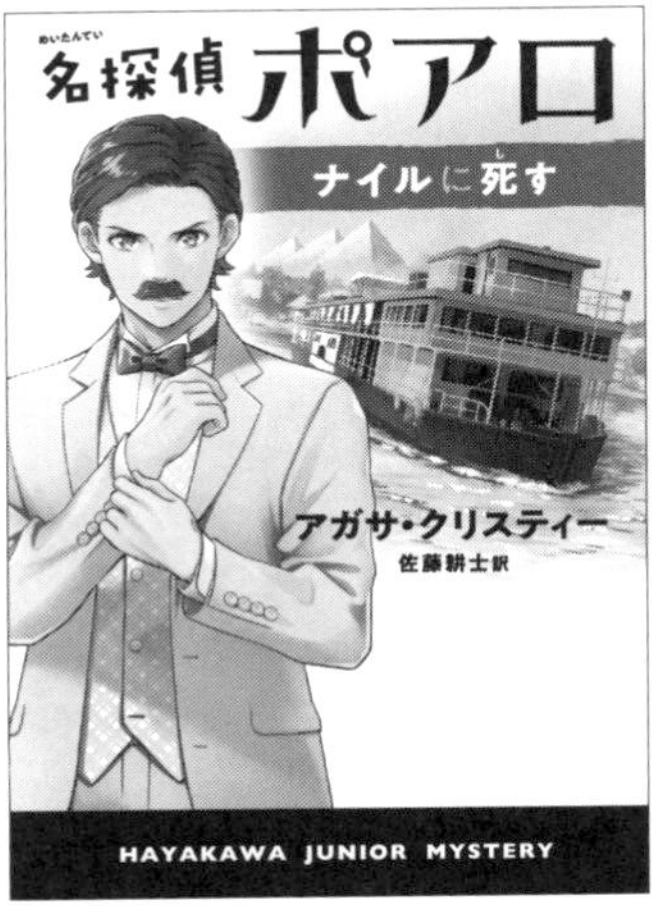

盗《ぬす》み、裏切《うらぎ》り、殺《ころ》し……
この船、危険《きけん》すぎる!?

大金持ちの女性《じょせい》とその夫《おっと》の新婚《しんこん》旅行は、ナイル川を遊覧《ゆうらん》する船上で一変《いっぺん》した。鳴《な》り響《ひび》く銃《じゅう》声《せい》。夫《おっと》の元婚約者《こんやくしゃ》が銃《じゅう》をもって二人をつけまわしていたのだ。やがて事態《じたい》は思わぬ展開《てんかい》に!?

列車探偵《れっしゃたんてい》ハル
王室列車《おうしつれっしゃ》の宝石《ほうせき》どろぼうを追《お》え!

ADVENTURES ON TRAINS
THE HIGHLAND FALCON THIEF

M・G・レナード&
サム・セッジマン
武富博子《たけとみひろこ》訳《やく》

46判並製

旅《たび》のときめきと謎解《なぞと》きのドキドキを
詰《つ》めこんだ、ミステリ新シリーズ!

ハルは11歳《さい》の男の子。旅行作家《りょこうさっか》のおじさんと豪《ごう》華《か》列車《れっしゃ》に乗《の》り込《こ》むが、出発《しゅっぱつ》の宴《うたげ》で宝石《ほうせき》どろぼうが発生《はっせい》!? 犯人《はんにん》を見つけることを決意《けつい》したハルの推理《すいり》の結末《けつまつ》は……大注目《だいちゅうもく》のシリーズ、出発《しゅっぱつ》!